La rançon du désir

PENELOPE WILLIAMSON

Penelope Williamson

La rançon du désir

*Traduit de l'américain
par Perrine Dulac*

Éditions J'ai lu

Titre original :

A WILD YEARNING
Published by Dell Publishing, a division of Bantam Doubleday Dell
Publishing Group, Inc., N.Y.

1

Boston, Massachusetts, Bay Colony
Mai 1721

— Angie, p'tite garce, reviens ! Si je t'attrape, petite peste…

La porte s'ouvrit brutalement, et une jeune fille trébucha sur le seuil, atterrissant sur les mains et les genoux.

Au bruit de la porte, les deux garçons qui jouaient dans la ruelle levèrent la tête. A la vue de la fille, les cheveux noirs en bataille et les yeux écarquillés de peur, ils ramassèrent leurs sous et détalèrent sur les docks.

— Angie !

La fille se releva vivement et, s'accrochant d'une main à la clôture branlante, elle sauta de la véranda, fit volte-face, puis s'arrêta dans une glissade.

Se frayant un chemin au milieu des filets de pêche qui séchaient au soleil, juste dans son axe de fuite, apparut la silhouette trapue, presque cubique, de l'agent Dunlop.

L'agent s'arrêta et lui tourna le dos pour regarder la frégate royale qui accostait le long du quai. La fille fit un pas en avant mais, voyant ses volumineuses épaules pivoter de nouveau dans sa direction, elle se figea.

De l'étage, lui parvint le bruit d'un tabouret renversé suivi d'un autre braillement.

— Merde !

Fracas de vaisselle métallique sur le sol. Bruit sourd contre le mur.

— Je sais que tu en caches ailleurs et tu as intérêt à me le dire, espèce de garce… !

Ravalant un gémissement de désespoir, la fille tomba à genoux et se glissa comme un scarabée sous la véranda.

Haute de cinquante centimètres, la véranda, dont le bois avait depuis longtemps commencé à pourrir, menait à un escalier qui reliait la ruelle à leur logement au-dessus d'une boutique de tonnelier délabrée. Seuls quelques rats et quelques araignées — et une maigrichonne de dix-sept ans cherchant à éviter une raclée — pouvaient se cacher dessous.

— Angie ! Attention à ta couenne !

Elle entendit le pas lourd de son père dans l'escalier, puis le clapotement des souliers de l'agent Dunlop dans les eaux sales de la ruelle. Pour étouffer le bruit de sa respiration, la jeune fille appuya le visage contre le sol ; la boue visqueuse sur sa joue sentait le moisi et le poisson pourri.

Les pieds de l'agent s'arrêtèrent juste devant Angie. Il était si près qu'elle pouvait distinguer les éclaboussures de boue sur ses guêtres en cuir décoloré.

L'agent se racla la gorge et envoya un crachat à quelques centimètres de son visage.

— Eh là, McQuaid ! appela-t-il. Que signifie tout ce vacarme ?

Les planches au-dessus de sa tête gémirent et s'affaissèrent sous le poids de son père.

— Oh, c'est vous, m'sieur l'agent...

A la vue de l'officier de police, Ezra McQuaid avait baissé le ton. Il n'était pas rare qu'il passe la nuit en prison pour ivresse et trouble de l'ordre public.

— Vous n'auriez pas, par hasard, vu ma Angie ?

L'agent se racla la gorge et cracha de nouveau.

— Je ne l'ai pas vue. Mais je regardais la baie. Le *Moravia* vient d'arriver. Qu'est-ce qu'elle a fait, cette fille ?

— Elle a pris six pence que j'avais mis de côté pour les mauvais jours, gémit Ezra McQuaid. Elle a filé avec et je veux lui donner une correction. C'est un péché contre Dieu de voler son propre père.

« Oh, le menteur ! » pensa Angie. Les six pence en question lui appartenaient. Elle les avait cachés dans un pot de saindoux, et il les avait découverts. Mais, même pour acheter de la bière bon marché, ils n'avaient pas suffi. Il l'avait soupçonnée de cacher d'autres pièces, puis s'était mis à la rouer de coups de poing. C'était comme ça, avec son père. Quand la soif le prenait, il buvait jusqu'à perdre conscience.

— Ça fait longtemps que vous auriez dû la marier, disait l'agent Dunlop. Quelqu'un d'autre se chargerait alors de l'éduquer.

Ezra McQuaid partit d'un gros rire.

— Vous vous proposez, m'sieur l'agent ?

— Qui, moi ? Oh, non. Elle est beaucoup trop effrontée.

Les deux hommes rirent de concert. Puis Dunlop poussa un soupir.

— Bon, il faut que je fasse mes rondes. Si je trouve votre fille, je vous la ramènerai par la peau du cou.

— Avec mes remerciements, m'sieur l'agent. Mais si elle travaille au Lion-Agile, vaut mieux la laisser. On a besoin de sous. Le fouet peut attendre.

L'agent ricana et cracha de nouveau.

— Eh bien, bonne journée, McQuaid.

Les guêtres maculées de boue pivotèrent et disparurent. Les planches craquèrent au-dessus de la tête de Angie, et le loquet de la porte se referma avec un bruit sec.

Le calme descendit sur la ruelle. Angie attendit, immobile. Une brise se leva et s'infiltra sous la véranda, charriant une odeur de morue salée. De la boutique voisine lui parvenait le martèlement du maillet du tonnelier. Avant de devenir un ivrogne, son père avait été lui-même tonnelier.

Sortant la tête de sa cachette, elle regarda autour d'elle et se mit à ramper dans la boue. Mais, soudain, une main la saisit par les cheveux et la releva. A la vue d'Ezra McQuaid, ses lèvres disparaissant au milieu de sa barbe noire pour ne laisser voir que ses dents, Angie étouffa un cri.

— Tu croyais que j'étais rentré, hein ? Mais je t'ai eue. Je t'ai bien eue. Où est l'argent ?

— Il n'y en a plus, papa. Je te le jure.

— Tu mens !

Il la secoua violemment, la souleva de terre, puis la lâcha. Mais avant qu'elle ne tombe, il lui administra un coup de poing dans le ventre.

Sous la violence du coup, elle fut projetée contre

la balustrade de la véranda dont le bois pourri céda sous son poids.

Son père se rua sur elle. Paniquée, elle resta un bref moment hypnotisée par ses yeux jaunes qui brillaient sous une frange hirsute. Cette fois, il allait la tuer !

Comme elle essayait désespérément de se remettre debout, ses doigts rencontrèrent un morceau de balustrade. Se relevant tant bien que mal, elle s'en saisit et le frappa à la tête.

Puis elle décampa sans demander son reste, ses pieds nus glissant dans les eaux sales de la ruelle. Elle entendit le cri de surprise et de douleur de son père, suivi par un grognement de rage qui lui donna des ailes. Arrivée sur les quais, ses pieds martelant les planches de bois, elle se faufila entre les tonneaux et les caisses, évita deux cochons qui fouillaient un tas d'ordures, et ne s'arrêta qu'après avoir dépassé le chantier de Sear et le quai de Ship Street. Appuyée contre un hangar, elle reprit son souffle. Souffrant du coup qu'il lui avait donné, elle se palpa la cage thoracique, craignant d'avoir quelque chose de cassé.

— Oh, papa...

Les larmes aux yeux, elle pencha la tête en arrière et ferma les paupières — mais les rouvrit aussitôt, tandis que deux mains se posaient sur le mur, de chaque côté de son visage.

— Te voilà, chérie. Je te cherchais.

Angie croisa les yeux bleu vif qui la dévisageaient sous un fouillis de boucles blondes en partie recouvertes d'un bonnet rouge.

— Tom... tu m'as fait peur.

— Qu'est-ce qui t'arrive ?

Angie essuya une larme.

— Rien, dit-elle avec un sourire forcé. Que fais-tu dehors un lundi en plein après-midi ? Si le vieux Jake t'attrape...

Tom Mullins travaillait chez Jake Steerborn, le forgeron. Si Jake apprenait que son employé se promenait sur le quai, au lieu de travailler à la forge, Tom serait bon pour une raclée.

— Le vieux est allé manger un morceau arrosé d'un petit verre de rhum, dit Tom. Je ne vais pas rester dans cette chaleur à entretenir un feu pour quelqu'un qui n'est pas là. Où étais-tu, ces derniers jours ? demanda-t-il en lui caressant la joue. Tu m'as manqué...

Comme il abaissait les lèvres vers les siennes, elle se détourna. Mais il ramena sa tête vers lui, et elle se laissa embrasser.

Lorsqu'il s'attaqua aux lacets de son corsage, elle se rappela pourquoi elle évitait Tom Mullins et s'écarta de lui.

— Non, Tom. On ne devrait pas.

En tant qu'apprenti, il ne pouvait pas se marier avant d'avoir obtenu son brevet.

— Tu as encore quatre ans à travailler avant qu'on puisse se marier et...

— Se marier ! Qui a parlé de mariage ?

Les beaux traits de Tom s'étaient durcis, et il frappa du plat de la main contre le mur, la faisant sursauter.

— Espèce de petite allumeuse ! Tu t'es déjà donnée à d'autres. Pourquoi pas à moi ?

— Qui a dit une chose pareille ?

— Tout le monde. Tout le monde au Lion-Agile.

— Eh bien, tout le monde ment ! s'exclama-t-elle, le repoussant violemment. Je ne suis pas une catin, Thomas Mullins, et si tu penses ça de moi, je ne te verrai plus !

Elle voulut s'éloigner, mais il lui saisit le bras et la ramena devant lui. Croyant qu'il allait la frapper, elle se raidit.

— Angie, je suis désolé...

— Lâche-moi, dit-elle entre ses dents.

Il la lâcha à contrecœur.

— Angie, tu te rends compte de l'effet que tu fais aux hommes ? Oh, je crois que tu le sais. La façon dont tu les regardes, avec ces étranges yeux dorés. Des yeux de chat. Et cette voix rauque. Tu le sais fichtrement bien, que tu excites les hommes...

Ne pouvant supporter d'en entendre davantage, Angie pivota et prit la fuite. Il l'appela, mais elle ne se retourna même pas.

Elle avait remarqué son regard. Il l'aurait frappée. Oh, il ne l'avait pas fait cette fois, et peut-être ne le ferait-il pas la suivante, mais un jour, sa fureur l'emporterait et il utiliserait ses poings... Comme son père.

Le Lion-Agile était l'une des nombreuses tavernes du bord de mer, offrant de l'alcool bon marché aux « tabliers de cuir » — forgerons, tonneliers et dockers — qui assuraient l'entretien des bateaux naviguant sur la baie. C'était là que Angie McQuaid travaillait depuis l'âge de quatorze ans.

Tom Mullins et la rumeur générale se trompaient : elle ne se prostituait pas. Elle était serveuse, un point c'est tout. Debout à l'entrée du bar enfumé, elle essayait de deviner lequel de ces bruyants habitués avait lancé cette horrible rumeur.

Oh, ils lui avaient tous, un jour ou l'autre, demandé de monter avec eux, mais chez les hommes c'était une manie. Tant qu'ils ne la touchaient pas et acceptaient son refus, elle ne leur en voulait pas. Voilà deux ans qu'elle n'avait plus de chaussures ; il lui aurait pourtant suffi de monter une seule fois l'escalier du Lion-Agile pour gagner de quoi s'en acheter une paire. Son amour-propre l'en avait empêchée. L'amour-propre et la certitude que, si elle couchait une seule fois avec un homme pour de l'argent, elle serait souillée à jamais.

Il avait pourtant suffi qu'un homme la traite de catin pour que tout le monde le croie. Cette pensée la faisait plus souffrir que ses côtes endolories.

— Tu es en retard.

Angie se retourna pour se trouver nez à nez avec Sally Jedrup, propriétaire du Lion-Agile et de deux autres débits de boissons voisins. Sally avait une grosse fossette au milieu du menton, et un visage creusé par la vérole.

— Je ne te paie pas pour que tu ailles te balader…

— Je ne suis pas en retard, rétorqua Angie, bien que, ce soir, elle ne se sentît pas capable de tenir tête à Sally. C'est pour qui ? demanda-t-elle, prenant des mains de la grosse femme un plateau chargé de verres de rhum.

— Pour la bruyante équipe contre le mur. Et attention de ne pas en renverser, ou je le déduis de tes gages.

Angie remarqua, parmi les buveurs, le forgeron Jake Steerborn. Bien que Tom Mullins l'eût déçue, elle fut soulagée de constater qu'il ne risquait pas d'être surpris par son patron.

Une sacoche de cuir renfermant un coq de combat était accrochée à un clou au-dessus de Jake. Le volatile émettait un faible ronronnement — l'excitation du prochain combat, peut-être. Le Lion-Agile possédait en effet une arrière-salle, et tout le monde savait qu'un combat s'y déroulerait dans la soirée entre le champion de Jake et l'un des coqs de Sally Jedrup.

Comme Angie se penchait pour poser les verres sur la table, le forgeron passa sa main noire de suie sur le postérieur de la jeune fille.

— Angie, tu vas parier sur mon coq ?

Lui saisissant le poignet, elle retira la main baladeuse.

— Je ne gaspillerai pas deux pence pour une cause perdue.

En effet, Sally Jedrup avait la réputation d'enduire d'ail les becs de ses volatiles pour repousser leurs adversaires, et de leur faire avaler de l'alcool pour stimuler leur esprit combatif.

Prenant Angie par la taille, Jake l'attira à lui.

— Allez, Angie, sois gentille. Si on s'amusait un peu, tous les deux ?

Il plongea la main dans la poche de son tablier de cuir.

— Regarde, je te donne deux shillings. Deux shillings pour quelques minutes de ton temps.

— Lâchez-moi, Jake, dit-elle en le repoussant.

Mais il resserra son étreinte et planta un baiser mouillé à la naissance de ses seins. Angie en avait assez. Passant le bras derrière le dos du forgeron, elle attrapa un verre de rhum et le renversa sur sa tête.

Jake la lâcha et resta interdit, tandis que le liquide dégoulinait sur son épais visage, puis il bondit en jurant.

Se servant du plateau comme d'une massue, Angie l'abattit sur le gros nez du forgeron. Tous ceux qui les entouraient éclatèrent d'un rire gras. Jake porta la main à son visage.

— Angie, bredouilla-t-il, les larmes aux yeux, en remuant le monstrueux appendice pour s'assurer qu'il n'était pas cassé. Pourquoi as-tu fait ça ?

Angie recula.

— Pour t'apprendre à garder tes distances, Jake Steerborn.

— Je ne te voulais pas de mal.

Se retournant, elle trouva sa retraite coupée par la large silhouette de Sally Jedrup.

— Qu'est-ce qui te prend, petite catin ? siffla la femme. Tu veux attirer les flics ?

— Dégage, la vieille, ou je te casse aussi la tête, la menaça Angie en brandissant le plateau.

— Tu peux filer, ma fille, dit Sally en reculant prudemment, parce que tu ne travailles plus pour moi. Ni dans aucune taverne du front de mer, tu peux me faire confiance.

Comme Angie franchissait la porte du Lion-Agile, Sally Jedrup ajouta :

— J'espère que toi et ton poivrot de père crèverez de faim !

Angie avait presque atteint le quai de Clark lorsqu'elle s'aperçut qu'elle tenait toujours le plateau. S'avançant jusqu'à l'extrémité de la jetée, elle le lança dans la baie et éclata de rire. Mais son rire lui resta dans la gorge.

Quel beau gâchis ! Elle avait blessé son père — il s'écoulerait plusieurs jours avant qu'elle n'ose rentrer à la maison, en espérant qu'il serait trop ivre pour passer sa fureur sur elle ou trop sobre pour en avoir envie.

Et Tom. Comme une imbécile, elle avait nourri le rêve de l'épouser quand il aurait fini son apprentissage. Elle se voyait dans un logement à eux, avec une ribambelle d'enfants assis autour de la table ; elle ferait mijoter quelque chose sur le feu, tandis qu'une pipe à la bouche et un petit verre devant lui il la regarderait avec fierté. Angie étouffa un sanglot.

Pour couronner le tout, elle perdait son travail au Lion-Agile, à cause de cet abruti de Jake.

— Et de quoi vas-tu vivre, tête de bois ? dit-elle tout haut. L'amour-propre n'a jamais nourri personne.

Plantée au bout de la jetée, Angie regardait le soleil descendre derrière les haubans et les enfléchures des bateaux. A l'embouchure de l'estuaire, un pêcheur ramenait son doris au port. Une mouette la frôla avec un cri perçant.

Apercevant un mouvement du coin de l'œil, elle se retourna vers les échoppes qui se succédaient le long du quai et vit deux officiers anglais de la frégate *Moravia* se diriger vers le tableau d'affichage où étaient inscrits les noms des bateaux à quai.

Angie remonta la jetée. Le vent du soir s'était levé, repoussant les tas d'ordures qui jonchaient le quai. Une feuille de la *Boston News-Letter* vint se plaquer contre ses jambes. Elle se pencha pour s'en libérer et allait la jeter, quand un mot en grosses lettres capta son regard.

Sachant à peine lire, elle réussit à déchiffrer deux des mots en caractères gras — *femme* et *mariage*.

Soudain, une ombre recouvrit le journal. Levant la tête, elle reconnut l'un des deux officiers anglais qu'elle avait remarqués quelques instants plus tôt. D'après les épaulettes de son bel habit bleu, il devait être lieutenant. Grand, filiforme, les cheveux retenus par un catogan, il avait un gentil sourire.

— Bonjour, mademoiselle, dit-il d'une voix distinguée. Je vous ai remarquée tout à l'heure au bout de la jetée, et j'ai pensé que vous aviez l'air bien esseulée. Je me demandais…

Il sourit et ses joues pâles s'empourprèrent légèrement.

Esseulée, on pouvait le dire ! En temps normal, Angie se serait moquée des avances du lieutenant, mais une idée lui traversa l'esprit.

— Vous savez lire ? lui demanda-t-elle avec un grand sourire.

— Oui, bien sûr, répondit-il en bombant le torse.

— Vous pouvez me lire ça ? Tout haut ?

Le jeune homme prit la feuille de journal, s'éclaircit la voix et commença :

Recherche femme en vue mariage. Fermier de Merrymeeting, Territoire de Sagadahoc, Maine, veuf avec deux petites filles, offrirait foyer à une femme prête à assumer la responsabilité d'épouse pour ledit fermier et de mère pour ses deux filles. Ladite femme devra être une bonne chrétienne, forte d'esprit et de corps, et de haute moralité. Les personnes intéressées peuvent s'adresser à Jason W. Savitch, M.D., résidant momentanément à l'auberge du Dragon-Rouge, King Street, Boston.

Le lieutenant se tut et regarda Angie avec amusement. Elle croisa son regard et sourit, mais sans vraiment le voir. Elle réfléchissait.

— Le Dragon-Rouge... Jason W. Savitch, M.D., répéta-t-elle. Qu'est-ce que ça veut dire, M.D.?

— *Medicinae doctor*. Cela signifie que l'homme a fréquenté l'université. Vous n'envisagez tout de même pas de poser votre candidature?

Le jeune lieutenant rit et caressa la joue de Angie.

— Vous êtes trop jolie, ajouta-t-il, pour vous enterrer avec un bouseux dans un trou perdu...

— Merci de votre aide, gentil monsieur, dit Angie en lui prenant le journal des mains.

— Attendez! Laissez-moi au moins vous offrir à dîner...

Mais Angie était déjà en route pour King Street et le Dragon-Rouge.

Elle resta plantée devant l'auberge qui se détachait, magnifique, au milieu des baraques et des boutiques, sa gigantesque enseigne aux vives couleurs se balançant au-dessus de la porte.

«Aucun tablier de cuir n'oserait fréquenter le bar de cet établissement», se dit Angie. Non, seul le «gratin» le fréquentait. Elle essaya d'en imaginer l'intérieur. Les messieurs devaient boire dans des chopes d'étain en fumant leurs pipes en terre. Ils devaient jouer aux cartes ou lire des journaux, sans qu'aucun bruit vienne troubler l'atmosphère ouatée.

Un valet d'écurie et le portier, tous deux en livrée rouge et or et perruque bouclée, bavardaient devant l'entrée. Angie avait espéré aborder Jason W. Savitch sans être vue, mais après plusieurs minutes d'attente, elle comprit qu'elle devrait franchir l'impressionnant portail de l'auberge.

Ramassant ses jupes et redressant le menton — comme le ferait, pensait-elle, une dame —, elle traversa la rue, évitant un vendeur de balais, un porteur d'eau et un rémouleur, et se dirigea vers l'entrée.

— Excusez-moi, messieurs...

Les hommes en livrée s'arrêtèrent de parler et se retournèrent d'un bloc. Ils regardèrent Angie du bas de son jupon rayé et taché de boue, au sommet de sa tête que ne couvrait pas le moindre fichu. Le valet d'écurie, qui devait avoir l'âge de son père, était petit, épais, au visage mafflu. Il esquissa une grimace.

Le portier, plus grand et beaucoup plus jeune, afficha un sourire paillard qui révéla des dents brunes et ébréchées.

— Les cuisines sont derrière, dit-il. Mais je crains qu'il n'y ait pas de place pour une fille de cuisine.

— Je ne cherche pas de travail, merci. Savez-vous où je peux trouver Jason W. Savitch? M.D., précisa-t-elle. J'ai rendez-vous.

— Ah bon, vous avez rendez-vous? Et moi, je suis le roi d'Angleterre! s'exclama le valet, riant si fort de sa plaisanterie que sa perruque se mit de travers. File, ajouta-t-il, de nouveau sérieux, avant que j'appelle les agents.

— Attends, intervint le portier. Toutes sortes de femmes sont venues voir le docteur, ces derniers temps. Et la plupart n'étaient pas mieux que celle-ci — pardon, mademoiselle.

Le valet jeta un regard méprisant à Angie et secoua la tête.

— Il compte ouvrir une maison de prostitution ou quoi?

Angie, qui commençait à nourrir les mêmes soupçons, décida qu'elle ne voulait plus voir Jason W. Savitch, M.D., et tourna les talons.

— Eh là, mademoiselle! la rappela le portier. Le docteur est sorti. Mais il a pris une suite, et vous pouvez l'attendre dans son salon.

Angie hésita. Après tout, si le docteur ne lui plaisait pas, elle pourrait toujours partir. Que pouvait-il lui arriver dans un aussi magnifique établissement?

Elle entra à la suite du portier et traversa le bar, remarquant au passage qu'il était presque vide, à l'exception de deux vieux messieurs portant perruque et costume de fin drap noir. Assis devant le feu, ils jouaient au backgammon. L'un d'eux marmonna quelque chose, et son adversaire prit un cornet acoustique et cria:

— Eh, qu'avez-vous dit? Parlez plus fort, Feathergrew!

Angie rit sous cape. Le portier ne la fit pas monter par le grand escalier. Traversant la cuisine, il prit l'escalier de service. Avant qu'il n'ouvre une porte et ne la fasse entrer à l'intérieur, elle eut le temps d'apercevoir un couloir lambrissé et recouvert d'un tapis.

— Je prends un risque en vous faisant entrer sans permission. Ne vous avisez pas de voler quelque chose.

Il se pencha avec un sourire entendu. Son haleine empestait le rhum et le vieux tabac.

— Quoi que vous donnera le monsieur, quand vous aurez fini votre, euh... affaire, j'aurai la moitié, ajouta-t-il. Compris?

Angie comprit, mais ne répondit pas. Debout

sur le pas de la porte, elle regardait la pièce, éblouie.

Des tapis recouvraient le parquet ciré et des rideaux de damas encadraient deux grandes fenêtres à guillotine ouvrant sur une cour ombragée. Malgré la tiédeur printanière, un feu brûlait dans la cheminée. Une lampe était déjà allumée. Elle baignait les meubles — tous anglais et admirablement cirés — d'une chaude lumière qui faisait ressortir le grain du bois.

Angie entendit la porte se refermer derrière elle. Elle fit le tour de la pièce en chantonnant, passa la main sur le dossier sculpté d'un fauteuil, toucha les objets posés sur la commode et le bureau : un rasoir et une pierre à aiguiser, un peigne en ivoire, un assortiment de plumes dans un coffret de cuivre. Puis une sacoche de médecin en cuir et une rangée de pots vernissés qui devaient contenir toute une pharmacopée. Appuyé au mur dans un coin près de la cheminée, elle aperçut un fusil de Pennsylvanie, dont la crosse en bois huilé et le canon en métal gris reflétaient les flammes.

Qui était l'homme qui possédait ces objets et dont elle percevait la présence — une faible odeur de tabac et de cuir ? A en juger par ce qu'elle voyait, il devait être riche. Sa ferme était-elle grande ? Quel âge avaient ses deux filles ?

Mais quel homme était-ce pour rechercher une épouse par voie d'annonce ? Etait-il marqué par la petite vérole ? Etait-il vieux ? Ou simplement trop timide ?

Consciente de son indiscrétion, Angie s'aventura jusqu'à la chambre et faillit pousser un cri à la vue de son reflet dans le miroir qui surmontait la cheminée.

Elle avait les joues maculées de boue et les cheveux emmêlés de brindilles. En outre, son corsage était taché par le rhum qui l'avait éclaboussée quand elle l'avait versé sur la tête de Jake Steerborn. Quel tableau! songea-t-elle. Pas étonnant que le valet d'écurie ait menacé d'appeler la police.

Elle mouilla de salive le bas de son jupon, s'en nettoya du mieux qu'elle put la figure, puis secoua sa tignasse. Se retournant, elle aperçut le grand lit à baldaquin avec son matelas de plume. Il avait l'air si moelleux qu'elle ne put résister à l'envie de l'essayer.

Elle s'enfonça avec un soupir de satisfaction dans les oreillers. Quelle paix dans cette chambre, à l'écart des bruits de la rue! Comme c'était bon, songea-t-elle en fermant les paupières. Comme c'était bon d'être une vraie dame et de dormir dans un lit de plume.

«Mme Jason W. Savitch, se dit-elle. Mme Jason Savitch, M.D.!»

2

Angie caressa le lin fin, s'étira voluptueusement, et enfouit le visage dans la douceur de l'oreiller... Puis elle ouvrit les yeux et se redressa. Dieu du ciel, elle s'était endormie!

Elle se laissa retomber sur le dos. Il faisait nuit à présent et de longues ombres enveloppaient le lit, mais la pleine lune baignait une partie de la pièce de ses rayons argentés.

Elle s'étira de nouveau, jusqu'à ce que ses côtes douloureuses la rappellent à l'ordre. Quelle heure pouvait-il être? Très tard, lui sembla-t-il. Et si l'homme était rentré! S'il l'avait trouvée endormie sur son lit! Si c'était un recruteur de prostituées...

Elle écarta ses cheveux de son visage et se frotta les yeux. Comme elle se redressait à demi, elle entendit un rire étouffé, un froissement de tissu, puis une voix de femme, douce et timide:

— Oh, Jason... oui... oh, s'il te plaît.

Angie se dressa sur son séant et tourna de tous côtés des yeux exorbités. Le temps que son cerveau endormi commande à ses jambes de bouger, il était trop tard: l'homme et la femme pénétraient dans la chambre.

Tirant l'homme par la main, la femme entra la première en riant. Une fois le seuil franchi, elle s'appuya contre le mur et l'attira à elle. Il se mit à lui embrasser le cou et elle poussa un soupir.

Angie ouvrit la bouche, éberluée. Non seulement l'homme recrutait des catins, mais il les essayait!

— Oh, Jason, à te regarder danser avec toutes ces filles, j'ai cru devenir folle, minauda la femme. Dis-moi que tu les trouvais toutes affreuses et qu'elles t'ennuyaient à mourir.

— Elles étaient toutes affreuses, répéta-t-il d'une voix traînante. Elles m'ennuyaient à mourir.

— Tu n'as pas regardé une seule fois dans ma direction de toute la soirée.

Pour toute réponse, il lui couvrit la bouche de la sienne et la cloua contre le mur.

Angie avait la gorge tellement sèche qu'elle ne pouvait pas déglutir. Elle avait vu beaucoup de choses au Lion-Agile, mais jamais quelqu'un faisant... *ça*. De sa position sur le lit, elle voyait parfaitement l'homme et la femme, de profil. A la lumière de la lune, la femme lui semblait petite et blonde, et habillée comme si elle sortait d'un bal. L'homme ne portait qu'une chemise et une culotte qui lui tombait à présent autour des cuisses. Les mains de la femme étaient pâles contre les fesses de l'homme qu'elle malaxait presque sauvagement. Son corsage s'ouvrit, dévoilant ses seins ; il en prit un dans sa paume, et en caressa le mamelon de ses longs doigts. La femme laissa tomber la tête en arrière et gémit.

Angie n'osait pas bouger, de peur de révéler sa présence. C'était mal de regarder, elle le savait. Elle ferma les yeux, mais ils se rouvrirent malgré elle.

L'homme remuait lascivement les hanches en embrassant le cou de la femme.

— Oh, Jason... s'exclama-t-elle en arquant le dos.

La prenant par la taille, il la souleva, baissa la tête et prit un mamelon dans sa bouche.

Les halètements de la femme s'accélérèrent. Elle lui releva sa chemise.

— Maintenant, Jason, je t'en supplie... Je n'en peux plus !

Angie vit l'homme prendre la femme dans ses bras et se tourner vers le lit. Elle vit la femme empoigner les cheveux noirs de l'homme et attirer son visage vers sa bouche avide. Elle vit les amants quitter la lumière pour s'enfoncer dans l'ombre où elle se trouvait. Elle voyait tout, mais était incapable de bouger.

Puis les amants tombèrent enlacés sur le lit... juste sur Angie McQuaid.

Angie poussa un cri — de douleur car l'épaule

de l'homme avait heurté ses côtes meurtries. Bondissant hors du lit, la femme se mit à hurler. L'homme ne broncha pas, mais Angie sentit quelque chose de pointu contre son cou.

— Priscilla, la ferme ! Tu veux réveiller tout Boston ?... Qui êtes-vous ?

Angie mit un certain temps à comprendre que l'homme s'adressait à elle. Comme elle ne répondait pas, il appuya la lame du couteau sur sa gorge.

— Qui êtes-vous ? répéta-t-il d'une voix si dure qu'elle sentit ses cheveux se dresser sur sa tête.

— Ne me tuez pas, supplia-t-elle d'une voix rauque, étouffée par la peur.

La femme, qui avait fini par se taire, éclata d'un rire hystérique.

— Voyons, Jason, ce n'est qu'un garçon.

— Je ne suis pas un garçon ! protesta Angie.

Ne sentant plus le couteau sur sa gorge, elle s'assit, indignée, mais quand elle voulut descendre du lit, une main puissante l'arrêta.

— Ne bougez pas... Priscilla, apporte la lampe.

La femme sortit de la chambre dans un bruissement de jupes.

L'homme s'écarta du lit pour remonter sa culotte et en boutonner le rabat. Le silence fut soudain si profond que Angie entendait le tic-tac d'une pendule. Elle se demanda ce que ferait une vraie dame dans une telle situation, mais une vraie dame ne se serait jamais mise dans une telle situation !

La femme revint avec une lampe. Elle avait remis de l'ordre dans sa coûteuse toilette, un jupon en satin vert mousse surmonté d'une jupe en brocart argent, retroussée sur les côtés. Le profond décolleté de son corsage richement brodé et bordé

24

de dentelle faisait ressortir des seins laiteux. Un turban pailleté, agrémenté de plumes d'autruche, complétait l'ensemble.

Avec ses cheveux dorés, ses yeux bleus et sa peau claire, elle était indéniablement belle. Mais plus vieille que Angie l'aurait cru. Trente ans, peut-être.

Et elle ne ressemblait pas aux prostituées qui vendaient leurs charmes au Lion-Agile ou dans les autres tavernes du front de mer.

La femme posa la lampe sur une commode.

— Vraiment, Jason, je pensais que tu avais meilleur goût, dit-elle en plissant le nez.

— Je t'assure, Priscilla, je n'ai jamais vu cette fille.

Angie le regarda. Il avait des traits fins, le nez droit, la mâchoire carrée et les pommettes saillantes. Sa culotte en peau et sa chemise en batiste étaient celles d'un gentleman, mais il ne portait pas de perruque. Ses épais cheveux bruns étaient retenus sur la nuque par un simple ruban. Ses yeux noirs étincelaient sous d'épais sourcils. Elle était captivée par ce regard, mais curieusement elle n'avait pas peur...

La voix stridente de Priscilla rompit le charme :

— Je devrais peut-être partir.

— Oui. Je le crois, dit-il.

— Bon, dans ce cas... Stevens me ramènera chez moi en cabriolet. Inutile que tu me raccompagnes à la porte.

Elle tourna les talons et sortit de la chambre.

— Ne bougez pas, dit-il à Angie avant de lui emboîter le pas.

Cette dernière resta sagement au bord du lit mais, se rappelant ce qu'il s'apprêtait à faire avec la femme dans ce même lit, elle se leva, les jambes flageolantes, et se dirigea vers le salon.

Il était à la porte avec Priscilla qui s'était enveloppée dans un manteau à capuchon rouge. Les mains sur les épaules de la femme, il lui disait d'une voix douce :

— Elle est probablement là à cause de cette maudite annonce. Il est tard de toute façon, chérie, et tu dois rentrer.

— Jason, si tu couches avec cette fille...

— Chut, dit-il, posant le doigt sur ses lèvres. Tu sais bien que je ne te ferais pas ça. Si je suis venu jusqu'à Boston, c'est en partie pour te voir.

— Et tu pars demain. Je ne te reverrai peut-être pas avant des mois, peut-être des années.

— En attendant, je ne pense pas que tu manqueras de compagnie, dit-il avec un sourire.

— Jason Savitch, fit-elle en lui tapant l'épaule avec son éventail en ivoire, vous avez l'esprit mal tourné.

— Au revoir, Priscilla, dit-il, lui effleurant la joue d'un baiser.

— Porte-toi bien, Jason, répondit-elle, toujours souriante, mais Angie crut voir briller des larmes dans ses yeux.

Jason referma la porte derrière elle. Sans un regard pour Angie, il se dirigea vers la cheminée. Il se déplaçait avec grâce. Son corps était maigre, comme son visage. A chacun de ses mouvements, la fine batiste de sa chemise révélait les muscles de sa poitrine et de son dos.

Il retira un gilet brodé du dossier du fauteuil sculpté et l'enfila sans le boutonner. Puis il alluma une torche fixée au mur par un support.

Il se retourna. Son visage était dur, ses lèvres

serrées, ses sourcils froncés. Angie eut envie de disparaître sous terre.

— Venez ici, dit-il sèchement.

Elle fit deux petits pas en avant. Il avait promis à l'autre femme de ne pas coucher avec elle, mais peut-être avait-il menti. Et s'il allait la frapper, comme son père ? Elle le regarda dans les yeux. Ils n'étaient pas noirs, mais d'un bleu très foncé.

— Vous allez sans doute prétendre vous être trompée de lit, reprit-il, le visage sévère, mais l'œil amusé.

Angie sortit de la poche de son jupon la feuille de journal pliée.

— Vous êtes bien Jason W. Savitch, M.D. ? demanda-t-elle en désignant l'annonce.

— Vous avez tout compris de travers.

Elle rougit, mais releva la tête.

— Je sais lire. Un peu. De toute façon, l'annonce ne dit pas qu'il faut savoir lire.

— Non, c'est vrai… Comment vous appelez-vous ?

— Angie. Angie McQuaid.

— Eh bien, approchez, Angie McQuaid.

La jeune fille se raidit.

— Je ne sais pas ce que vous cherchez, mon-sieur, mais autant vous prévenir tout de suite : je n'ai pas l'intention de coucher avec un homme avant le mariage.

— Merci de me prévenir. Maintenant, venez ici que je vous voie mieux. Venez, venez. Je ne mords pas.

Elle s'approcha de lui.

— Vous puez comme une distillerie, dit-il avec une expression de dégoût. Quand avez-vous pris votre dernier bain ?

Elle serra les mâchoires.

— Sachez que je prends un bain par mois.

— Alors, on ne doit pas être loin du terme.

Il lui saisit le menton et lui ouvrit la bouche, mais elle s'arracha à son emprise.

— Eh là, pas besoin de regarder mes dents! Je ne suis pas un cheval à vendre!

— En tout cas, vos dents sont plus propres que le reste.

S'adossant au manteau de la cheminée, un pied sur le siège du fauteuil sculpté et les pouces dans les poches de son gilet, il promena le regard sur elle.

Finalement, il prit une profonde inspiration, reposa son pied par terre et se redressa.

— Eh bien, Angie McQuaid, je crains que…

— C'est elle — cette Priscilla? C'est Priscilla que vous avez choisie pour le poste d'épouse?

Non que Angie l'en blâmât, car bien que cette femme fût peut-être un peu vieille, elle était non seulement belle mais apparemment riche.

— Je n'ai choisi personne, répliqua-t-il en riant. J'allais dire que je crains que le *poste* — si l'on peut dire — ne soit pour vous. Si vous le voulez. Il me faut quelqu'un d'ici demain, et vous êtes la moins mal.

— Moins mal? Qu'est-ce que ça veut dire? demanda Angie, se sentant de nouveau insultée.

— Ça veut dire que vous êtes jeune, robuste et apparemment intelligente. Et bien que votre vertu soit douteuse, vous ne semblez pas encore avoir la vérole…

— Sale type! s'écria Angie. Ce n'est pas parce que je travaille dans une taverne que je suis une catin. Je n'ai pas encore accepté le poste, et je ne

28

l'accepterai pas. Non, jamais je ne vous épouserai, vous... vous...

Il parut d'abord décontenancé. Puis, rejetant la tête en arrière, il éclata d'un rire franc. Angie scruta la pièce, en quête d'un objet pour le frapper. Rien ne semblait assez meurtrier, sauf peut-être le tisonnier...

— Quelque chose me dit que Merrymeeting ne sera jamais plus le même avec vous. Et Nat voudra sans doute me clouer à la porte de sa grange pour vous avoir amenée à lui.

— Je ne comprends pas, dit Angie sur le point de pleurer.

Il retrouva son sérieux.

— Ce n'est pas moi qui suis à la recherche d'une épouse. Dieu m'en garde.

— Mais vous avez dit... le journal...

— J'ai mis cette annonce à la demande d'un voisin qui a perdu sa femme il y a deux mois. Avec deux petites filles à élever et une ferme, il a besoin de l'aide d'une femme. On manque cruellement de femmes épousables dans le Maine. Comme j'allais à Boston chercher un pasteur pour notre village, Nat m'a demandé d'en profiter pour lui trouver une épouse.

Angie éprouva une immense déception. Elle aurait dû savoir qu'un homme comme Jason Savitch — beau et séduisant — n'aurait pas besoin de s'abaisser à chercher une épouse par annonce. Elle était vraiment trop bête...

— Qu'est-ce qui est arrivé à la femme de votre ami?

Si elle devait courir dans le Maine pour épouser un étranger, il ne serait pas inutile de savoir comment la première femme de cet homme était morte. Il pouvait l'avoir tuée.

Jason s'assit sur le coin du bureau et regarda ses mains qu'il avait jointes sur ses genoux. Angie les regarda aussi. C'étaient des mains de gentleman. Longues et fines, aux ongles impeccables.

— Elle est morte de la diphtérie.

— Ah...

Avait-elle envie de l'accompagner dans le Maine pour épouser son ami ? Pouvait-elle laisser échapper une telle occasion ? Elle désirait rompre avec la misère de Boston, elle souhaitait commencer une vie nouvelle, devenir une dame respectable...

— Et quel âge ont ses enfants ?

— L'une a neuf ans. L'autre, trois, je crois.

— Ah bon.

Au moins, ce n'étaient pas des bébés. Angie ignorait tout des enfants.

— Et comment est-il, votre ami ?

— Nathanael Parkes est davantage un voisin qu'un ami, mais c'est un brave homme, Angie. Vous n'avez rien à craindre. Il possède plus de cent hectares de bois et soixante hectares de terres à cultiver, dont il n'a encore défriché que la moitié. Il s'est construit une maison spacieuse. Vous devrez travailler dur, mais le Sagadahoc est une terre riche et vous ne manquerez de rien.

— Le travail ne me fait pas peur.

— A ce que je vois, vous ne semblez pas avoir peur de grand-chose, dit-il avec un sourire en coin.

Elle adorait la façon dont son sourire le métamorphosait. Ses lèvres étaient pleines et sensuelles, surtout la lèvre inférieure. Elle eut envie de la toucher...

« Angie, tête de bois ! se gronda-t-elle. Crois-tu

30

qu'il laisserait approcher de lui une fille qui pue comme une distillerie ? »

— Vous vivez vous-même dans ce Merrymeeting ?

— La plupart du temps.

— Et êtes-vous... êtes-vous marié ?

Il garda un instant le silence, et Angie maudit sa langue trop bien pendue. Puis il s'écarta du bureau, se rapprochant d'elle, si près qu'elle sentait sa chaleur. Et son odeur — de cuir et de tabac, et d'autre chose qu'elle ne pouvait pas définir... une odeur terriblement virile.

— Je ne suis pas marié, dit-il enfin. Mais Nat Parkes a besoin d'une femme... si vous êtes toujours d'accord.

Pour quelque obscure raison, cette proximité la troublait. Ses oreilles se mirent à bourdonner. Levant les yeux pour lui répondre, elle regarda sa bouche et resta muette.

— Je vois que vous avez changé d'avis, reprit-il. Je ne peux pas vous blâmer. C'était une idée folle, et je l'ai dit à Nat. De toute façon, je ne vous laisserai pas partir les mains vides.

Il plongea deux doigts dans la poche de son gilet et lui fourra une pièce dans la main.

Le souverain d'or brillait dans sa paume. C'était plus qu'elle n'en avait jamais eu de toute sa vie.

Elle referma les doigts sur la pièce et leva les yeux vers lui. Il lui souriait, et elle le haïssait pour sa pitié. Elle le haïssait parce qu'elle le désirait et qu'il ne pourrait jamais être à elle.

— Je n'ai pas besoin de votre charité ! cria-t-elle en lui jetant la pièce à la figure.

Elle l'atteignit à la pommette. Angie resta un

instant pétrifiée par ce qu'elle avait fait, puis tourna les talons pour s'enfuir.

Il la saisit par la taille, refermant le bras sur ses côtes douloureuses. Elle crut recevoir un coup de poignard dans les poumons, et se plia en deux en gémissant.

— Mon Dieu, Angie, qu'y a-t-il ? Vous souffrez ?

— Ce sont mes côtes. Je... je crois qu'elles sont cassées.

— Pouvez-vous vous redresser ?

Elle acquiesça et se releva lentement, mais la douleur la fit suffoquer. Il passa les doigts sur son buste, et elle sursauta lorsqu'il toucha le point sensible.

— On vous a battue ?

Elle se mordit la lèvre et hocha la tête.

— Mon père m'a flanqué une correction. Il était ivre.

— Enlevez votre corsage...

— Ah, vous les hommes ! s'exclama-t-elle en reculant. Tous les mêmes. Je vous déteste tous !

— Voyons, Angie, je suis médecin. Avec vos vêtements, je ne peux pas vous examiner correctement. Si vous avez des côtes cassées, il faudra un bandage.

Elle se mordit la lèvre. Elle s'était de nouveau ridiculisée devant cet homme et ne souhaitait qu'une chose : partir et l'oublier. Mais un médecin ne la laisserait pas partir sans l'avoir soignée.

— D'accord, dit-elle à contrecœur. Mais tournez-vous.

Comme il haussait les sourcils, elle crut qu'il allait dire quelque chose, mais il n'en fit rien et se dirigea vers la table où étaient posés ses instruments. Il sortit quelques feuilles séchées d'un pot et les écrasa avec un pilon dans un mortier. Tandis qu'il s'affairait, les muscles de ses bras se contractaient sous le fin tissu de sa chemise, et le satin de son gilet se tendait sur ses épaules.

— Enlevez-le, Angie, ordonna-t-il sans se retourner.

La jeune fille s'exécuta en rougissant. Les mains tremblantes, elle défit les lacets de son corsage, le retira et le laissa tomber par terre. Puis elle sortit sa chemise de la ceinture de son jupon, la passa par la tête et la laissa aussi tomber sur le sol. Torse nu au milieu de la pièce, elle avait la chair de poule malgré le feu qui brûlait dans la cheminée.

Jason se retourna et fit un pas dans sa direction. Mais lorsque son regard tomba sur ses seins nus, il hésita.

Elle essaya de les couvrir de ses mains. Jamais de sa vie elle ne s'était sentie aussi embarrassée.

— Ne soyez pas gênée, dit-il avec un sourire placide. La nudité des femmes laisse les médecins complètement froids.

— Vous ne l'étiez pas tellement, tout à l'heure…

Elle se mordit à nouveau la lèvre. Quel besoin avait-elle de lui rappeler *ça* ?

Jason émit un bruit étrange qui tenait vaguement du rire, mais elle ne voyait pas son visage penché sur sa poitrine. Il passa les mains sur sa chair. Jamais elle n'avait été touchée avec autant de douceur. Ce contact semblait apaiser la douleur. Elle ressentait de drôles de choses dans la colonne vertébrale. Puis il lui frôla les seins avec son avant-bras, et elle frissonna.

— Vous avez froid ?

— Oui, haleta-t-elle.

Ses mamelons s'étaient durcis et elle pria pour qu'il ne le remarquât pas.

Jason examina un bleu juste au-dessus de la hanche. Il se redressa et la regarda en fronçant les sourcils.

— Ce n'est manifestement pas la première fois qu'il vous bat.

Angie avait honte d'exposer sa faiblesse devant un étranger. Elle avait honte de l'ivrognerie de son père, mais plus encore d'elle-même. C'était sa faute, elle en était sûre, car si elle avait continué à tenir leur maison comme le faisait autrefois sa mère, son père n'aurait pas eu à noyer sa douleur dans la boisson.

Incapable de croiser le regard de Jason, elle s'adressa aux boutons d'argent de son gilet :

— C'est ma faute. Par mon insolence, je l'ai mis hors de lui.

— Seigneur, murmura Jason.

Levant la tête, elle eut le temps de surprendre son expression de colère, qu'elle crut dirigée contre elle. Ses yeux s'emplirent de larmes, mais elle se détourna avant qu'il ne les vît.

— Vous n'avez pas de côte cassée, dit-il d'une voix bourrue. Mais elles sont bien amochées, et peut-être même fêlées. Pour plus de prudence, je vais chercher de quoi vous bander. Vous n'allez pas vous enfuir, n'est-ce pas ?

Elle renifla et essuya subrepticement une larme.

— Dans cette tenue ? Il n'y a pas de danger !

Jason disparut quelques instants dans la chambre, puis revint avec une longue bande de tissu. Il l'enroula autour de ses côtes, serrant si fort que Angie se demanda comment elle pourrait respirer. Pourtant, ce contact était incroyable-

34

ment doux. Puis, comme la main de Jason effleurait accidentellement ses seins, elle ressentit une bouffée de désir.

Elle contempla sa tête penchée, les noires ondulations de ses cheveux où la flamme de la torche déposait des reflets d'or.

Elle ne connaissait cet homme que depuis quelques minutes. C'était un étranger. Pourtant, elle se sentait liée à lui. Inexplicablement.

Et cela suffisait pour qu'elle voulût être où il était, vivre où il vivait. Elle voulait se réveiller le matin avec l'espoir, même minime, d'apercevoir son visage à quelque moment de la journée.

Elle déglutit et prit une profonde inspiration.

— Docteur Savitch?

— Hmm?

— Je peux changer d'avis?

— Je me suis laissé dire que c'était une prérogative féminine.

— Alors vous m'emmènerez à Merrymeeting, pour être la femme de votre ami?

— Si vous voulez. C'est vous ou personne, parce que, à dire vrai, je n'ai plus ni le temps ni le goût de questionner des femmes désespérées, dit-il en achevant de fixer la bande. Vous pouvez vous rhabiller, maintenant.

Pendant que Angie remettait ses vêtements, il s'approcha d'une table basse, sur laquelle était posé un plateau avec un broc et des gobelets en étain. Il versa du vin dans un gobelet.

— Ecoutez, Angie, quoi que vous décidiez, ce ne sera pas irréversible, en tout cas tant que vous ne serez pas mariée. On peut assez facilement prendre un bateau à Falmouth, sauf pendant l'hiver, bien sûr, quand la baie est gelée. Si, une fois à Merrymeeting, Nat ne vous convient pas, ou si vous ne convenez pas à Nat, vous serez réexpédiée à Boston. A mes frais.

Angie lui fit une grimace dans le dos. Elle avait l'impression d'être une marchandise. *Renvoyée pour non-conformité.*

Jason versa les feuilles broyées du pilon dans le gobelet et le lui apporta.

— Buvez ça, dit-il.

— Qu'est-ce que c'est ? demanda-t-elle d'un air suspicieux.

— Quelque chose pour apaiser la douleur.

En prenant le gobelet, elle effleura ses doigts et en ressentit le choc jusqu'aux orteils.

Elle le vida et le lui rendit. Elle allait s'essuyer la bouche du revers de la main, lorsqu'elle se rappela que cela ne se faisait pas.

— Bon... commença-t-elle, soudain embarrassée. Euh, quand...

— Soyez ici demain matin à huit heures. Ça ne vous laisse pas beaucoup de temps, je sais, mais je devrais être parti depuis deux jours déjà. Il faut compter trois semaines de voyage.

Trois semaines ! Angie n'avait pas compris que c'était si loin. L'idée de partir l'effraya soudain. Mais le jeu en valait la chandelle. Une vie nouvelle, une maison à elle et un homme à aimer, un homme qui avait besoin d'elle et l'attendait...

Elle croisa le regard du docteur et se rappela le contact de ses mains sur sa peau. *Et lui*, ajouta une petite voix en elle. *Tu y vas à cause de lui...*

— Bon... alors à demain matin, dit-elle.

Elle se dirigea vers la porte, mais il l'arrêta en prononçant son nom d'une voix douce.

— Et votre père? Quand vous lui direz que vous partez, est-ce qu'il…?

Elle sourit et fit un geste de la main comme pour écarter la question.

— Ne vous inquiétez pas, il ne viendra pas me chercher ce soir. Il doit être couché à cuver son vin.

Il lui sourit, et elle sentit une étrange palpitation sous ses côtes bandées.

— Alors, je vous vois demain matin, conclut-il. N'emportez pas plus que le nécessaire.

Elle éclata de rire, se sentant soudain heureuse et merveilleusement libre.

— Je ne possède que ce que j'ai sur le dos.

3

Devant le plat de morue salée recouverte d'une sauce copieusement poivrée, Jason Savitch fit la grimace. C'était la spécialité de l'auberge du Dragon-Rouge, pour le petit déjeuner.

Il embrassa du regard la pièce vide, à la recherche de quelqu'un qui l'en débarrasse et lui apporte un bol de gruau ou du pain grillé. Il allait se lever pour trouver une servante quand il entendit un grand vacarme et des cris venant du vestibule.

— Je vous le dis, imbécile, il m'attend!

Puis une voix rauque débita un chapelet d'injures, comme il n'en avait jamais entendu à Sagadahoc. Comment n'aurait-il pas reconnu cette voix sensuelle? Elle avait hanté ses rêves.

La porte de la salle s'ouvrit brutalement, et Angie McQuaid entra. D'une main, elle tenait sur sa tête un chapeau de paille cabossé et de l'autre un sac de toile grossière. Elle portait les mêmes vêtements tachés, sauf qu'elle y avait ajouté un manteau de laine mangé par les mites.

Elle se laissa tomber sur le banc en face de Jason, le sac à ses pieds.

Il remarqua qu'elle s'était lavée. En fait, elle était plutôt jolie. La crasse enlevée, il découvrait avec surprise une peau pâle et sans défaut, des joues roses et une bouche de corail. Elle s'était même lavé les cheveux. La nuit dernière, il les avait crus d'un noir terne, mais il leur découvrait à présent des reflets rubis.

Elle poussa un soupir, chassant une mèche de cheveux de son front.

— Ce maudit portier! On croirait qu'il garde l'entrée du château de Windsor.

Elle s'arrêta, le regarda longuement, puis sourit.

— Bonjour, fit-elle.

Jason ne dit rien. Son regard fut attiré par les seins de Angie qui tendaient son corsage. Eux aussi avaient hanté ses rêves.

L'attirance qu'il éprouvait pour cette misérable fille des docks l'inquiétait. Cela ne lui ressemblait pas. Il la regarda en fronçant les sourcils.

— Vous semblez de mauvaise humeur ce matin, dit-elle.

— Un homme aux goûts raffinés ne devrait jamais se laisser aller à boire du rhum coupé de thé et de jus de citron.

— Hein?

— J'ai trop bu de cet horrible punch à la soirée

du gouverneur. J'ai la tête comme une citrouille et vos hurlements n'ont rien arrangé.

— Vous aviez bu, hier soir ? fit-elle en regardant avec avidité son plat de morue salée. Vous n'en aviez pas l'air. Je sais toujours quand mon père a bu. Vous allez manger ça ?

— Je vous en prie, dit-il en poussant le plat vers elle. Servez-vous. Comment vont vos côtes, ce matin ?

— Vous avez de la magie dans les doigts, docteur ! Je n'ai presque plus mal.

Elle s'accouda à la table, se fourra une cuillerée de morue dans la bouche, mâcha, avala et en enfourna une deuxième. Un peu de sauce dégoulina sur son menton qu'elle essuya du revers de la main.

— Alors, vous étiez ivre, hier soir ? Qui l'aurait cru ?

— Ne parlez pas la bouche pleine. Et mâchez davantage avant d'avaler.

Le sourire de Angie se figea. Elle piqua un fard. La cuillère tremblait dans sa main. Puis elle redressa le menton, plongea la cuillère dans le plat et la porta délicatement à sa bouche qu'elle entrouvrit à peine. Elle prit un petit morceau de poisson et le mâcha très, très lentement. Le silence s'installa.

« Qu'ai-je fait ? » se demanda Jason en pianotant sur la table. Avait-il vraiment accepté d'emmener cette misérable à Merrymeeting, pour épouser Nat et s'occuper de ses pauvres enfants ? Brave Nathanael Parkes, un homme qui lisait les psaumes le dimanche, qui avait un jour timidement avoué à Jason qu'il n'avait connu — au sens biblique du terme — qu'une seule femme dans sa vie, celle qui avait été son épouse pendant dix ans.

— Ce débit de boissons où vous travaillez... soupira-t-il.

— Le Lion-Agile.

De la sauce lui dégoulina de nouveau sur le menton. Elle l'enleva avec les doigts, puis les essuya sur sa jupe.

— Je n'y travaille plus, ajouta-t-elle. Depuis que j'ai renversé un verre de rhum sur la tête de Jake Steerborn avant de lui écraser le nez avec un plateau. Il avait la main un peu trop baladeuse.

Elle éclata de rire, aspergeant la table de morceaux de morue à moitié mâchés.

— Vraiment, Angie, vous mangez comme un cochon !

— Excusez-moi !

Blessée, elle laissa tomber la cuillère et baissa les yeux. Jason s'en voulut aussitôt.

— Je suis désolé, dit-il en effleurant sa main.

A la vue de cette main si pâle contre le bois sombre, il réalisa combien elle était frêle. « Vraiment, se dit-il, cette gosse est à demi morte de faim et tu lui reproches ses manières... »

— Quand avez-vous, pour la dernière fois, pris un repas correct ?

— Hier. Une tranche de porc froid et un morceau de pain.

— Allez, finissez ça, dit-il en poussant vers elle le plat de morue. Ou voulez-vous autre chose ?

— J'en ai eu assez, merci, répliqua-t-elle en le repoussant vers lui.

Sa fierté l'amusait et le touchait à la fois. Malgré sa crasse, ses guenilles et ses horribles manières, elle tenait à rester digne. C'était précisément à cause de cela qu'il l'avait choisie plutôt que toutes les autres prostituées, souillons et femmes opprimées venues le trouver dans l'espoir de s'assurer trois repas par jour et un toit. De plus, s'il l'emmenait à Merrymeeting, il lui épargnerait les mauvais traitements de son père…

— Pardon ? dit-il, comprenant qu'elle lui avait parlé.

— Je vous demandais comment était la soirée du gouverneur ? Je parie qu'il y avait de la musique, qu'on dansait, jouait aux cartes et tout.

Elle avait, remarqua Jason, des yeux superbes — fauve doré, avec au milieu, un éclat vert.

— Oh, qu'est-ce que j'aurais donné pour y être…

Jason s'imagina Angie McQuaid à la soirée du gouverneur et ne put réprimer un sourire.

Elle cligna des yeux et le regarda si longuement, avec un air solennel et sérieux, qu'il en fut mal à l'aise.

— Vous savez, dit-elle enfin, que vous avez un gentil sourire ? J'aime votre sourire.

— Merci, murmura Jason, bizarrement flatté.

— Et vous avez de belles fesses.

— Vraiment ! s'exclama-t-il, les joues en feu. Je sais bien que vous n'avez rien d'une dame, je ne peux donc m'attendre que vous vous comportiez comme telle. Toutefois, je vous demande de ne pas utiliser en ma présence ce langage.

Elle rougit, redressa le menton puis, baissant les yeux, joignit les mains sur ses genoux.

— Oh, Jason, je suis désolée. J'ai du mal à tenir ma langue. Ça me cause sans arrêt des ennuis. Vous n'allez pas changer d'avis ? Vous allez m'emmener ? fit-elle en levant vers lui des yeux suppliants.

— Ne soyez pas bête, dit-il, repoussant le banc pour se lever. Venez, fillette, sortons d'ici.

Il traversa la salle et se dirigea vers la porte sans regarder si elle le suivait. Dans sa hâte, Angie faillit renverser la table. Elle empoigna son sac, enfonça son chapeau sur la tête et lui emboîta le pas.

Jamais Angie n'avait été si excitée.

Une fois, elle avait pris le bac pour aller à la foire de Charles Town. Une vraie aventure. Une autre fois, elle était allée pique-niquer en charrette à l'étang du Moulin avec Tom. Mais jamais elle n'était montée dans une vraie voiture...

La voiture était noir et argent, avec des armoiries sur les portières. Elle était tirée par deux paires de chevaux noirs. Jackie, le grand serviteur à peau sombre qui était venu chercher Jason au Dragon-Rouge, était grimpé à l'arrière, tandis que le cocher, vêtu de la même livrée noir et argent, était assis à l'avant. Angie s'était installée près de Jason sur une banquette de cuir fin et doux comme de la soie.

Poussant un soupir de satisfaction, elle s'enfonça dans le siège et lissa sa jupe, essayant de prendre un air digne. Traversant Boston dans une luxueuse voiture, elle se devait d'agir en dame.

Tandis que l'attelage se frayait un passage au milieu des cabriolets et des chaises à porteurs, Jason regardait par la fenêtre, l'air furieux. La voiture avait été envoyée par son grand-père, et visiblement cela lui déplaisait. Il était contraint de rendre visite au vieil homme avant de pouvoir partir de Boston.

Angie se félicitait que Jason ait décidé de l'emmener. Afin de lui plaire, elle s'était levée bien avant l'aube pour se laver à la fontaine publique. Pour ce que cela lui avait rapporté ! Il ne l'avait même pas remarqué ! En revanche, il ne s'était pas privé de critiquer sa façon de manger. A ce souvenir, le rouge de la honte lui monta au visage. Elle allait prouver à son compagnon qu'elle pouvait se comporter comme une lady.

La jeune fille lui jeta un regard furtif. La nuit dernière, elle l'avait trouvé beau. Au grand jour, elle décida qu'il était de loin le plus bel homme qu'elle eût jamais vu. Il n'était pas habillé en médecin, car il ne portait pas la perruque frisée, le costume noir et la canne à pommeau d'or de sa profession. En fait, il était vêtu d'une culotte en mohair tabac, fermée aux genoux par des boucles en argent véritable, et d'un habit en soie bleu foncé avec un foulard noué sur une chemise en fil. La blancheur du foulard faisait ressortir le hâle de son visage.

C'était un homme de contrastes, pensa-t-elle. Par exemple, sa bouche renfrognée n'allait pas avec son regard amusé. Il avait l'air d'un séducteur, et pourtant il avait parlé avec douceur à cette femme, la nuit dernière, quand ils s'étaient séparés ; il l'avait même traitée avec respect. Angie aurait voulu qu'il la traitât avec autant de tendresse.

Et de respect.

A peine la voiture eut-elle contourné l'hôtel de ville qu'elle s'arrêta brutalement. Angie se serait retrouvée par terre, si elle ne s'était pas rattrapée à la jambe de Jason ; elle la sentit se tendre à travers le fin tissu de la culotte. Comme elle laissait sa main s'attarder, il la regarda fixement, puis leva les yeux vers son visage. Elle recula en rougissant et serra le poing.

Entendant des cris, Angie se pencha par la fenêtre pour regarder ce qui se passait. Une femme, nue jusqu'à la taille et attachée à l'arrière d'un char à bœuf, était fouettée en place publique.

L'homme qui maniait le fouet ne frappait pas très fort, mais le dos de la femme n'en était pas moins zébré de marques rouges. Elle était en outre marquée à l'épaule de la lettre A, qui signifiait « Adultère ». Angie ne put s'empêcher de penser à la femme qui était avec Jason, la nuit dernière.

— Voilà une catin qui n'a que ce qu'elle mérite, marmonna-t-elle. Se vautrer dans le péché avec un homme qui n'est pas son mari...

Jason détourna les yeux de l'horrible scène et croisa le regard accusateur de la jeune fille.

— Je sais ce que vous insinuez, Angie, et vous avez tort. La femme en question...

— Priscilla.

— Priscilla, admit Jason entre ses dents, est veuve. Elle est convenable, honnête, et c'est l'une des personnes les plus délicates que je connaisse. Pourquoi ne prendrait-elle pas de temps en temps un amant ?

— Il y a, à Boston, beaucoup de gens religieux qui ne seraient pas d'accord avec vous sur ce point. En plus, vous devriez l'épouser, Jason Savitch, si vous comptez faire... ce que vous faisiez avec elle.

— Si je demandais Priscilla en mariage, elle refuserait, car elle attache autant d'importance que moi à sa liberté. D'ailleurs, ajouta-t-il, la foudroyant du regard, je n'ai pas à me justifier. Ça ne vous regarde pas !

Bien qu'une telle hypocrisie la fît suffoquer d'indignation, Angie ne dit rien. Priscilla était une dame, riche et bien née, donc au-dessus de tout blâme, alors qu'une pauvre fille comme elle ne pouvait pas travailler dans un pub sans être traitée de prostituée.

— Il y a encore autre chose. Si cette femme, gronda-t-il en montrant la malheureuse par la fenêtre de la voiture, a péché, comme vous dites, il y avait un homme pour l'y aider. Alors pourquoi n'est-il pas lui aussi attaché à ce char pour recevoir des coups ?

Angie le regarda avec surprise. Voilà une forme d'hypocrisie à laquelle elle n'avait jamais songé. Lui, un homme, y avait pourtant pensé. Bizarre…

Elle ruminait encore sur cette étrange facette du caractère de Jason, quand la voiture tourna dans Beacon Street et s'arrêta devant un manoir qui se dressait au milieu d'un parc boisé. Il n'y avait que quatre maisons de ce côté de la rue.

Le valet de pied ouvrit la porte de la voiture et aida Angie à descendre. Elle leva un regard admiratif vers la maison à deux étages en granit et en grès, avec son toit d'ardoise mansardé et ses grandes fenêtres à guillotine. Décorée d'une frise et flanquée de colonnes, la porte d'entrée comportait en son milieu un heurtoir figurant une tête de lion en cuivre qui tenait une boule dans la gueule.

— Oh, Jason, je n'ai jamais vu une si belle maison ! s'exclama-t-elle, les yeux brillants. Je peux entrer avec vous ? S'il vous plaît. Je vous promets de me conduire en vraie dame.

Il sourit, lui prit le bras comme si elle était une vraie dame, et Angie bomba fièrement le torse. Mais il gâcha tout en disant :

— Je ne veux pas que vous vous comportiez en dame, Angie, même si vous êtes capable d'un tel exploit. Je veux que vous restiez vous-même.

Avant que Jason n'ait le temps de frapper, la porte fut ouverte par une domestique — une femme noire aussi grande que Jason. Son tablier empesé craquait à chacun de ses mouvements, et un gigantesque turban était en équilibre instable sur sa tête grosse comme une citrouille. Elle portait, tout comme Jackie, le valet, un collier d'esclave en argent où était gravé le nom de son propriétaire. Son sourire était contagieux : Angie ne put s'empêcher de lui sourire à son tour.

— Bonjou', madame, dit-elle, avec un signe de tête à l'adresse de Angie.

Celle-ci regarda, les yeux écarquillés, le long vestibule lambrissé et le grand escalier avec sa rampe ouvragée.

— Et bonjou' à vous, missié Jason, ajouta la servante en prenant le manteau de Angie et son sac en toile, les traitant avec autant de révérence que s'ils étaient en soie. Belle jou'née, hein ? Vous t'ouve'ez si' Pat'ick dans sa chamb'e, missié Jason.

Sir Patrick. Le grand-père de Jason était noble ? Angie regretta soudain de ne pas avoir attendu dehors.

— Merci, Frailty, dit Jason en se dirigeant vers l'escalier.

Mais Angie le retint par la manche de son habit.

— Votre grand-père est noble ?

Le regard de Jason s'arrêta sur un portrait accroché au-dessus d'un buffet en noyer. Angie comprit que ce devait être le vieux monsieur. Jamais elle n'avait vu un personnage si imposant.

— Sir Patrick Graham… mais il n'est pas noble. En fait, il est le fils d'un petit fermier écossais. Il a été fait chevalier, il y a de nombreuses années, par la reine Anne, pour avoir découvert

46

une épave de galion espagnol pleine d'or au large des Bahamas. C'est un âne prétentieux, et je compte sur vous pour le remettre à sa place.

— Missié Jason, dit Frailty en menaçant Jason du doigt, vous dev'iez avoi' honte de vous se'vi' de cette pauv' fille cont'e vot' g'and-pè'e. Ne vous laissez pas fai'e, ché'ie, ajouta-t-elle à l'adresse de Angie.

Celle-ci examina plus attentivement le portrait du vieil homme. Avec son nez en bec d'aigle et son air sévère, il n'était sûrement pas du genre à se laisser remettre à sa place par une fille de taverne.

— Que fait votre grand-père, maintenant? demanda-t-elle.

— Il est marchand d'esclaves.

Tout en montant l'escalier à la suite de Jason, la jeune fille jeta un regard en direction de Frailty, toujours dans le vestibule. La servante lui adressa un sourire d'encouragement. Angie répondit à son sourire. Marchand d'esclaves. Le grand-père de Jason était marchand d'esclaves…

Ayant grandi sur les docks de Boston, Angie n'ignorait rien de l'ignoble trafic triangulaire sur lequel nombre de fortunes de la Nouvelle-Angleterre avaient été bâties — rhum vers l'Afrique en échange d'esclaves; esclaves vers les Antilles en échange de mélasse et de sucre; mélasse et sucre vers Boston pour y être distillés en rhum. Mais tous les esclaves n'allaient pas aux Antilles. Certains étaient débarqués ici, en Nouvelle-Angleterre, où les nantis avaient au moins un ou deux serviteurs noirs.

Angie suivit Jason le long d'une galerie aux murs couverts de portraits, certains noircis par les années.

— Seigneur, je suppose que ce sont vos illustres ancêtres, murmura-t-elle, stupéfaite.

Jason émit un petit rire, mais ne dit rien.

Il frappa un coup à une porte au bout de la galerie et l'ouvrit sans attendre. Angie le suivit, cachée derrière ses larges épaules, mais ne put s'empêcher de risquer un regard curieux.

L'appartement de Jason au Dragon-Rouge était ce qu'elle avait vu de plus magnifique, mais ce n'était rien à côté du luxe de cette pièce. Des murs tendus de soie, une cheminée en marbre, un parquet couvert d'épais tapis. Dominant la chambre, un énorme lit à colonnes et corniches sculptées, orné de tentures en damas vert. Il était même drapé d'une fine moustiquaire en gaze.

Et là, au pied du lit, portant une robe de chambre en soie rouge et des mules en feutre assorties, Angie découvrit sir Patrick.

Il se tenait penché, un drap sur les épaules et le visage caché dans un cône en papier, tandis qu'un domestique poudrait sa perruque.

— Jason, c'est toi, mon garçon? demanda une voix bougonne qui résonna dans le cône en papier. Tu comptais partir de Boston sans que je le sache, hein?

Retirant le cône de son visage, il le jeta à son valet.

— Ça suffit, bougre d'idiot. File, je ne veux plus te voir.

Le valet prit le drap et le cône et quitta la pièce, tandis que le grand-père et le petit-fils se mesuraient du regard.

— Alors? fit le vieillard. Qu'as-tu à dire?

Angie vit la mâchoire de Jason se crisper.

— Quand je suis venu ici, il y a trois jours, vous m'avez chassé.

— Oui, en effet, mais j'espérais qu'ensuite tu deviendrais plus raisonnable.

Se tournant, il se dirigea vers une coiffeuse en noyer, se pencha avec raideur et étudia son reflet dans le miroir.

— Ton entêtement doit provenir de ton père, dit-il en arrangeant sa perruque. Les Graham ne sont pas comme ça.

Il pivota et fixa sur son petit-fils un regard féroce :

— J'attends, mon garçon. J'attends de t'entendre me dire que tu as changé d'avis. Que tu restes à Boston et que tu reprends la compagnie de navigation Graham, comme je l'ai toujours prévu pour toi.

— Eh bien, vous devrez attendre que les poules aient des dents. Je suis médecin et j'ai l'intention de guérir les hommes, pas d'en faire le commerce.

Le vieillard souffla de fureur, et de la poudre blanche tomba comme de la neige sur sa robe de chambre.

— Ne reste pas planté là comme un imbécile, gronda-t-il. J'ai encore des choses à te dire, et pour une fois tu vas m'écouter.

Le vieil homme arpenta la chambre d'un pas lourd, sa robe de chambre battant ses jambes fines. Arrivé à la cheminée, il se retourna, les mains derrière le dos, et son regard tomba sur Angie.

— Seigneur ! Qui est cette fille ?

— Je l'emmène à Merrymeeting, répondit Jason.

— J'aimerais voir ça ! s'exclama son grand-père, atterré.

Angie baissa modestement les yeux et esquissa une révérence.

— Bonjour, euh… Votre Seigneurie.

— Hein ? Oh… Bonjour, mademoiselle, fit-il en la dévisageant.

A la vue de ses hardes et de ses pieds nus, sir Patrick leva les sourcils qui disparurent sous sa perruque.

— Elle est jolie, Jason, dit-il. Très jolie.

Angie se redressa et glissa un coup d'œil triomphant en direction de Jason qui la regarda d'un air mauvais.

Sir Patrick agita une main fine vers un siège en brocart.

— Asseyez-vous, mademoiselle. Que fais-tu de tes manières, Jason ? Il y a de la bière chaude sur la table. Apportes-en à cette pauvre fille. Ne vois-tu pas qu'elle tremble de froid ?

Jason se dirigea à contrecœur vers la table à thé et emplit une chope de bière. Dès qu'il eut le dos tourné, le vieillard fit un clin d'œil à Angie, qui dut se mordre la lèvre pour ne pas pouffer. Si Jason comptait sur sa présence pour embêter son grand-père, c'était raté.

— Il fait tout pour me provoquer, dit-il comme s'il avait deviné les pensées de Angie. Je le sais bien. Je l'ai envoyé à l'université d'Edimbourg pour apprendre le droit, et il est revenu avec un diplôme de médecin. Tout pour m'irriter.

Le jeune homme éclata de rire.

— Vraiment, sir Patrick, vous vous flattez en croyant que je mène ma vie dans le seul but de vous irriter.

— Pourquoi es-tu venu ce matin, sinon pour m'irriter ?

— Vous m'avez ordonné de venir, sir.

— Et pourquoi es-tu venu à Boston, sinon pour m'irriter et refuser tout ce que j'essaie de faire pour toi ?

Jason tendit la chope à Angie.

— Merci, docteur Savitch, dit-elle.

— Qu'avez-vous fait de votre langue ? demanda-t-il à voix basse.

Angie lui adressa un sourire modeste et but avec distinction une gorgée de bière. Elle allait montrer à Jason Savitch qu'elle pouvait se comporter en vraie dame.

— Je suis venu à Boston chercher une femme pour faire une épouse, expliqua Jason avec une grimace.

Sir Patrick leva les sourcils et fixa ses yeux gris sur le visage empourpré de Angie.

— Je suis aussi venu engager un pasteur pour le village. Et j'ai entendu parler de cette nouvelle inoculation contre la variole de Cotton Mather's. Je voulais étudier les résultats de ses travaux.

— Je n'approuve pas ces inoculations, bougonna le vieillard. Nous ne devons pas aller contre le plan divin.

— Vous penseriez différemment si la maladie vous atteignait. L'épidémie n'a pas encore atteint le Maine et j'espère convaincre les gens de Merrymeeting et des autres vil...

— Merrymeeting. Ça sonne comme un trou perdu. A Edimbourg, tu n'as pas seulement acquis cet inutile diplôme médical. Tu as appris à aimer le luxe et les femmes coûteuses. Je ne t'imagine pas dans une de ces misérables baraques en rondins avec une squaw pour te tenir chaud la nuit...

Sir Patrick s'arrêta et regarda Angie. Elle lui sourit si gentiment qu'il lui fit un clin d'œil.

Jason ne remarqua pas cet échange. Il s'assit dans le fauteuil en face de Angie, croisa les jambes, balança un pied, pianota sur les accoudoirs.

— Voilà deux ans que j'y vis heureux, dit-il. Je suis le seul médecin de Wells à Fort Royal, et je suis bien payé pour mes services.

— Bien payé, vraiment ? se moqua son grand-père, avant de désigner sa chambre. Est-ce que tu vis comme ça dans ce village perdu, hein ? Réponds-moi.

— Je ne veux pas vivre comme ça.

Le vieil homme pinça les lèvres.

— Maintenant, Jason, tu vas m'écouter. Je t'ai laissé faire tes fredaines jusqu'à présent. Mais je ne rajeunis pas, aussi tu vas arrêter aujourd'hui même toutes tes folies et reprendre la compagnie. J'ai besoin de toi. Je n'ai que toi et tu me dois bien ça.

— Je ne vous dois rien, rétorqua Jason, furieux. Vous ne comprenez donc pas ? Je hais ce que vous faites. Vous êtes un marchand d'esclaves.

Sir Patrick leva la tête et ses yeux gris et durs flamboyèrent.

— Tu oses me critiquer ! Quand je t'ai trouvé, il y a dix ans, tu n'étais qu'un sauvage. Il n'était lui-même guère mieux qu'un esclave, ajouta-t-il en prenant à témoin une Angie éberluée.

— C'est un mensonge et vous le savez, lâcha Jason entre ses dents. C'est de force que vous m'avez fait revenir dans votre monde. J'avais une famille et une vie, et…

— Ah oui, vraiment, des gens bien ! s'exclama

sir Patrick à l'adresse de Angie. Il avait à peine seize ans quand je l'ai trouvé, et il avait déjà taillé son lot de scalps. Les Indiens abenakis l'avaient emmené en captivité quand il avait six ans et en avaient fait l'un des leurs, un sauvage. Et ils avaient tué... tué...

Les yeux de sir Patrick s'emplirent soudain de larmes, et il se tourna vers le portrait au-dessus de sa tête, représentant une jeune femme délicate, debout, une main sur le dossier d'un fauteuil. Elle avait des cheveux si blonds qu'ils semblaient d'argent, et des yeux du bleu de la mer au crépuscule.

En contemplant à son tour le portrait, les yeux de Jason, du même bleu profond, s'adoucirent. Il poussa un soupir et passa la main dans ses cheveux.

— Je vous l'ai dit et répété. Ils ne l'ont pas tuée. Elle est morte en couches.

— Après avoir été violée et mise enceinte par l'un de tes sauvages !

— C'était son mari !

— Son *mari* avait été assassiné ! Comment peux-tu supporter de retourner là-bas et de vivre où tout cela s'est passé ?

— Là-bas, c'est chez moi. Et j'y retourne.

Le vieillard cligna des yeux, et une larme roula lentement sur sa joue.

— Je pensais faire de toi un Anglais. Je t'ai éduqué, je t'ai appris à t'habiller et à parler correctement, mais je n'ai jamais pu toucher ton cœur. Au fond de ton cœur, tu es resté l'un d'entre eux. Tu es toujours un Abenaki.

— Je ne sais pas... je ne sais plus ce que je suis, répliqua Jason d'une voix lasse.

— Va-t'en ! hurla sir Patrick. Retourne là-bas, avec tes sauvages. Je ne veux plus te revoir !

Dans la voiture qui les ramenait au Dragon-Rouge, Angie avait envie de le questionner sur les fameux Indiens, mais devant le visage fermé de Jason, elle s'en abstint.

A l'auberge, il sauta de la voiture, la laissant se débrouiller seule, et disparut à l'intérieur. Elle voulut le suivre mais, n'y ayant pas été invitée, elle patienta. Un moment plus tard, elle vit le valet se diriger vers l'écurie et en revenir avec un fringant cheval et un autre plus robuste muni d'un bât.

La porte du Dragon-Rouge s'ouvrit et le portier sortit, chancelant sous trois sacs bien lourds qu'il attacha sur le cheval de bât. Quelques instants plus tard, Jason apparut à son tour.

Angie le reconnut à peine. Il portait une culotte de peau et une chemise de chasse en toile brune avec de longues franges autour des épaules et le long des manches. Il tenait son fusil dans une main, et d'une courroie en bandoulière pendaient une poire à poudre, une giberne et une hache indienne. Seules ses coûteuses bottes rappelaient son élégance première.

Il avait l'air dur et effrayant.

Jason glissa le fusil dans le fourreau d'arçon. Il ramassa la longe du cheval de bât, sauta en selle et talonna sa monture. Angie mit plusieurs instants à réaliser qu'il partait sans elle.

Empoignant son sac de toile, elle lui courut après.

— Jason, attendez ! Attendez-moi !

Comme il faisait pivoter son cheval, elle comprit à son expression qu'il l'avait complètement oubliée.

— Angie…

Son visage s'adoucit et il parvint même à sourire. Se penchant en avant, il lui tendit la main :

— Nous vous trouverons un cheval plus tard. Pour l'instant, montez avec moi.

Angie ne bougeait pas. Elle resta plantée au milieu de la rue à le regarder. Comment avait-il pu l'oublier ?

— Allez, Angie, s'impatienta-t-il. Le pasteur et sa femme nous attendent sur le pré communal depuis plus d'une heure.

— Je ne sais pas monter à cheval.

— Je n'ai pas le temps de vous apprendre ! Donnez-moi votre bras, mettez votre pied droit sur le mien et lancez votre jambe gauche par-dessus la croupe.

Il attacha le sac de toile devant sa selle, puis la tira avec tant de force qu'elle voltigea dans les airs et atterrit à califourchon sur la croupe, derrière lui. La robe du cheval était rêche sous ses jambes nues — son jupon étant remonté jusqu'aux genoux —, mais elle n'eut guère le temps d'y penser, car Jason mit son cheval au trot. Elle ravala un cri, s'agrippa à sa taille et pressa la joue contre son omoplate.

Il ne leur fallut pas longtemps pour atteindre le pré communal. Ils découvrirent un vaste pâturage boueux où paissaient des vaches. Au bord du champ, attendait un chariot chargé de meubles et traîné par des bœufs. Une femme était assise sur le siège, tandis qu'un homme faisait les cent pas devant l'attelage.

En arrivant à leur hauteur, Jason salua de la

main, puis sauta de son cheval, suivi de Angie, qu'il dut rattraper pour l'empêcher de s'étaler dans la boue.

— Révérend Hooker, dit Jason, lâchant sa compagne pour serrer la main du jeune homme. Je suis désolé d'être en retard.

Le révérend Hooker n'avait guère plus de vingt ans. Il portait un simple costume en drap noir et un chapeau à large bord.

Il rendit à Jason son sourire, puis tourna ses yeux noisette vers Angie, mais à la vue de son air débraillé, son sourire disparut.

— Je suis Angie, dit-elle. Je pense que nous allons tous à Merrymeeting.

— Euh, euh... je suis Caleb, dit le révérend, décontenancé.

Se tournant à nouveau vers Jason, il se racla la gorge.

— Je suis content que vous soyez arrivés. Nous commencions à nous inquiéter. Docteur Savitch, ajouta-t-il, désignant la femme assise dans le chariot, puis-je vous présenter mon épouse Elisabeth?

Angie regarda avec curiosité la jeune femme. Elle avait un long cou délicat. Sa peau était aussi blanche que du lait. Son nez et ses yeux étaient enfantins, mais parfaitement proportionnés, au-dessus d'une petite bouche aux coins relevés. Elle aussi était habillée de noir, à l'exception d'une bavette blanche sur son corsage et des revers blancs à ses longues manches. Ses cheveux blond pâle disparaissaient sous une coiffe sévère. Sur ses genoux, elle tenait une bible à fermoir doré.

— Lizzie, c'est le docteur dont je t'ai parlé, dit le révérend Caleb Hooker. L'homme qui va nous amener à Merrymeeting. Et voici, euh... Angie.

Les yeux gris de la jeune femme s'arrêtèrent brièvement sur eux.

— Ravie de faire votre connaissance, docteur, dit-elle d'une voix mélodieuse.

Jason ne répondit pas. Alertée par son silence, Angie le dévisagea... et sentit son cœur cesser de battre.

Il regardait la femme du pasteur avec admiration — et même, avec fascination !

4

Ils traversèrent la Charles River sur un bac, avec un lot de tonneaux de rhum et un troupeau de chèvres bêlantes. Elisabeth Hooker, qui avait peur de la rivière, s'accrocha au chariot et ferma les yeux. Jason tourna autour d'elle d'un air protecteur.

Ce spectacle fut si douloureux pour Angie qu'elle se demanda si elle pourrait le supporter. La veille encore, elle se serait contentée d'être près de lui, de voir son visage. Mais elle en voulait déjà plus. Elle voulait ce qu'elle ne pourrait jamais avoir...

Elle se réfugia à l'arrière du bateau et regarda s'éloigner les points de repère de son enfance — les clochers des nombreux temples de Boston, les jetées s'avançant dans le port, le soleil se reflétant sur les toits de cuivre du phare de Beacon Island. Elle ne regrettait pas de partir, se dit-elle, les yeux pleins de larmes.

Son père avait dû tomber ivre mort dans une taverne, car en rentrant la nuit dernière, elle ne l'avait pas trouvé endormi sur sa paillasse. Elle n'avait donc pas pu lui dire au revoir. C'était probablement mieux ainsi ; il l'aurait reçue à coups de poing.

Mais, une fois dessoûlé, il la regretterait. Il ne se rappellerait même pas qu'elle l'avait frappé avec un morceau de bois. Il la chercherait, puis comprendrait qu'elle était partie pour de bon. Alors il pleurerait.

Elle se sentit honteuse et se promit, une fois à Merrymeeting, de lui écrire une lettre avec l'aide de quelqu'un, pour lui dire de ne pas s'inquiéter. Pauvre papa… Qui s'occuperait de lui, maintenant qu'elle était partie ?

Elle ferma les yeux et revit le visage de son père. Ce n'était pas l'homme possédé par la boisson, mais celui qui lui était apparu, un jour, grand et fort, tel un dieu à son regard de petite fille. Ils se tenaient au bout du quai et il lui montrait du doigt les bateaux dans le port. Elle se rappelait la force de sa grande main autour de la sienne, et le délicieux sentiment de sécurité qu'elle avait alors éprouvé. Elle avait levé les yeux vers lui, et il avait souri.

— Je t'aime, petite souris… avait-il dit.

Puis sa mère était morte. Et son monde s'était effondré.

— Avez-vous de la famille à Merrymeeting ?

Angie se tourna vers le révérend Caleb Hooker qui venait de lui poser cette question. Il souriait, et elle remarqua pour la première fois que ses dents de devant se chevauchaient.

— Je vais à Merrymeeting pour me marier à un veuf et m'occuper de ses deux filles, répondit-elle, lui souriant en retour.

— Je vois, dit-il.

Angie et le révérend se regardèrent en silence, puis ils se tournèrent vers l'avant du bac où la femme du pasteur était assise dans le chariot, tandis que, debout à côté d'elle, Jason Savitch lui disait quelque chose qui la fit rire. Mais elle reporta aussitôt les yeux sur la bible qu'elle serrait dans sa main.

— Ma femme... elle a peur d'aller dans ces régions sauvages, dit Caleb à Angie. Elle préférerait rester enfermée bien au chaud à filer.

Il retira son chapeau et passa les doigts dans ses cheveux bruns.

— Ce voyage va être dur pour elle. Mais une fois installée à Merrymeeting, tout ira bien, ajouta-t-il comme pour s'en convaincre.

— Oui, je l'espère, dit Angie avec un sourire encourageant.

Ils restèrent à se sourire bêtement, puis le pasteur dit :

— Viendrez-vous au temple ?

— Euh...

Elle rougit et contempla ses orteils qui dépassaient de dessous l'ourlet déchiré de son jupon.

— Je n'ai jamais été très pratiquante, avoua-t-elle.

Un rire les fit se retourner. Le chapeau basculé en arrière, Jason Savitch les dominait de sa haute taille. Le bleu profond de la rivière derrière lui était en harmonie avec la couleur de ses yeux, et la brise faisait trembler les franges de sa chemise. Il était si beau que Angie en eut le cœur serré.

— Je crains, dit-il, que vous ne trouviez pas une grande communauté de croyants dans le Maine.

L'éclat de son sourire le transfigurait. Auprès d'Elisabeth Hooker, il avait retrouvé sa bonne humeur, songea tristement Angie.

— On a pourtant réclamé mes services, protesta Caleb.

— D'après la loi en vigueur dans le Massachusetts, pour être considérée comme une vraie ville, une communauté doit avoir un pasteur et un maître d'école. Mais notre communauté ne pouvait financer les salaires de l'un et de l'autre. Il a donc fallu choisir, et vous avez gagné par deux voix. Certains prétendent que l'élection a été truquée.

Le révérend éclata d'un rire franc. Angie trouva de bon augure qu'un homme aussi sérieux fût capable de rire. Elle se réjouissait d'avoir la compagnie du révérend pendant ce long voyage. Car la jeune fille sentait qu'elle aurait besoin d'un ami.

Une fois la rivière traversée, ils allaient s'engager sur la route du nord-est, quand Jason et Angie eurent leur première dispute à propos du cheval.

— Je ne monte pas sur cette bête avec vous, dit-elle en reculant, alors qu'il s'apprêtait à la soulever pour la mettre en selle.

En fait, ce n'était pas le cheval qu'elle craignait, mais lui, ou plus précisément les émotions dangereuses que cette proximité éveillait en elle. Elle ne pourrait supporter de rester des heures pressée contre lui, surtout s'il ne cessait de regarder Mme Hooker.

— Alors, que comptez-vous faire ? Aller à pied jusqu'à Merrymeeting ? demanda Jason sans cacher son exaspération. Soyez raisonnable. Je vous achèterai un cheval dès que j'en aurai l'occasion, mais en attendant...

— Je vous l'ai déjà dit, Jason Savitch, je ne veux pas de votre charité.

60

— Vous ne voulez pas de ma charité, vraiment ? Et qui va payer vos repas et votre logement pendant cette petite balade ?

— Je ne suis pas idiote. Je sais que je ne peux pas arriver jusqu'au Maine sans manger, et j'ai l'intention de vous rembourser mes dépenses. Mais je ne monte pas sur ce fichu cheval avec vous.

— Seigneur, s'esclaffa Jason, qu'est-ce qui vous arrive ?

Tournant les talons, Angie s'éloigna sur la route, en marmonnant toutes sortes d'insultes.

— Angie, attendez ! lui cria Caleb Hooker. Nous pouvons peut-être vous trouver une place dans le chariot.

Angie regarda Elisabeth Hooker qui se tourna vers son mari, paniquée, puis vers le chariot où étaient empilés lits, sièges, malles et deux types de rouets — l'un pour la laine et l'autre pour le lin. A supposer que la femme du pasteur approuvât sa compagnie, il n'y avait manifestement pas de place pour elle dans le chariot.

— Merci quand même, révérend, dit-elle en secouant la tête. Je vais marcher.

— Est-ce qu'on peut se mettre en route ? demanda sèchement Jason. J'aimerais arriver à Merrymeeting avant les premières neiges.

Caleb adressa un sourire d'excuse à Angie et grimpa sur le chariot. Mais comme il prenait l'aiguillon, Elisabeth déclara :

— Caleb, ne devrais-tu pas dire une prière avant le départ ?

— Oh… si, bien sûr.

Il baissa la tête et pria ainsi :

— Que Ta volonté nous guide durant ce voyage. Nous l'entreprenons en Ton nom, ô Seigneur.

Amen, acheva-t-il en hâte avec un grand sourire à l'adresse de Jason.

Puis il piqua le bœuf de tête et le chariot s'ébranla dans un grincement de roues.

Ils avançaient lentement. La route était jonchée de blocs de pierre, de souches et de flaques de boue. Lorsqu'ils traversaient des pâturages, ils devaient s'arrêter pour ouvrir les barrières. Angie marchait à côté des bœufs roux du pasteur.

Jason était si énervé qu'il communiquait son humeur au cheval, qui dansait sur la piste, en agitant la queue. Angie se disait que l'agitation de Jason venait de son étrange éducation — dix ans au milieu des sauvages, pour retrouver ensuite la civilisation et devenir un gentleman anglais. Peut-être une part de lui n'avait-elle jamais été tout à fait civilisée et ne faisait pas bon ménage avec le médecin qu'il était devenu…

Ils longèrent des fermes et de minuscules hameaux, contournèrent des champs de maïs dont les pousses vertes perçaient à peine. A un moment, ils passèrent à côté de deux jeunes filles qui faisaient sécher du lin. Les jeunes filles rendirent à Angie son salut, et celle-ci en éprouva une telle joie qu'elle éclata de rire. Mais, se retournant, elle surprit le regard sévère de Jason.

Les vraies dames ne se comportaient sûrement pas ainsi, pensa-t-elle, se jurant de faire attention à l'avenir.

En fin d'après-midi, ils entrèrent dans une zone de marais et furent attaqués par des bataillons d'énormes taons. Angie cassa une branche d'érable et battit l'air au-dessus des bœufs pour leur offrir quelque soulagement. Mais les insectes étaient voraces, et l'encolure du cheval de Jason fut bientôt enflée par les piqûres.

Au bord du marais, la route s'élargissait et ils arrivèrent à un petit village. Jason décida d'y passer la nuit, car l'agressivité des taons annonçait un orage.

Angie trouva le village misérable. Le temple n'avait pas de clocher, et le pré communal n'était qu'un champ boueux où paissaient quelques vaches étiques. L'unique auberge était la dernière maison du village. Son enseigne était une ancre bleue pendue à une chaîne rouillée qui gémissait au vent. En s'arrêtant devant la porte, ils sentirent une odeur de cochons provenant de l'arrière-cour.

Le propriétaire sortit en se grattant l'aisselle et en mâchant une chique de tabac. Sa culotte de laine était effilochée et il portait en guise de bottes de simples jambières fabriquées dans une vieille couverture. Un chien décharné sortit à sa suite.

— Ça va, braves gens? demanda l'aubergiste, la bouche pleine de tabac.

— Pas mal, répondit Jason en descendant de cheval. Vous êtes ouvert?

— Oui, monsieur. Bienvenue à l'Ancre-Bleue. Ça fera quatre shillings la nuit, souper compris. Et deux shillings pour les bêtes.

Jason demanda du sel et de l'eau pour en frotter l'encolure de son cheval. Les Hooker descendirent du chariot et Elisabeth, pâle et fatiguée, entra précipitamment. Angie allait la suivre lorsque Jason l'arrêta.

— Laissez-moi d'abord m'occuper de vous, dit-il, montrant ses pieds égratignés.

— Je peux m'en occuper moi-même, merci.

Il serra les lèvres et prit une profonde inspiration.

Angie n'aimait pas le mettre en colère, mais elle craignait de trahir ses sentiments.

— Maintenant, vous allez au moins admettre votre erreur et monter demain avec moi sur le cheval, déclara-t-il.

— Pas question !

Il lui prit le menton, et elle fut parcourue d'un frisson. Il sourit et elle eut envie de pleurer.

— Qu'y a-t-il, fillette ? demanda-t-il d'une voix soudain douce. Qu'est-ce qui vous met dans cet état ?

— Laissez-moi tranquille !

Elle s'arracha à lui et entra dans l'auberge en poussant violemment la porte qui protesta dans un grincement.

Jason resta immobile, luttant contre des désirs contradictoires — ramener cette fille par la peau du cou, ou embrasser ces lèvres boudeuses et caresser ces seins magnifiques. Au lieu de quoi, il alla aider Caleb Hooker à détacher les bœufs, en maudissant les femmes.

Une heure plus tard, ils étaient tous les quatre assis autour d'une table bancale, tandis qu'une souillon leur servait des plats de bouillie de maïs et de petits verres de rhum.

A la vue de la nourriture, Angie sentit son estomac gargouiller.

— Seigneur du ciel, j'ai une faim d'enfer ! dit-elle sans réfléchir.

Levant les yeux, elle vit tous les regards fixés sur elle. Elisabeth paraissait choquée, Jason menaçant, mais le révérend éclata de rire.

— Vous ne pouvez pas être plus affamée que moi, dit-il.

64

Rassurée, la jeune fille plongea sa cuillère dans la bouillie et allait l'enfourner dans sa bouche, lorsque le révérend Hooker commença la prière :

— Pour tout ce que nous allons recevoir, ô Seigneur, nous Te remercions, au nom du Christ.

Angie laissa retomber sa cuillère avec fracas. Elle vit que Jason avait remarqué son erreur. Il la regardait d'un air sévère. Elle se contorsionna sur son banc, cognant la table et renversant son verre de rhum, dont le liquide se répandit sur la table et éclaboussa les genoux de Jason.

Il bondit de son siège en s'essuyant.

— Je vous le revaudrai, gronda-t-il.

— C'était un accident, Jason. Vraiment.

Angie baissa les yeux. Elle avait voulu lui montrer qu'elle savait manger sans parler ou rire la bouche pleine, mais elle avait tout gâché. Elle regarda Elisabeth qui mangeait sa bouillie délicatement, se tamponnant les coins de la bouche avec sa serviette après chaque bouchée.

« Je ne serai jamais capable de faire ça, pensa la jeune fille avec désespoir. Je n'aurai jamais de vraies manières de dame, et Jason ne trouvera jamais rien de bien en moi. »

Les yeux brûlants d'humiliation, elle repoussa le bol de bouillie, intact.

— Le docteur Savitch m'a prévenu que nous ne serons peut-être pas bien accueillis par tous à Merrymeeting, annonça Caleb à sa femme, après qu'ils eurent mangé un moment en silence.

A la vue de Jason se tournant vers Elisabeth avec un sourire enchanteur, Angie fut au supplice.

— Oh, vous serez la bienvenue, madame Hooker, n'ayez crainte. Je voulais seulement dire que le révérend ne devait pas s'attendre à remplir tout de suite le temple. Avec certains, il aura du travail.

Elisabeth adressa à Jason un regard de petite fille, et Angie eut envie de vomir.

— Mais vous, docteur ? demanda la jeune femme. Viendrez-vous au temple ?

Jason fut sauvé de son embarras par l'aubergiste :

— Vous trouverez plein de vermine, dans le Maine.

— Quel genre de vermine ? demanda Angie.

— Oh, des loups et des pumas, bien sûr. Et des ours. Certains gros comme des montagnes. Et puis la vermine à deux pattes, les pirates par exemple...

— Les pirates ! répéta Angie, se tournant tout excitée vers Jason. Vous avez de vrais pirates ? Oh, on va peut-être trouver un trésor enterré !

— Ils préfèrent être appelés «corsaires», dit Jason en riant. Ils n'enterrent pas leurs trésors pour les dilapider plus vite.

— Mais la pire vermine, ce sont les Injuns, poursuivit l'aubergiste.

— Des Indiens ? fit Elisabeth Hooker, blême de terreur. Mais je croyais que les Indiens étaient pacifiques, maintenant qu'un traité avait été signé ? Caleb, tu as dit...

— Jamais un Injun ne s'est embarrassé d'un traité, décréta l'aubergiste.

— J'ai entendu dire que si on a la malchance d'être capturé par les sauvages, ils vous embrochent sur un pieu et vous font rôtir à petit feu... comme une oie, ajouta Angie.

Voyant Elisabeth Hooker devenir plus blanche encore, elle dissimula un sourire.

— C'est la pure vérité, approuva l'aubergiste,

66

ravi du tour qu'avait pris la conversation. Mais avant, vous avez droit à d'autres petites gâteries. Ils vous arrachent la langue...

— Et la mangent sous vos yeux! acheva Angie.

Elisabeth Hooker se leva d'un bond, se plaqua la main sur la bouche et monta quatre à quatre l'escalier branlant. Une porte claqua au-dessus de leurs têtes.

Avant que Angie pût réagir, Jason se leva, la saisit par le bras et l'entraîna dans la cour. Une fois dehors, il la fit pivoter et la secoua.

— Vous mériteriez une bonne correction!

— Je discutais gentiment avec l'aubergiste. Ce n'est pas ma faute si la moindre petite chose fait peur à votre précieuse Elisabeth.

— Elisabeth Hooker est une jeune femme craintive et vous n'êtes pas idiote, Angie. Vous avez senti sa peur et en avez profité par pure méchanceté! Vous n'êtes qu'une sale gosse!

Ne voyait-il pas ce qu'elle avait? Qu'elle se mourait d'amour, alors qu'elle n'était qu'une gêne pour lui? Une *gosse*.

— Pardon, Jason, dit-elle tout bas en baissant la tête.

— Ce n'est pas à moi que vous devriez demander pardon.

— Je lui demanderai pardon. Plus tard. Mais vous devriez peut-être vous excuser vous aussi auprès du révérend, pour la façon dont vous tournez autour de sa femme comme un taureau en chaleur.

— Quoi! s'exclama Jason, les narines palpitantes — «comme un taureau», songea Angie.

Elle en aurait ri, si elle n'avait pas été si près de pleurer.

— Vous croyez que ça ne se voit pas ? Vous la regardez toute la journée avec des yeux langoureux. C'est répugnant...

— Un homme peut être poli et amical, même admirer une femme pour sa beauté, sans vouloir coucher avec elle.

— Vous ne pouvez pas nier que vous désirez la femme du pasteur.

— Je le nie !

S'arrachant à son emprise, Angie partit en courant sur le chemin. Elle l'entendit l'appeler, mais ne se retourna pas. Elle sanglotait.

Quittant le chemin, elle s'enfonça dans une forêt de pins. Les arbres faisaient écran au soleil en cette fin d'après-midi, et l'air était frais sous le plafond de branches entrelacées. Ses pieds ne faisaient aucun bruit sur l'épais tapis d'aiguilles.

La forêt était magnifique. Les larmes de Angie séchèrent et le poids qui pesait sur sa poitrine disparut. Elle regarda autour d'elle, émerveillée, et continua son chemin jusqu'à ce qu'elle soit arrêtée par un arbre abattu. Elle hésita. Peut-être devrait-elle rentrer ; elle ne voulait pas se perdre et donner à Jason une nouvelle occasion de l'insulter. En outre, il y avait probablement de la «vermine» dans ces bois. Des pumas et des ours. Des loups...

A cet instant, un buisson bruissa derrière elle ; elle se retourna, le cœur battant.

Elle scruta l'épais taillis, mais ne vit rien. Depuis quelques minutes, il faisait, semblait-il, plus sombre, comme si quelque chose avait englouti le soleil. Elle décida de rentrer.

Elle fit donc demi-tour et suivit la piste en sens inverse... jusqu'à ce que celle-ci se sépare en deux.

Elle prit le sentier de droite, mais après quelque temps, elle s'arrêta. Elle ne reconnaissait rien.

Elle avait dû se tromper de sentier.

Elle revint en arrière mais, au lieu de retrouver une simple bifurcation, elle avait le choix cette fois entre trois chemins.

Il y eut un nouveau bruissement derrière elle. Une branche se cassa.

Paniquée, Angie se mit à courir. Elle sauta par-dessus une fougère, écarta une branche de sapin… et tomba dans le vide.

Si elle n'avait pas eu la présence d'esprit de rentrer la tête, elle aurait eu le crâne fracassé par le tronc qui s'abattit sur sa jambe. Elle poussa un cri de douleur, fut arrosée de terre, d'aiguilles et de feuilles. Puis ce fut le silence.

Elle leva la tête. Elle voyait des morceaux de ciel et des branches au-dessus de sa tête. Très haut. Le trou dans lequel elle était tombée devait avoir au moins deux mètres cinquante de profondeur. Si elle n'avait pas été clouée au sol par le tronc, elle aurait sans doute pu s'en sortir seule.

— Au secours !

Elle n'aima pas la façon dont sa voix résonna, comme si elle était le seul être vivant au monde. Le seul être humain…

Persuadée d'avoir de nouveau entendu le bruissement, elle tendit l'oreille. Elle serra les mâchoires pour ne pas crier et essaya de repousser le tronc. Il ne bougea pas. Le bruissement se répéta, tout près cette fois.

Puis elle entendit respirer. Une respiration forte et un grognement.

— Ô Seigneur du ciel…

C'était un loup. Elle en était sûre. « Les loups

mangent-ils les gens ? se demanda-t-elle. Peut-être, s'ils ont très faim. Pourvu que celui-ci n'ait pas faim, qu'il soit simplement curieux... »

De la terre et des feuilles glissèrent dans son dos le long de la paroi. Alors la jeune fille aperçut une paire d'yeux jaunes et une gueule aux dents féroces.

Elle cria, et les yeux et les dents disparurent. Elle poussa de toutes ses forces sur le tronc — sans résultat. Retombant, exténuée, elle leva de nouveau les yeux.

— Oh oh ! lança une voix familière. On dirait que nous avons pris de la vermine.

5

Appuyé sur son fusil, le menton sur le poignet, il la regardait d'en haut.

— Sortez-moi d'ici, ordonna-t-elle.

— Pourquoi ?

— Parce que... Oooh ! Ce que vous êtes exaspérant ! Vous croyez que je vais passer la nuit dans ce trou ? Sortez-moi d'ici.

— Pour que vous terrorisiez cette pauvre Mme Hooker avec des contes à dormir debout ?

— Je vous ai dit que j'étais désolée...

— Pour que vous gâchiez tous mes efforts de gentillesse envers vous ?

— Gentillesse envers moi ? Vous appelez ça être gentil ?

Quelques rayons du couchant traversaient les frondaisons, éclairant le visage de Jason d'une lumière dorée. Elle fut de nouveau frappée par sa beauté.

— Je vous aiderai à sortir, mais à une condition.

— Je ne monte pas sur votre maudit cheval! s'écria Angie.

— Bon, très bien, dit-il, disparaissant de sa vue.

— Ah, vous alors!

Comme il ne revenait pas, elle cria plus fort:

— Jason, revenez! S'il vous plaît! Je ferai ce que vous dites, tout ce que vous dites, mais revenez! Jason!

Il revint s'asseoir au bord du trou, le fusil sur ses genoux, comme s'il avait tout le temps devant lui.

— Il fera bientôt nuit, dit-il gaiement en regardant le ciel.

Angie grinça des dents.

— Ah... ajouta-t-il. On va avoir de la pluie vers minuit.

— Jason, il y a un loup qui rôde par ici. Je l'ai vu. J'espère qu'il vous mangera.

— Ce n'est sûrement pas un loup que vous avez vu, répliqua-t-il en riant. Pas si près du village. Ce devait être le vieux chien de l'aubergiste.

La jeune fille fronça les sourcils, perplexe.

— On est à quelle distance du village?

— Environ deux cent cinquante mètres.

Elle s'était crue irrémédiablement perdue dans la forêt, et n'était qu'à deux cent cinquante mètres du village!

Jason sauta gracieusement dans la fosse. Il s'approcha d'elle à tâtons et, sentant le tronc qui lui bloquait la jambe, il lança un juron.

— Pourquoi n'avez-vous rien dit ?

— Je croyais que vous saviez.

Il rassembla ses forces et souleva le tronc. Elle était libre.

— Ne bougez pas, ordonna-t-il comme elle s'apprêtait à s'asseoir.

Il palpa ses jambes dans toute leur longueur, même sous ses jupes. Au premier contact de ses doigts, la douleur disparut. Angie ferma les yeux et sa chair sembla fondre sous ses mains apaisantes et douces... si douces. Une délicieuse chaleur l'envahit.

— Rien de cassé, mais ça vous fera un beau bleu de plus. Vous avez de la chance de ne pas avoir été tuée. Ce tronc était destiné à écraser la proie qui tomberait dans cette fosse. Il aurait pu vous fracasser le crâne.

Angie frissonna. Elle frissonna encore plus lorsqu'il lui entoura la taille pour l'aider à se lever.

— Pouvez-vous vous appuyer sur votre jambe ?

Elle essaya.

— Je crois. Oui, je peux, dit-elle d'une voix mal assurée.

Jason laissa ses mains s'attarder sur ses hanches. Elle était plus que jamais consciente de cette proximité. Le silence était si profond qu'elle entendait sa respiration.

Il retint son souffle, recula et la lâcha.

— Je vais m'agenouiller, et vous allez monter sur mes épaules. Ensuite je vous soulèverai, dit-il d'une voix soudain bourrue.

Il était de nouveau furieux contre elle, pensa Angie. Mais, aussi, pourquoi avait-elle eu besoin de se mettre dans une pareille situation ? Les vraies

dames ne perdent pas leur sang-froid et ne s'enfuient pas dans les bois.

Jason s'agenouilla devant elle. Elle hésita, car
elle ne voulait pas le toucher.

— Allons, Angie, s'impatienta-t-il.

Prenant une profonde inspiration, elle passa les
bras autour de son cou. Il lui saisit les jambes,
puis se leva d'un mouvement souple. Le bord de
la fosse n'était plus maintenant qu'à une soixan-
taine de centimètres, et Angie pouvait facilement
lui lâcher le cou et sortir.

Mais elle ne bougea pas. Elle sentait la pulsa-
tion de son cou contre ses bras, le mouvement de
sa respiration sous ses cuisses, et son odeur — ce
mélange de cuir et de tabac.

— Allons-nous rester plantés là toute la nuit?
demanda-t-il d'une voix rauque.

Elle sursauta. Les mains tremblantes, elle lâcha
son cou, s'agrippa au bord du trou et se hissa
hors de la fosse. Au dernier moment, il l'aida
d'une poussée sur les fesses. Ce contact arracha
un gémissement à la jeune fille.

— Ça va? demanda-t-il.

Elle se mit à quatre pattes et se retourna. Il
avait les lèvres serrées et le front luisant de sueur,
malgré la fraîcheur du soir.

— Aidez-moi, dit-il.

Comme elle tendait la main, il lui saisit le poignet et escalada le flanc de la fosse. Il arriva en
haut plus vite qu'elle ne l'avait prévu, si bien que,
se trouvant brusquement soulagée du poids de
Jason, elle atterrit sur le dos et il tomba au-dessus
d'elle, emporté par l'élan.

Leurs visages n'étaient qu'à quelques centimètres l'un de l'autre, si proches qu'elle sentait

son souffle et voyait son propre reflet dans le bleu sombre de ses yeux.

Il se pencha et ses lèvres effleurèrent les siennes. Ouvrant la bouche, elle l'attira sur elle et le sentit frissonner. Il prit possession de sa bouche, éveillant en elle un désir inconnu.

Elle savait que ce baiser n'était que le début. Il y avait plus, beaucoup plus, et elle voulait tout. Elle le voulait, lui…

Roulant sur le côté, il se mit à défaire les lacets de son corsage. Abandonnant alors ses lèvres, il lui embrassa le menton, le cou. Comme elle arquait le dos, un sein se trouva libéré. Il en pinça le bout, et elle s'arrêta de respirer.

Lâchant le sein, il remonta jupon et chemise. Au moment où il touchait sa chair nue et refermait la bouche sur le mamelon durci, elle sursauta comme si elle avait été marquée au fer rouge.

Le repoussant violemment, elle s'écarta de lui et s'assit. Il resta un moment allongé sur les coudes, tête inclinée, puis s'agenouilla devant elle.

— Et que suis-je supposé faire maintenant? demanda-t-il, furibond. Tu aimes être forcée? Ou bien attends-tu d'être payée?

Elle lui flanqua une gifle qui le fit chanceler.

— Ah, ça, petite…

Il voulut la saisir, mais elle bondit sur ses pieds. Il se leva plus lentement, avec aux lèvres un sourire dur. Sa joue portait l'empreinte de ses doigts.

Angie recula, une main sur son corsage ouvert.

— Ne me touchez pas, espèce de sale type!

— Et pourquoi pas? Ça n'avait pas l'air de te déplaire tant que ça.

Elle pivota, mais à peine eut-elle fait un pas qu'il la saisit par la taille. Elle lui lança un coup

74

de coude dans l'estomac, avec une telle violence qu'il poussa un grognement de douleur.

— Je suis plus grand, plus fort et plus méchant que toi, et tu n'auras pas le dessus, murmura-t-il à son oreille. Alors ne m'oblige pas à le prouver.

— Allez au diable! fit-elle en essayant de lui envoyer des coups de pied dans les tibias.

Comme il refermait le bras sur ses côtes endolories, elle poussa un cri de douleur et il relâcha instantanément sa prise. Chancelante, elle porta la main à son côté.

— Angie...

Il lui effleura l'épaule, mais elle s'écarta de lui.

— Oh, je vous déteste, Jason Savitch!

— Je sais. Vous me détestez et mes baisers vous dégoûtent.

— Ce n'est pas avec moi que vous apaiserez votre désir, Jason Savitch, dit-elle en relaçant son corsage. Surtout quand c'est Mme Hooker qui vous attire.

— Vous n'allez pas revenir là-dessus! Combien de fois devrai-je vous dire que je n'ai aucun désir...

— Je m'en fiche pas mal! s'exclama-t-elle, les yeux brillants de larmes. Ce n'est pas bien d'embrasser une femme quand on en désire une autre.

— Vous vous trompez. Je ne désire pas Elisabeth.

— Si.

— Non.

Prenant le visage de Angie entre ses mains, il plongea les yeux dans les siens.

— Angie, ma Angie, murmura-t-il d'une voix caressante qui fit battre le cœur de la jeune fille. C'est toi que je veux. C'est toi...

— Jason, je... je veux rentrer à l'auberge.

— Alors, va. Je ne te retiens pas, dit-il en se
redressant.

Mais Angie ne bougeait pas.

Il la désirait... Il l'avait admis. Mais ce qui
l'effrayait, c'étaient les battements de son propre
cœur, son propre désir.

Elle tourna les talons et s'engagea dans le sentier. Il dut l'appeler à deux reprises avant qu'elle
ne se retourne.

— Continuez dans cette direction, et vous vous
retrouverez à Boston.

— Oh... Ces maudites pistes, elles se ressem-
blent toutes. Si au moins il y avait des poteaux
indicateurs.

Jason ne put s'empêcher de rire.

— Angie, vous êtes vraiment drôle. Après vous,
madame, ajouta-t-il en esquissant une courbette.

Ils regagnèrent l'auberge sans un mot. Quittant
la forêt, ils suivirent le chemin. Dans le crépuscule, leurs ombres s'étiraient devant eux, côte à
côte, mais séparées.

A travers le carreau en papier huilé de la fenêtre,
Elisabeth Hooker regardait les cimes des arbres se
détachant sur le ciel gris.

En ce moment, à Boston, dans le presbytère
du temple de Brattle Street, son père allumait la
lampe sur son bureau et préparait son prochain
sermon. Assise devant le feu, sa mère cardait la
laine pour le filage du lendemain. Ses deux jeunes
sœurs tricotaient en bavardant.

Elisabeth ferma les yeux.

— Je veux rentrer à la maison ! murmura-t-elle,
rompant le silence de la misérable chambre de

l'auberge. Oh, Caleb, je t'en supplie, ramène-moi à la maison…

Mais Caleb n'était pas là pour l'entendre. Au bout d'un moment, elle poussa un grand soupir et ouvrit les yeux. Elle avait la tête douloureuse, les os brisés par les cahots de la route et la gorge desséchée par la poussière.

Les cimes des arbres se balançaient contre le ciel et elle entendait le murmure du vent, annonciateur de la pluie. Elle avait l'estomac noué au souvenir de ce que cet affreux aubergiste avait raconté sur les Indiens.

D'une main tremblante, elle ferma les volets et poussa les verrous. Tournant le dos à la fenêtre, elle promena le regard sur la chambre miteuse au plafond mansardé. Un petit lit occupait un coin. La literie devait être infestée de poux, se dit-elle avec dégoût. Sur les conseils de sa mère, elle avait pris ses précautions.

Elle s'approcha de la malle que Caleb avait sortie du chariot. Il avait placé sa bible sur le dessus. Elle s'agenouilla et passa la main sur le cuir repoussé. Caleb était un brave homme, bon et prévenant. Cependant, durant cette longue et terrible journée, elle s'était surprise à le détester de l'avoir arrachée à sa famille pour l'emmener dans une contrée perdue. Elle se reprochait maintenant ce sentiment de haine. Demain, elle ferait un effort. Aujourd'hui, c'était le premier jour, voilà pourquoi cela lui avait semblé si dur.

Elle refit le lit avec ses propres draps et couvertures. C'était elle qui avait filé et tissé la laine et le lin dont ils étaient faits, et elle en était fière. Ils faisaient partie de son trousseau. Elle les avait montrés à son mari le jour de leur mariage, deux mois plus tôt, et il avait déclaré qu'aucun homme n'avait autant de chance que le révérend Caleb Hooker. Elle se demandait s'il pensait toujours la même chose.

Elle lissa la couverture et la replia sous la paillasse. Autrefois, la venue du soir était synonyme de paix familiale. Mais, depuis son mariage, elle redoutait la tombée de la nuit, se demandant si Caleb exercerait ses droits maritaux.

Quand il insistait, elle se soumettait toujours; c'était son devoir. Et elle était reconnaissante à Caleb de ne pas le demander trop souvent, car elle le soupçonnait d'y prendre plaisir. Ce n'était pas bien. Le Livre était clair là-dessus. Bien que nécessaire, évidemment, pour perpétuer l'espèce. Et la femme devait se soumettre. Le Livre était clair là-dessus aussi.

Sa mère l'avait prévenue, la veille de son mariage, qu'elle saignerait et aurait mal. Si le saignement avait cessé après deux fois, cela faisait toujours mal; terriblement. Oh, elle aimait bien quand il l'embrassait et la caressait. Ensuite, il lui murmurait qu'il l'aimait. Mais elle détestait la pénétration.

Elle se hâta de se déshabiller et d'enfiler sa chemise de nuit avant l'arrivée de Caleb. Elle venait de s'asseoir sur la seule chaise de la pièce pour retirer ses épingles à cheveux, quand la porte s'ouvrit.

— J'ai apporté une lumière, dit-il en protégeant d'une main une mèche de soufre.

Il alluma la chandelle, se tourna vers elle et sourit.

— Ça va bien maintenant, Caleb, dit-elle, lui souriant en retour.

— Laisse-moi te brosser les cheveux, proposa-t-il en lui prenant la brosse des mains.

Elle s'appuya au dossier de la chaise. Caleb souleva la masse de ses cheveux blond argent et y passa la brosse. Elle ferma les yeux et soupira.

— Que penses-tu du docteur Savitch? demanda-t-il.

— C'est un brave homme.

Bon comme Caleb. Avec des manières charmantes. Et il avait tout fait pour la mettre à l'aise. Mais, malgré sa bonne éducation, il ressemblait trop au pays d'où il venait — beau d'apparence, mais sauvage.

— Cette Angie, c'est autre chose, disait Caleb. Il faudra beaucoup prier pour elle.

Il s'arrêta de brosser les cheveux d'Elisabeth.

— Elle a dû être blessée, Lizzie. Elle aura besoin d'une amie.

— J'aime bien Angie, répliqua Elisabeth.

Elle découvrit en le disant qu'elle le pensait vraiment. En même temps, elle l'enviait. Sa démarche assurée à côté des bœufs, son enthousiasme devant tout ce qui se présentait, son indifférence à la poussière et aux taons.

S'étant levée, Elisabeth se glissa sous les couvertures et se réfugia à l'autre bout du lit, contre le mur. En regardant son mari se déshabiller, sa peur augmenta.

Caleb posa la chandelle par terre près du lit. La lumière tremblotante projetait son ombre immense contre le mur derrière elle.

— Lizzie... (Il s'éclaircit la voix.) Comment te sens-tu, ce soir?

Elle savait ce qu'il lui demandait en réalité, et tout son corps se raidit.

— Je suis très fatiguée, Caleb.

Elle lut la déception sur son visage.

— Oui. Bien sûr. La journée a été très fatigante.

Il entra dans le lit et se coucha à côté d'elle. Après un moment de silence, il lui prit la main.

— C'est dur pour toi, Lizzie. Je sais combien tu as été malheureuse de quitter Boston et ta famille. Combien elle va te manquer... Une fois à Merry-meeting, tu seras bien. Jason dit que les habitants nous ont déjà bâti un presbytère juste à côté du temple, et que nous aurons notre lopin de terre. Nous aurons des voisins et tu te feras de nouveaux amis. Je dois aller où le devoir m'appelle, ajouta-t-il en étreignant sa main. Tu le comprends, Lizzie, n'est-ce pas ? C'est la volonté de Dieu.

— Oui, la volonté de Dieu.

S'écartant d'elle, il souffla la chandelle et resta si longtemps silencieux qu'elle crut qu'il s'était endormi.

— Lizzie ? dit-il enfin. Crois-tu que nous pourrions avoir bientôt un bébé ? Tu aimerais avoir un bébé ?

Elle se raidit, convaincue qu'il allait se tourner vers elle et remonter sa chemise de nuit.

— Lizzie ?

— Oui... oui, bien sûr, Caleb. Un bébé, ce serait bien.

Il poussa un soupir. Au bout d'un moment, elle entendit un faible ronflement et se détendit.

Le lendemain matin, Jason Savitch ne laissa pas à Angie le temps de discuter. Il la hissa sur la selle dès qu'elle s'approcha.

Elle s'agrippa au pommeau et le regarda avec surprise.

— Pas un mot, l'avertit-il d'un air menaçant. Pas un mot.

— J'allais juste dire bonjour, répliqua-t-elle avec un sourire.

Jason répondit par un grognement. Il n'était pas de bonne humeur. C'était la deuxième nuit de suite qu'il était tourmenté par des rêves érotiques. Passe encore d'être attiré par une fille de taverne, mais en être repoussé... Impensable.

Il avait plu pendant la nuit et le ciel était couvert. Elisabeth était installée dans le chariot, attendant que Caleb ait fini d'atteler les bœufs. Elle rentra la tête dans les épaules et remonta le col de son manteau.

Quand Jason eut réglé l'aubergiste, Caleb lui fit signe d'approcher.

— Quelle distance devrons-nous parcourir aujourd'hui ? demanda-t-il, une main sur le dossier du siège où était assise sa femme, l'autre tenant l'aiguillon.

— J'aimerais au moins traverser le Merrimack, répondit Jason.

Caleb se gratta le cou et s'éclaircit la voix :

— Oui, mais combien de temps voyagerons-nous ? Elisabeth est, euh...

— Aujourd'hui, nous ne forcerons pas, dit Jason, réprimant un soupir.

A ce rythme, ils mettraient tout l'été pour arriver à Merrymeeting.

Caleb se détendit. Il tapota le genou de sa femme et lui sourit :

— Tu vois, Lizzie, aujourd'hui, ce sera moins dur.

— Il va sans doute pleuvoir toute la journée, fit-elle remarquer en regardant les nuages bas.

Le sourire de Caleb disparut.

— En tout cas, nous ne serons pas importunés par les taons.

Comme Jason retournait auprès de Angie, celle-ci lui sourit. La façon dont ses yeux chatoyaient comme des pièces d'or lui fit un effet bizarre. S'il ne s'était pas repris à temps, il aurait souri en retour. Au lieu de quoi, il fronça les sourcils, attacha le sac de la jeune fille, saisit les rênes et conduisit le cheval sur la piste.

— Vous ne montez pas avec moi ? demanda-t-elle.

Jason répondit par un grognement, essayant de s'imaginer combien de temps il tiendrait avec ses seins magnifiques contre son dos... Il devrait s'arrêter tous les deux kilomètres pour se plonger dans un cours d'eau glacé !

Leur voyage fut interrompu en début d'après-midi par la rivière. Le Merrimack était trop profond et trop large pour être traversé à gué par un chariot. Il n'y avait pas de bac en vue, mais une cloche était accrochée à un poteau de l'embarcadère. Jason la secoua énergiquement. Comme personne ne venait, il appela en vain. Le vieux coquin chargé du bac devait être à la pêche.

— Nous allons devoir camper de ce côté de la rivière, annonça-t-il.

Angie se laissa glisser à terre. Elle se frotta le postérieur et poussa un soupir.

— Seigneur, j'ai les fesses en capilotade...

Elle rougit et baissa les yeux, se mordant la lèvre inférieure.

Jason arracha son fusil de la selle.

— Je vais voir si je peux nous trouver quelque chose pour le dîner. Angie, rendez-vous utile et ramassez du bois pour le feu…

— Je vais le faire, s'empressa de dire Caleb. J'ai besoin de me dégourdir les jambes.

Tandis que Jason disparaissait dans les bois, il aida Elisabeth à descendre du chariot.

— Tu te rappelles ce petit affluent que nous venons de passer, Lizzie ? J'ai remarqué qu'il formait un bassin. Peut-être aimerais-tu y faire ta toilette ?

Elisabeth regarda autour d'elle et acquiesça :

— Oui, c'est une bonne idée, Caleb.

Voyant la jeune femme s'éloigner, Angie lui courut après :

— Madame Hooker, attendez ! Puis-je venir avec vous ?

La jeune fille s'attendait à être repoussée, mais Elisabeth lui sourit.

— Oh, oui. Venez… Mais appelez-moi Elisabeth.

Le bassin était magnifique, et Angie s'assit immédiatement au bord pour s'y tremper les pieds. L'orage de la nuit passée avait ravivé les couleurs, et à présent le soleil brillait.

S'agenouillant sur une pente moussue, Elisabeth remonta ses manches et s'aspergea la figure et les bras.

— J'aurais dû apporter du savon, dit-elle. Ce serait bon de prendre un bain.

— J'en ai pris un hier matin, répliqua Angie. Je me suis même lavé les cheveux.

Elisabeth s'essuya avec son jupon.

— Oui, mais après la poussière, j'en aurais bien pris un hier soir. Mais je n'allais pas deman-

der un baquet d'eau chaude à cet horrible aubergiste de l'Ancre-Bleue... ?

— Vous prenez souvent un bain, Elisabeth ?

— Oh, au moins deux fois par semaine, l'été
parfois trois.

— Deux fois par semaine ! Mais ce n'est pas
sain !

Frêle comme elle l'était, Elisabeth Hooker pouvait s'estimer heureuse de ne pas être morte de
phtisie.

Angie se rappela que Jason s'était plaint, l'autre
soir, qu'elle sentait mauvais. Peut-être qu'un bain
par mois n'était pas suffisant ? Si elle voulait être
une vraie dame, elle devrait prendre deux bains
par semaine, au risque de tomber malade.

Elisabeth replia ses jambes et les entoura de ses
bras, puis regarda craintivement autour d'elle.
Angie en fit autant, mais ne vit qu'une touffe de
coquelicots et une grenouille sur un rocher.

— C'est joli ici, vous ne trouvez pas ? dit Angie.

— Oui... c'est agréable et paisible.

Angie se rappela la promesse qu'elle avait faite
à Jason.

— Elisabeth...

Elle s'arrêta, cherchant ses mots. Ce n'était pas
aussi facile qu'elle l'aurait cru. Elle prit une profonde inspiration et se lança :

— Je suis désolée pour hier soir, d'avoir essayé
de vous faire peur. C'était méchant de ma part et,
enfin... je vous demande pardon.

Elisabeth regarda ses mains croisées sur ses
genoux.

— Ça ne fait rien, dit-elle avec un sourire forcé.
Je dois vous paraître bien peureuse mais, jusqu'à
maintenant, ce que j'ai fait de plus téméraire dans

ma vie, c'est prendre le bac pour aller à la foire de Charles Town.

— Oh, je l'ai fait une fois, moi aussi ! Mon père m'y a emmenée quand j'avais sept ans. J'ai mangé trop de tarte aux kakis et j'ai vomi sur son costume du dimanche.

A ce souvenir, Angie éclata de rire. Elisabeth gloussa. Et un rire d'homme se fit entendre.

Surprises, elles levèrent la tête. Sur la rive opposée, un Indien leur souriait.

Il portait un chapeau en castor défoncé dans lequel était piquée une plume de mouette. Sa veste européenne était beaucoup trop petite et laissait voir sa poitrine qui brillait comme du bronze au soleil. Le bas du corps était vêtu à l'indienne, de jambières et d'un kilt de peau qui lui battait les genoux. Dans son bras replié, il tenait un vieux mousquet français.

Angie jeta un regard de côté à Elisabeth. Celle-ci était blême et la sueur perlait sur son front.

— N'ayez pas l'air d'avoir peur, murmura-t-elle en se redressant lentement.

— Bonjour, les Anglaises, dit l'Indien avec un fort accent guttural.

— Bonjour... monsieur, répliqua Angie.

L'Indien sourit et hocha la tête. La jeune fille fit de même. Elle sentait Elisabeth terrorisée à côté d'elle.

— Je crois qu'il est gentil, chuchota Angie du coin des lèvres.

Elle sourit et hocha à nouveau la tête. L'Indien jeta le mousquet par terre et entra dans l'eau. Elisabeth bondit sur ses pieds avec un cri perçant.

— Ne courez pas ! lui cria Angie.

Mais il était trop tard. La jeune femme se ruait déjà dans le sous-bois en hurlant.

Du milieu du bassin, l'Indien lâcha à l'adresse de Angie une litanie de mots indiens, puis il lui fit signe d'approcher avec un sourire engageant.

— Vous venir, dit-il. Vous faim ? Nous pêcher.

— Pêcher ?

— Poisson, fit-il en acquiesçant vigoureusement de la tête.

« N'aie pas l'air d'avoir peur, se recommanda Angie. Ô mon Dieu, et s'il était moins gentil qu'il ne paraît... »

Elle entra dans le bassin. L'Indien hocha la tête pour approuver son geste.

Elle s'arrêta à un mètre de lui. A cette distance, elle remarqua qu'il était plutôt vieux. Son visage était zébré de rides et ses cheveux grisonnaient. Il se pencha et montra du doigt le fond du bassin. Angie se baissa à son tour. Une demi-douzaine de truites se faufilaient entre les rochers moussus.

L'Indien roula ses manches, puis plongea le bras dans l'eau. Il passa doucement la main sous une des truites, glissa les doigts dans les ouïes et se redressa, tenant la truite frétillante.

— Poisson ! annonça-t-il avec un grand sourire.

Angie battit des mains en riant.

— C'est formidable ! Vous pouvez me montrer comment vous faites ?

Alerté par les cris, Jason revint en courant, son fusil armé, prêt à tirer. Il trouva Elisabeth sanglotant sur la poitrine de Caleb. Angie n'était nulle part.

— Que s'est-il passé ?

— Je ne sais pas, répondit Caleb. Elle n'arrête pas de pleurer.

Jason détacha Elisabeth du cou de son mari et la secoua doucement d'abord, puis plus fermement.

— Elisabeth! cria-t-il.

Ses sanglots s'apaisèrent quelque peu.

— Du calme, du calme, fit-il. Respirez profondément... Maintenant, dites-nous ce qui s'est passé.

— Le sauvage. Il... il...

— Où est Angie?

— Je ne sais pas. J'ai couru. Elle... Je ne sais pas.

Jason eut du mal à contenir son impatience.

— Où? Où l'avez-vous laissée?

— B... bassin. Au bassin.

— Elles sont allées à ce bassin près duquel nous sommes passés tout à l'heure, intervint Caleb. Près des sapins. Elisabeth voulait se laver...

— Vous les avez laissées aller seules? Mon Dieu, à quoi pensiez-vous?

Caleb blêmit.

— Je ne savais pas qu'il y avait un danger...

Mais Jason courait déjà. Arrivé à proximité du bassin, il ralentit et s'approcha sans bruit, se félicitant d'avoir mis ses mocassins. Il les entendit d'abord — le rire de Angie, puis le gloussement de l'homme. Se redressant, il s'appuya contre un tronc de sapin et observa la scène.

Angie et un vieil Indien se tenaient au milieu du bassin. Elle était penchée, le bras dans l'eau, son jupon mouillé collant à ses jambes minces.

Soudain elle se redressa, brandissant un poisson.

— J'en ai un! triompha-t-elle. J'en ai un!

Jason éprouva un sentiment de fierté. Cette jeune fille était vraiment incroyable.

Il y avait autre chose en plus de la fierté dans son cœur. Mais Jason, qui n'avait jamais connu un tel sentiment, ne sut le définir.

Il sortit de derrière le sapin. L'Indien le vit d'abord et son sourire s'évanouit. Angie, qui regardait l'Indien, se retourna, repéra Jason et brandit la truite avec un sourire radieux.

— Regardez, Jason. J'ai attrapé du poisson pour le dîner !

6

Jacassant et tortillant leurs corps rayés, les tamias se rassemblèrent en demi-cercle autour de Angie. L'air renfrogné, Jason la regardait nourrir les petits écureuils de miettes de pain. Le soleil faisait ressortir les reflets roux de ses cheveux noirs et l'éclat de ses yeux fauves. Un sourire radieux soulevait le coin de ses lèvres.

Personne n'avait une telle joie de vivre. Sa gaieté semblait contagieuse : ces deux derniers jours, Jason s'était souvent surpris à rire et à sourire avec elle.

Jurant tout bas, il déboucha une petite flasque de cognac et en but une gorgée.

Deux grosses bûches avaient été roulées de part et d'autre du feu. Jason et Angie étaient assis sur l'une ; les Hooker sur l'autre lisaient la Bible. Ils venaient d'achever le poisson de Angie.

Jason poussa hors du feu un morceau de bois

carbonisé, jeta de la terre dessus pour le refroidir, puis sortit de son sac un carré de papier et y dessina des cercles concentriques avec le charbon de bois.

— Que faites-vous? demanda Angie en s'appuyant sur lui.

Ce contact lui fit l'effet d'un coup de fouet. Comme elle pressait les seins contre son épaule, il serra les dents.

— A votre avis? grogna-t-il.

Son corps était tiède, attirant, et si elle ne s'éloignait pas, il allait devenir fou.

— Je fabrique une cible, expliqua-t-il.

Angie se redressa et Jason poussa un soupir de soulagement.

— Une cible? Vous allez tirer dessus?

— Non, vous.

— *Moi?* fit-elle, ébahie. Mais, Jason, je ne sais pas tirer...

— Quand j'en aurai fini avec vous, vous saurez. Vous aussi, révérend, ajouta-t-il à l'adresse du pasteur.

Caleb sursauta de surprise et échangea un regard avec sa femme, puis il se frotta les genoux avant de se lever lentement.

— J'admets, dit-il après s'être éclairci la voix, que là où nous allons ce serait utile pour la chasse. Mais jamais je ne pourrais tirer sur un être humain. Même sur un sauvage.

Jason regarda Caleb, incrédule. Il comprenait qu'on hésitât à tuer un homme, mais les gens d'Eglise étaient souvent les premiers à prêcher le massacre des Indiens. C'étaient les immigrants après tout, pas les Indiens, qui avaient inventé le scalp pour prouver que l'ennemi était bien mort.

Malgré un prétendu traité de paix, les autorités de Boston offraient toujours une prime de dix livres pour tout scalp d'Abenaki.

Bien entendu, la paix n'était pas réelle. En conflit perpétuel, la France et l'Angleterre avaient transformé le Nouveau Monde en champ de bataille et s'alliaient tour à tour avec les indigènes. Indignés d'avoir été dépouillés de leurs terrains de chasse et de pêche, les Abenakis étaient encouragés par les jésuites français à brandir la hache de guerre contre les colons anglais du Maine. En retour, les raids indiens, les tortures, les captifs, les massacres avaient suscité chez les colons un esprit de revanche.

Ce cercle vicieux, dans lequel était impliquée l'Eglise puritaine de la Nouvelle-Angleterre, durait depuis cinquante ans.

— Je croyais que tuer les Indiens faisait partie de votre religion, révérend ?

— Je ne suis inféodé à personne, docteur, répondit fièrement Caleb.

— Mais vous avez une femme, répliqua Jason, baissant la voix pour qu'Elisabeth n'entende pas. Vous savez à quoi ressemble une femme scalpée ? Vous savez comment on fait ? Vous enroulez ses cheveux autour du poing, vous prenez un couteau et faites une profonde incision autour des tempes. Puis vous tirez un bon coup, et le scalp vient tout seul.

Caleb était devenu blême, et Jason regretta d'avoir été si brutal. Mais si les Hooker devaient rester dans ce pays sauvage, autant qu'ils apprennent à survivre.

— Si cela vous révulse, révérend, je vous suggère de faire en sorte que vous n'ayez jamais à le voir en vrai. S'il vous arrive d'être attaqués par des Indiens, vous devez pouvoir les tuer avant qu'ils ne vous tuent. Vous ou Elisabeth.

— Oui... oui, vous avez raison.

Elisabeth, qui s'était replongée dans sa lecture, leva vivement la tête.

— Mais, Caleb, tu ne vas tout de même pas...

— Si, Lizzie. C'est nécessaire pour se protéger. Les Indiens...

— Mais cet Indien était gentil ! Ce n'est pas ce que vous avez dit, docteur ?

— Oui, madame Hooker. Mais le prochain ne le sera peut-être pas.

Jason s'éloigna de cinquante pas et plaça la cible dans la fourche d'un arbre. En revenant, il prit son fusil qui était posé contre un tronc.

— Maintenant, dit-il à l'adresse de Angie et de Caleb, regardez attentivement. Vous devez savoir charger aussi bien que tirer. Et quand vous avez cinquante guerriers sur le dos, il faut faire vite.

Extirpant une cartouche de sa giberne, il en déchira le bout avec les dents, souleva le chien, ouvrit le bassinet, y versa un peu de poudre, puis le referma. Il posa le fusil sur le sol, crosse en bas, versa dans le canon le reste de la poudre et y fit glisser la balle. Compressant l'enveloppe de papier de la cartouche jusqu'à en faire une espèce de boule, il la poussa enfin dans le canon avec la baguette.

Repérant la cible, il porta le fusil à l'épaule, l'arma et pressa la détente. Il y eut un éclair, une bouffée de fumée noire et la détonation.

Avant que Jason pût l'arrêter, Angie se précipita vers l'arbre pour examiner la cible.

— Dans le mille! exulta-t-elle. Vous avez mis dans le mille, Jason!

Celui-ci attendit, les dents serrées, qu'elle revienne, puis l'empoigna par le bras.

— Si je vous reprends à couper la trajectoire, Angie, je vous flanque une raclée!

D'abord étonnée de sa fureur, elle esquissa une moue contrite si adorable que Jason en oublia sa colère et eut envie de l'embrasser. Au lieu de quoi, il la lâcha et saisit la crosse de son fusil avec une telle force que ses articulations blanchirent.

— Je suis désolée, Jason.

— Ça ne fait rien. Mais ne recommencez pas.

— Alors je peux essayer? demanda-t-elle, tout excitée.

— D'accord, dit-il en lui tendant le fusil non chargé. Voyons si vous avez fait attention.

A son grand étonnement, elle le chargea parfaitement. Mais quand elle le monta à l'épaule, l'extrémité oscilla légèrement. Se plaçant derrière elle, Jason l'enveloppa de ses bras pour l'aider à supporter le poids du fusil.

Troublés par cette proximité, ils restèrent un long moment figés. Angie semblait fragile et vulnérable dans le cercle de ses bras.

Ils prirent tous deux conscience que Caleb et Elisabeth les regardaient.

— Qu'est-ce que... je fais maintenant, Jason? demanda Angie d'une voix haletante.

— Ramenez le chien en arrière, dit-il en guidant ses doigts. Maintenant, alignez l'œil sur le canon... et appuyez doucement sur la détente.

Le coup partit, la projetant contre lui.

Jason laissa échapper un juron et s'écarta si vivement qu'il trébucha.

— J'ai mis dans le mille ? demanda la jeune fille.

— Vous n'avez même pas touché l'arbre.

Elle baissa la tête, déçue.

— Nous allons recommencer, dit-il en lui relevant le menton. Seulement, cette fois, essayez de garder les yeux ouverts.

Au quatrième essai, elle réussit à déchirer un coin de la cible. Incapable de supporter plus longtemps cette proximité, Jason décida d'en rester là.

— Vous êtes prêt, révérend ? demanda-t-il en se tournant vers Caleb.

Le jeune pasteur était loin d'être aussi habile que Angie. Il réussit seulement à casser la branche d'un arbre voisin. Mais quand la vie de sa femme et de ses enfants est en jeu, un homme tire beaucoup mieux, Jason le savait.

Le crépuscule tomba et il fit rapidement trop sombre pour poursuivre l'exercice. Les Hooker se couchèrent de l'autre côté du feu. Jason s'installa sur le tronc et se mit à nettoyer et à huiler son fusil. Assise sur le sol à côté de lui, Angie observait chacun de ses mouvements, l'air sombre.

Comme le silence se prolongeait, il finit par lui dire :

— Videz votre sac, Angie.

— Vous avez vraiment pris des scalps, quand vous viviez avec les Indiens ?

Il s'attendait à cette question. En apprenant qu'il avait vécu dix ans avec les Abenakis, les femmes étaient souvent plus émoustillées qu'horrifiées. Son passé de sauvage lui avait ouvert plus de lits que ne l'auraient fait le charme et les bonnes manières.

— Oui, j'ai pris des scalps.

— De femmes blanches? demanda-t-elle sans broncher.

— Une Yengi.

— Qu'est-ce que c'est?

— C'est comme ça que les Abenakis appellent les Blancs. Ça signifie «les silencieux». C'est une plaisanterie abenaki, expliqua-t-il. La plupart des Blancs ne savent pas se taire.

— Vous avez scalpé une Yengi?

Il ne répondit pas tout de suite et l'observa un instant. Il ne lut sur son visage ni dégoût ni horreur, mais plutôt une certaine confusion, comme si elle essayait de réconcilier le sauvage et le médecin.

— Angie… dit-il en lui effleurant la joue, je n'ai jamais tué de femme.

— Mais vous avez tué des hommes. Vous les avez scalpés.

— Oui. Mais pas des Yengis. Quand j'ai eu l'âge d'être un *sannup*, un guerrier abenaki, et de faire des raids, ma tribu ne s'intéressait guère aux colonies anglaises, car nous étions en guerre contre d'autres tribus, des Mohawks principalement. Peu de temps après, je suis allé vivre avec mon grand-père.

— C'était comment?…

— Chut… Au lit maintenant. Vous avez besoin de dormir.

En équilibre sur les pieds arrière de la chaise, Jason tirait sur sa courte pipe.

— Vous avez un beau ranch, dit-il.

C'était deux jours plus tard, et ils avaient parcouru quelque quatre-vingt-dix kilomètres.

— J'ai l'impression de sentir la mer, intervint Caleb.

Silas Potter, leur hôte, hocha la tête, rayonnant.

— L'océan est juste derrière cette élévation, dit-il en montrant une colline couverte de sapins qui cachaient les derniers rayons du soleil.

Le fermier était assis à côté de Jason sur le porche de sa cabane en bois. Il venait de semer du maïs sur un champ à peine défriché.

La cabane n'avait qu'une pièce, mais le fermier avait construit une belle écurie et avait offert à Jason et ses compagnons d'y passer la nuit.

— Et vous ? demanda-t-il à Jason. Vous avez de la terre là-bas, à Merrymeeting ?

— Un peu. Le révérend ici présent sera notre pasteur. Grâce à lui, nous serons une vraie communauté.

— Je croyais qu'il manquait encore un maître d'école, rétorqua Caleb.

— Nous trouverons bien une solution.

Des voix de femmes et un bruit de vaisselle sortaient de la cabane. Par la porte ouverte, une lampe répandait sur le porche une lumière tremblotante. Silas et sa femme, Betsy, avaient nourri les voyageurs de saucisses et de pain de maïs arrosés de cidre, et à présent, tandis que les hommes fumaient leurs pipes, les femmes faisaient la vaisselle.

Après avoir offert ses deux seules chaises à ses invités, Silas avait rempli trois chopes de bière et s'était assis sur un tonneau. Il semblait heureux de cette compagnie ; les visites étaient rares.

Angie apparut.

— Mme Potter veut savoir si vous voulez encore du pain avec de la confiture, dit-elle à la cantonade.

— Pas moi, répondit Jason. Je suis gavé comme une oie.

Le regard de Angie s'attarda sur lui, puis elle disparut à l'intérieur.

— Cette petite jeune fille, dit Silas Potter en montrant la porte, me rappelle douloureusement notre Jenny. Elle est morte l'hiver dernier. Elle avait seize ans.

— Je crois que Angie est un peu plus vieille, fit remarquer Jason.

— C'était un mauvais hiver, soupira le fermier.

— Les voies de Notre Seigneur sont parfois difficiles à... commença Caleb.

— Vous avez encore les vêtements de votre fille ? le coupa Jason.

— Ma Betsy n'a jamais voulu s'en défaire.

— J'aimerais bien vous en acheter.

— Enfin, je ne sais pas... fit le fermier en se caressant le menton. Avec quoi paieriez-vous ?

— De la monnaie.

Jason savait que, dans ces régions perdues, on pouvait tout acheter avec de l'argent anglais.

Agenouillée entièrement nue au milieu de la stalle où elle venait de passer la nuit, Angie essayait de se laver grâce à un seau d'eau du puits, lorsque la porte s'ouvrit.

Jason resta un instant figé sur place, pétrifié par ce spectacle.

Elle se cacha la poitrine avec ses bras.

— Qu'est-ce que vous fichez là ? hurla-t-elle, cherchant des yeux ses vêtements jetés dans un coin. Comment osez-vous entrer ici ?

— Bonjour, Angie, dit-il avec un grand sourire.

Il sortit de derrière son dos un paquet de vêtements attaché avec de la ficelle.

— J'ai un cadeau pour vous, annonça-t-il.

Angie entendit à peine ce qu'il disait. Elle ne
voyait qu'une chose : elle était nue aux pieds
de Jason Savitch, et n'en était pas horrifiée. Au
contraire. Elle aurait voulu se lever, se presser
contre lui, et lui laisser faire ce que promettaient
ses yeux.

— Je vois que vous prenez un bain, se moqua-
t-il. Nous avons dû entrer dans un nouveau mois.

— Sortez, dit-elle, les dents serrées.

Il jeta le paquet de vêtements à côté d'elle.

— Vous ne me remerciez pas ?

— Sortez.

— Vous savez, pour une petite maigrichonne,
vous avez une belle paire de...

— Sortez !

Empoignant le paquet de vêtements, elle s'ap-
prêta à le viser à la tête, mais Jason s'enfuit en
riant. Angie était tout à la fois déçue, soulagée et
effrayée.

Portant les yeux sur le paquet qu'elle tenait à la
main, elle défit la ficelle et découvrit un lourd
jupon et une robe courte en calicot à rayures
bleues, un bonnet, une paire de bas en laine mar-
ron et une chemise en fil. Et enfin — Angie en eut
les larmes aux yeux — une paire de souliers en
veau avec boucles en étain et petits talons rouges.

Elle en caressa avec respect le cuir souple.
Jamais elle n'avait possédé quelque chose de si
beau. De vrais souliers de dame. Elle en enfila un.
Il était juste un peu grand.

Elle se hâta de finir sa toilette. Ayant emprunté à
Elisabeth Hooker un petit morceau de savon, elle

s'en frotta énergiquement, puis se lava les cheveux. Elle voulait être parfaitement propre pour essayer ses nouveaux habits.

A l'exception du corsage, un peu étroit pour son opulente poitrine, ils semblaient avoir été faits pour elle. Elle chaussa enfin ses nouveaux souliers et arpenta la stalle. Elle se sentait gracieuse comme une princesse et se mit à rire et à tourbillonner.

S'arrêtant de danser, elle ferma les yeux. Personne ne lui avait jamais acheté de vêtements. Et les souliers ! Jason devait sûrement ressentir autre chose pour elle que du désir. Un homme ne donne pas à une fille quelque chose d'aussi personnel qu'une paire de souliers, s'il n'éprouve aucun sentiment...

7

L'après-midi suivant, appuyé à une clôture, Jason regardait d'un air indécis une petite jument baie. Piquée à la croupe par une mouche, elle se mit à ruer.

— Je ne sais pas, dit-il. Elle me paraît un peu nerveuse. J'aurais voulu une bête plus douce.

— Elle est douce comme la sève d'érable en mars, assura le propriétaire, désireux de conclure la vente.

— Il me faudra un harnachement.

— Elle est vendue avec selle et bride. Je vous donne tout le bazar pour deux livres.

— Je vais réfléchir, dit Jason en s'éloignant sous la pluie.

— Une livre dix! cria l'homme.

Jason ne s'arrêta pas.

Avec ses scieries et ses chantiers navals, la ville de Portsmouth, à l'embouchure de la Piscataqua, était bourdonnante d'activité. Sur l'autre rive s'étalait Kittery, où Jason avait passé les six premières années de sa vie.

Il ne se rappelait pas cette époque, mais la vue de Kittery l'emplissait toujours de mélancolie.

— Jason…

— Qu'est-ce que vous voulez encore? dit-il en se retournant, furieux.

— Je suis désolée, murmura Angie en reculant. Je venais…

Elle voulut détaler, mais il la retint par le bras.

— Je ne voulais pas vous blesser, Angie. Restez.

Il avait laissé les autres à l'auberge, souhaitant être seul, mais éprouva soudain le besoin de sa compagnie.

— Restez, répéta-t-il.

— Je voulais seulement savoir si vous aviez faim.

— Je n'ai pas faim. Mais je ne veux pas que vous partiez.

Il lui lâcha le bras et fut soulagé de voir qu'elle ne s'enfuyait pas. Elle tenait serré sur sa poitrine son vieux manteau élimé. Pourquoi n'avait-il pas acheté aussi un manteau au fermier?

Il n'aimait pas son bonnet en calicot qui lui cachait le visage et les cheveux. Il en dénoua les cordons.

— Enlevez-le, dit-il. Ça ne vous va pas.

— Mais, Jason, il pleut…

Elle avait trouvé pour remonter ses cheveux des

épingles qu'il retira aussi. La masse de cheveux noirs cascada sous ses doigts et un rayon de soleil traversa soudain les nuages, y déposant des reflets rubis. Ils étaient si doux et soyeux. Et légèrement humides. Elle avait dû les relaver. Pour lui plaire, songea-t-il. Cette pensée le contraria.

— C'est mieux comme ça, dit-il. De toute façon, il ne pleut plus.

Il avait laissé tomber le bonnet sur le sol, mais elle se baissa pour le ramasser.

— Oh, vraiment, Jason, je fais mon possible pour être une dame, et les dames ne sortent pas nu-tête avec les cheveux dans la figure.

— Je vous préfère avec les cheveux dans la figure.

— Vous et vos goûts raffinés...

— Allez, venez, fillette, dit-il en lui tendant la main.

Elle regarda cette main avec une telle méfiance qu'il eut envie de rire. Puis elle sourit et glissa les doigts dans les siens.

Il longea à pas rapides le quai et descendit sur la rive. Angie devait courir pour le suivre, mais il ne ralentit pas.

— Où allons-nous ? haleta-t-elle.

— De l'autre côté.

— Pourquoi n'avons-nous pas pris le bac ?

Jason ne répondit pas. Arrivé au bord de la rivière, il retourna un canoë en écorce de bouleau et le mit à l'eau, puis, saisissant Angie par la taille, il l'y déposa.

— Jason ? fit-elle en regardant autour d'elle, affolée. On ne le vole pas, au moins ? Je ne veux pas finir dans la prison de Portsmouth.

— Nous l'empruntons pour une heure... Angie,

ajouta-t-il en lui prenant le visage dans ses mains, je traverse le fleuve et je veux que vous m'accompagniez, c'est tout.

Il ignorait, jusqu'à ce qu'il prononce ces mots, à quel point il avait besoin d'elle. Tout aussi étonnée, elle évita son regard, gênée.

Il pagaya à la manière abenaki. En sortant de l'eau, la pagaie faisait un petit bruit de succion.

Une brise légère apportait une odeur de balsamine et de cèdre. Les nuages s'étant dissipés, le soleil couchant donnait à l'eau une teinte dorée. Les grands arbres du rivage se reflétaient sur la surface frissonnante. De l'or zébré de vert... la couleur des yeux de Angie.

A l'instant même où il pensait à elle, elle tourna la tête vers lui et sourit.

Il n'alla pas directement à Kittery, mais remonta le courant. Derrière une boucle de la rivière, ils surprirent une biche en train de se désaltérer. Elle leva la tête, les regarda, puis disparut dans un bosquet. Jason se dirigea vers la plage étroite où ils avaient aperçu la biche.

Il arpenta la plage et donna un coup de pied dans un tronc d'arbre pourri, effrayant un chevalier qui picorait parmi les galets.

— L'endroit est joli, dit Angie pour rompre le silence.

— C'est ici que mon père a été tué.

— Oh... Je suis désolée.

S'approchant de lui, elle glissa la main dans la sienne.

— Par les Indiens ? demanda-t-elle.

— C'étaient des Pequawkets. Menés par les Français. Tout l'automne, on avait parlé de la menace indienne. Les Français offraient des primes pour des scalps anglais. Beaucoup de gens quittèrent Kittery pour retourner à Boston. Mais mon père possédait un atelier naval. S'il l'avait abandonné, il aurait fait faillite.

« Une nuit, nous vîmes en amont une lueur rouge dans le ciel. C'étaient les villages en feu. On était en février et il avait neigé. Jamais nous n'aurions pensé être attaqués en plein hiver...

Jason revivait la scène. Dans leur fuite, ils entendaient la neige craquer sous leurs pieds. La lune brillait, nimbant le paysage d'une lumière argentée. Le vent était chargé de minuscules cristaux de glace. Son père le tenait par le bras, le soulevant si haut que ses pieds battaient l'air.

— Il y avait une garnison à Portsmouth et le fleuve était gelé. Il nous fallait le traverser pour y chercher refuge. Nous ne sommes pas allés plus loin.

Les Indiens avaient surgi de derrière les arbres en poussant leurs cris de guerre. Son père avait fait feu. Terrorisée, sa mère avait poussé un hurlement. Jason avait vu briller la lame d'un tomahawk et son père avait été abattu.

Les jambes soudain flageolantes, Jason s'assit sur le sol mouillé et attira Angie entre ses cuisses. Elle s'appuya contre sa poitrine. Pour la première fois peut-être depuis des années — depuis le jour où il avait été arraché à sa famille abenaki et ramené dans le monde des Yengis —, il éprouva un sentiment de calme et de paix.

Ils restèrent longuement silencieux. Il était gêné de s'être ainsi ouvert à elle.

— Ils vous ont emmenés en captivité, vous et votre maman, dit-elle. Pour un garçon de six ans, ce doit être affreux.

102

— Ils nous ont chargés comme des baudets, avec le butin dérobé dans les maisons incendiées. Ils nous ont fait marcher pendant des centaines de kilomètres, jusqu'au Québec. Les Français payaient dix livres par prisonnier anglais, dix livres par scalp. Si bien que si on ne pouvait pas suivre, on était d'abord battu...

— Pas vous! Vous n'étiez qu'un petit garçon!

— Assez grand pour marcher. Au bout d'un moment, on se moquait d'être battu. Avec la fatigue, le froid, on se moquait de tout, on se couchait sur la piste, attendant le tomahawk. Nous avons quitté Kittery avec vingt-six prisonniers — femmes et enfants. Dix sont arrivés au Québec.

— Et ensuite? Une fois au Québec, que s'est-il passé?

— Les Pequawkets font partie de la nation abenaki. Les chefs de toutes les tribus abenakis s'étaient réunis, cet hiver-là au Québec, pour un *pow-wow*, un conseil de guerre. L'un d'eux s'appelait Assacumbuit, un grand *sachem* d'une tribu abenaki, les Norridgewocks. Une nuit, les Pequawkets ont présenté un spectacle de chants et de danses relatant leur raid. Ils nous ont fait défiler. En voyant ma mère, Assacumbuit a décidé qu'il la voulait comme épouse et a offert au guerrier pequawket qui nous possédait cinquante peaux de castor — une rançon de roi. Au lieu de rejoindre une prison française, nous sommes donc partis pour le Maine avec Assacumbuit et les Norridgewocks. Peut-être la trouverez-vous lâche, mais ma mère ne le détestait pas...

— Oh, non, au contraire. Elle devait être très courageuse pour supporter tout ça. Et forte.

— Pas si forte que ça. Elle est morte en mettant au monde l'enfant d'Assacumbuit.

— Vous aimiez cet homme, dit Angie, devinant la raison de son tourment. Malgré ce qu'ils vous avaient fait, vous aimiez votre père indien, n'est-ce pas ?

— Oui... oui, je l'aimais.

— Alors, pourquoi l'avez-vous quitté ? Pourquoi êtes-vous revenu ?

— Il m'y a obligé.

D'instinct, elle comprit qu'il ne voulait plus en parler. Elle se tut donc et s'abandonna contre lui. De nouveau, il fut envahi par un étrange sentiment de paix.

Personne, et surtout pas son grand-père, n'avait compris pourquoi Jason avait été si malheureux de retrouver le monde des Blancs. Ils ne comprenaient pas qu'après dix ans Jason était un Abenaki ; il ne se rappelait pratiquement pas son ancienne vie et ne connaissait que quelques mots de sa langue natale. Il avait une famille, un père adoptif, et un demi-frère qu'on appelait le Rêveur, qui était à la fois son ami et son rival. Un traité de paix ayant été signé entre Abenakis et Anglais, exigeant la restitution de tous les prisonniers, Assacumbuit l'avait remis à la garnison de Wells. Il avait seize ans.

Cette paix n'avait duré que six semaines, mais le grand-père de Jason avait déjà quitté Boston pour le récupérer. Sir Patrick entreprit immédiatement d'en faire un Anglais, lui administrant des coups de canne quand il revenait à ses manières indiennes. Chez les Norridgewocks, Jason était un *sannup*, un guerrier respecté, et il avait trouvé humiliant d'être battu comme un esclave.

Mais, ayant appris à respecter ses aînés, il avait supporté ces corrections avec stoïcisme, tout en se répétant qu'il n'avait rien fait de mal, qu'il était fier d'être un Abenaki, le fils d'Assacumbuit. Peu à peu, cependant, il en était venu à douter. Il ne se sentait plus ni abenaki ni yengi, et avait passé les dernières années de sa jeunesse seul, perdu et amer...

— Il est temps de rentrer, décida-t-il, revenant au présent.

Ils se laissèrent porter par le courant. Assise entre les jambes de Jason, Angie apprit à pagayer. Il dirigea son bras et fut surpris par la force de ses muscles.

Elle tourna la tête et lui sourit. Jason fut captivé par ses lèvres entrouvertes. Ses seins se soulevaient au rythme de l'eau qui clapotait contre les flancs du canoë. Le vent balaya ses cheveux qui se déployèrent comme les ailes d'un oiseau.

— Si les Abenakis vous ont adopté, ils ont dû vous donner un nom. Comment vous appelaient-ils?

— Bedagi.

— Beda... répéta-t-elle, mais il lui mit la main sur la bouche.

— Les Abenakis disent qu'il ne faut pas prononcer trop souvent le nom de quelqu'un, sinon il perd son pouvoir.

Il resta ainsi un moment, sa main s'attardant sur la bouche de Angie. Lorsqu'il laissa finalement retomber sa main, elle passa la langue sur ses lèvres et Jason retint son souffle.

— Pouvez-vous me dire ce qu'il signifie — sans qu'il perde son pouvoir? demanda-t-elle d'une voix sourde.

— Grand Tonnerre.

Angie éclata de rire.

— Qu'est-ce qu'il y a de si drôle ?

— Grand Tonnerre... comme ça vous va bien !

De nouveau sérieuse, elle se redressa — elle s'était retournée et assise sur les talons pour lui faire face — et se pencha en avant, les mains sur les cuisses de Jason. Avant qu'il ne comprît ce qu'elle voulait faire, elle couvrit sa bouche de la sienne.

Ce fut pour lui un tel choc qu'il fut pris de vertiges. L'embarcation se balança dangereusement, mais il ne le remarqua pas. Il prit la jeune fille par les épaules et l'embrassa avec passion. Elle tomba en arrière, l'entraînant avec elle. Au contact de sa chair, il fut parcouru de tremblements.

Mais à cet instant, déséquilibré par leur poids, le canoë chavira.

Lorsqu'ils touchèrent l'eau, Jason tenait toujours Angie par les épaules, mais en se retournant le canoë lui heurta le front. Il perdit connaissance quelques secondes. Quand il revint à lui, Angie n'était plus dans ses bras, et il était entraîné au fond par la force du courant.

D'un violent coup de pied, il remonta à la surface, rejeta ses cheveux en arrière et cracha l'eau qu'il avait avalée. Il chercha la jeune fille des yeux, paniqué. Le canoë retourné était emporté par le courant, et il craignit un instant qu'elle ne fût coincée dessous. Puis soudain sa tête et un bras surgirent à quelques mètres, pour disparaître aussitôt.

Il plongea à sa suite. Alimentée par la fonte des neiges, la rivière était boueuse. Il ne voyait rien. Il la chercha à tâtons, les poumons près d'éclater. Au moment où il s'apprêtait à refaire surface, il effleura son manteau, l'empoigna et remonta, l'entraînant avec lui.

Elle n'avait pas perdu conscience. Il n'eut aucun mal à parcourir à la nage les quelques mètres qui les séparaient du rivage et à la hisser sur la pente pierreuse.

En appui sur ses bras, suffoquant et toussant, elle cracha l'eau qu'elle avait avalée. Une fois sa respiration retrouvée, elle écarta d'une main tremblante ses cheveux mouillés de son visage et tourna la tête vers Jason.

— Je n'ai jamais appris à nager, dit-elle avec un faible sourire.

Remarquant qu'elle avait les lèvres bleues et qu'elle tremblait, il se hâta d'allumer un feu. Il fit d'abord un petit tas de brindilles et de fragments d'écorce, choisit un morceau de bois mort qu'il aplanit avec son couteau. Il y creusa une encoche et, saisissant une branche sèche et mince, il en affûta le bout qu'il plaça dans l'encoche, puis la fit tourner vivement entre ses paumes. Une éternité sembla passer. Enfin, un filet de fumée apparut.

Il souffla sur l'étincelle, ajouta de plus grosses brindilles.

— De toutes les personnes avec qui j'ai voyagé, vous êtes de loin la plus inapte. Vous ne savez ni monter à cheval ni nager. Vous dégringolez dans des fosses, tombez sur de vieux Indiens qui auraient aussi bien pu vous scalper. Avec un fusil, vous ratez une écurie et je suppose que vous ignorez comment on pose un collet.

— Je n'ai jamais essayé, approuva-t-elle en claquant des dents.

Il lui retira son manteau trempé et l'attira contre

lui pour essayer de lui communiquer un peu de sa propre chaleur.

— Alors, à quoi êtes-vous bonne ? demanda-t-il.

— Je sais attraper des poissons à la main.

— J'avais oublié, dit-il en riant.

— Et je sais vous faire rire.

Il la serra contre lui et pressa les lèvres dans ses cheveux. Il la tint longtemps ainsi, jusqu'à ce qu'elle ne tremble plus.

Elle soupira, se frotta la joue contre sa poitrine, puis le repoussa.

— Vous êtes difficile à comprendre, Jason Savitch, dit-elle en le regardant avec gravité.

— Vraiment ?

— Vous êtes comme le balancier d'une pendule. Tic, vous vous fâchez contre moi pour une peccadille. Tac, vous m'embrassez avec tant de violence que nous chavirons.

— Vous aussi, vous m'avez embrassé.

— Tic, vous vous vantez de vos manières de gentleman. Tac, vous me reluquez en me découvrant toute nue.

— Impossible de m'en empêcher, je n'avais jamais rien vu de si ravissant.

— Un gentleman se serait détourné.

Exposant ses pieds au feu, elle remua les orteils.

— Tic, vous aimez tellement les gens que vous devenez médecin. Tac... ô mon Dieu !

Elle bondit jusqu'au fleuve, si vite que, lorsque Jason la rattrapa, elle avait déjà de l'eau aux genoux.

— Angie ! Que faites-vous ?

Les pierres étaient glissantes sous ses mocassins, et elle se débattit avec tant de force qu'il tomba les quatre fers en l'air, l'entraînant dans sa chute.

— Mes souliers, Jason! Je les ai perdus dans le fleuve!

— Angie!

Il la serra si fort dans ses bras qu'elle ne pouvait pratiquement plus respirer, mais elle continuait à se débattre.

— Je vous en achèterai une autre paire! dit-il en la secouant violemment. Je vous en achèterai douze paires!

Elle cessa de se débattre et se tourna vers lui, les joues baignées de larmes.

— Mais c'était la première que vous m'ayez achetée, Jason...

— Allons, Angie, dit-il en la berçant dans ses bras. Ne pleurez pas, chérie. Ne pleurez pas...

Ce n'était qu'une paire de souliers qu'il serait facile de remplacer, et Jason ne comprenait pas en quoi ils étaient si importants. Mais elle pleurait comme si cette perte était irréparable...

8

Debout sur la véranda de l'auberge, Angie regardait, à travers la pluie battante, la petite jument baie attachée au poteau.

— Oh, Jason, vous m'avez acheté un cheval!

— J'étais fatigué de marcher, répliqua-t-il d'un ton maussade. Et je vous avais dit que je le ferais.

Malgré la pluie, Angie se pencha hors de l'abri de la véranda pour caresser la tête de la jument.

— Mais je n'ai pas trouvé de souliers, ajouta-t-il. L'unique cordonnier de Portsmouth a tellement de travail qu'il ne pouvait pas s'y attaquer avant l'après-midi. Nous n'avons pas le temps d'attendre, Angie. Jc suis désolé.

Elle haussa les épaules.

— Oh, ça ne fait rien. Je n'ai pas besoin de souliers. Surtout maintenant que j'ai mon cheval.

Jason ne semblait pas avoir entendu. Il s'était baissé pour fouiller dans son sac.

— J'ai pensé qu'en attendant vous pourriez porter ça, dit-il en lui tendant une paire de mocassins en daim blanc, décorés de piquants de porc-épic teints et de coquillages.

— Oh, Jason... fit-elle, les larmes aux yeux.

Ils étaient si beaux que Angie n'osait pas les prendre.

— Alors, vous n'en voulez pas?

Elle leva les yeux. Il avait les lèvres serrées, mais ses yeux exprimaient un trouble qu'elle ne comprenait pas.

— Mais je ne peux pas, protesta-t-elle.

— Si, vous pouvez. Asseyez-vous, ordonna-t-il, montrant un banc contre le mur. Je vais vous les mettre.

La pluie redoublait dans la cour boueuse, mais la véranda était au sec. Jason s'agenouilla aux pieds de Angie. Le col de sa chemise était ouvert, laissant voir un triangle de peau brune couverte d'une toison noire. Niché dans les poils, un petit sac en peau accroché par une lanière de cuir.

— Qu'est-ce que c'est? demanda-t-elle.

— Juste un sac.

— Qu'est-ce qu'il y a dedans?

— Un totem... un symbole. De mon manitou, mon esprit gardien.

— Vous croyez à ces choses ? demanda-t-elle d'une voix tremblante.

— Donnez-moi votre pied, ordonna-t-il pour toute réponse.

Il lui prit la cheville et, à ce contact, elle fut parcourue d'un frisson.

— Voyez, à courir pieds nus par ce temps, vous avez dû attraper froid, grommela-t-il en lui enfilant le mocassin avec rudesse. L'autre pied.

— Ce sont des mocassins de femme. Où les avez-vous eus ?

Elle se mordit la langue. Ils appartenaient sans doute à une Abenaki dont il avait été l'amant, et peut-être l'était-il toujours...

— Ils appartenaient à ma mère.

Angie caressa du regard la tête penchée de l'homme agenouillé à ses pieds. Elle avait le cœur si plein d'amour pour lui qu'elle en avait mal.

— Je vous promets d'y faire bien attention, Jason. Parce que je sais que vous voudrez les récupérer.

— C'est un cadeau, Angie. Je ne veux pas les récupérer.

Les deux mocassins étaient maintenant enfilés, mais Jason ne lui lâchait pas le pied. Il caressa le cuir souple du mocassin, puis remonta le long du mollet, sous le manteau et le jupon, s'arrêtant derrière le genou. Angie sursauta.

— Vous êtes chatouilleuse ?

— Oh... oui, haleta-t-elle.

Elle se raidit, n'osant pas bouger, de peur qu'il n'essaie d'aller plus loin.

111

Sans la quitter des yeux, il redescendit le long de sa jambe, s'attardant sur sa cheville.

— Venez me voir ce soir, Angie, dit-il d'une voix basse aussi irrésistible que ses yeux. D'accord ?

— Quoi ? bégaya-t-elle.

— Je vous demande de venir dans mon lit, ce soir. Je veux vous faire l'amour, Angie, dit-il avec un sourire éclatant.

La porte s'ouvrit avec un grincement et ils se retournèrent d'un bloc. Angie était rouge de confusion. Le révérend Caleb Hooker sortit sur la véranda, suivi de sa femme. Il adressa à la jeune fille un clin d'œil complice.

Jason se redressa vivement.

— Regardez ce que Jason m'a donné, dit Angie en exhibant ses pieds.

— Mais ils sont ravissants ! s'exclama Elisabeth qui jusque-là contemplait la pluie d'un air morose. N'est-ce pas qu'ils sont ravissants, Caleb ? ajouta-t-elle avec un sourire.

— Oh, oui, fit Caleb, ravi de voir sourire sa femme.

— Allez, en route, grommela Jason en ramassant son sac. A ce rythme, j'aurai des cheveux blancs avant d'arriver à Merrymeeting.

— Ne faites pas attention à lui, dit Angie. Il est toujours de mauvaise humeur le matin. A midi, ça ira mieux.

Les Hooker rirent et Jason lui lança un regard assassin. En retour, elle lui adressa un sourire malicieux. *Je veux vous faire l'amour, Angie.* Avait-elle vraiment entendu ces mots ?

Ils gagnèrent Kittery par le bac. Angie, qui chevauchait à côté du chariot des Hooker, regardait avec curiosité autour d'elle. C'était ici que Jason était né et avait grandi au milieu d'une famille aimante, jusqu'à cette nuit fatale où il avait été enlevé par les Indiens.

En sortant du village, Elisabeth montra du doigt un bâtiment en planches délabré, apparemment abandonné depuis longtemps. La porte d'entrée ne tenait plus que par un gond. Des mauvaises herbes et deux pins étiques poussaient entre les planches du porche. Il n'y avait plus de vitres aux fenêtres. Posée sur un piédestal près de la porte, se dressait une figure de proue, une sirène aux couleurs défraîchies — cheveux rouges, queue vert jade. Son torse était à demi couvert d'un voile bleu saphir. Ses seins avaient dû avoir des pointes roses comme des perles. Mais la peinture s'était écaillée, et des traînées de suie souillaient son visage.

Angie essaya vainement de déchiffrer les lettres décolorées de l'enseigne qui tenait toute la largeur du bâtiment.

— Qu'est-ce que vous lisez? demanda-t-elle à Elisabeth.

— Savitch & Fils, Atelier naval, répondit Caleb à la place de sa femme.

Tous tournèrent les yeux vers Jason, qui chevauchait en tête. Il ne regardait pas la bâtisse qui portait son nom, et s'il avait entendu cet échange, il n'en montra rien.

Caleb ouvrit la bouche, mais Angie le devança:

— Le père de Jason travaillait ici, à Kittery, avant d'être tué par les Indiens. Ce devait être son atelier.

— Oh... je vois, murmura tristement le révérend.

— Jason est-il le seul de sa famille à avoir survécu au massacre?

— Non… Jason et sa mère ont été faits prisonniers. Mais elle est morte plus tard.

Cette évocation raviva les peurs d'Elisabeth, qui se crispa à côté de Caleb.

Laissant derrière eux les dernières maisons de Kittery, ils prirent la grand-route qui suivait la mer jusqu'à Falmouth, dans le Maine. Au début, ils croisèrent des attelages de bœufs rapportant du bois à Kittery, mais ils furent bientôt seuls sur la route — si on pouvait appeler «route» cette piste couverte d'ornières, transformée par la pluie en marécage. A trois reprises, le chariot s'enlisa et ils durent tous — y compris Elisabeth — le pousser. La pluie ne cessait de tomber et les vagues se brisaient contre les rochers, les aspergeant d'embruns.

Venez dans mon lit ce soir. Je veux vous faire l'amour, Angie…

Pourtant, il ne la regardait pratiquement jamais et ne lui adressait la parole que pour lui donner des ordres. Et lorsqu'elle insista pour enlever les précieux mocassins afin qu'ils ne soient pas abîmés par la boue, il s'emporta contre elle.

Je veux vous faire l'amour. Il l'avait dit à genoux, comme s'il allait la demander en mariage…

«Angie, tu divagues! Ne lui fais pas dire ce qu'il n'a jamais dit», s'admonesta-t-elle.

En raison du temps et de l'état de la route, ils n'avancèrent guère ce jour-là. Ils s'arrêtèrent pour la nuit à York, petit village sur la rive est de l'Agamenticus. L'endroit était trop petit et trop isolé pour posséder une auberge ou une taverne. Mais ils y trouvèrent une maison transformée en gîte d'étape par une veuve.

Un dortoir, divisé en étroites cellules par de fines cloisons, avait été aménagé sous le toit. Les lits étaient de simples paillasses à même le parquet en pin. On y accédait par une échelle et une trappe pratiquée dans le plafond de la pièce qui tenait lieu de cuisine et de salle à manger. A la demande de Jason, et pour un penny, la veuve lui permit de remplir un tub d'eau chaude. Les femmes s'y lavèrent d'abord.

Le souper passa trop vite, et avant que Angie ne fût prête, elle se trouva assise seule devant la cheminée, tandis que les Hooker gagnaient le grenier et leur lit. Jason était dehors, à s'occuper des bêtes, mais il reviendrait bientôt...

— Angie !

Elle sursauta. Il avait les cheveux mouillés et une odeur de pluie l'enveloppait.

— A quoi pensiez-vous donc ? demanda-t-il, un sourire taquin aux lèvres.

— A rien, dit-elle en rougissant. Je... je ne pensais pas...

— Venez au lit, Angie, ordonna-t-il, le regard brûlant de désir.

Elle se leva en titubant.

— Il... il faut que j'aille au cabinet d'aisances.

— Dépêchez-vous.

La jeune fille traversa la cour, dont l'herbe mouillée bruissait sous ses pieds, mais elle n'entra pas dans le réduit. C'était seulement une excuse pour retarder le moment fatal. Elle avait peur.

Rejetant la tête en arrière, elle contempla le

ciel. Un vent vif chassait les nuages, découvrant furtivement les étoiles.

Oserait-elle ? L'amour qu'elle éprouvait pour lui était si fort... Mais que deviendrait-elle ensuite ? se demandait-elle, partagée entre la crainte et le désir. Quand elle rentra, cinq minutes plus tard, elle n'avait toujours pas pris de décision.

Jason l'attendait au sommet de l'échelle.

A sa vue, elle se figea. Il glissa un bras autour d'elle. Instinctivement, elle lui enveloppa la taille.

— Oh, Angie, j'ai cru que ce jour ne finirait jamais, soupira-t-il, glissant une cuisse entre les siennes.

— Jason, protesta-t-elle, la poitrine en feu.

— Regardez l'effet que vous me faites, murmura-t-il, prenant sa main et la pressant contre le devant de sa culotte.

Il enfouit le menton dans le cou de la jeune fille qui se mit à trembler.

— On vous a installée là, dit-il tout bas en montrant une des cloisons, et je suis juste à côté. Heureusement, les Hooker sont à l'autre bout. Mais je vais attendre qu'ils soient endormis avant de venir vous trouver...

— Non ! s'exclama Angie, le cœur battant. Je... je viendrai vous trouver, Jason...

— D'accord, mais dépêchez-vous, dit-il avant de l'embrasser sur la bouche et de la laisser aller...

Quelques minutes plus tard, Angie se retournait sur sa paillasse. Jason l'attendait de l'autre côté de la cloison. Si seulement elle était sûre que c'était de l'amour qu'il éprouvait pour elle.

Non, il ne l'aimait pas. Sinon, il le lui aurait dit.

Il l'emmenait à Merrymeeting pour être la femme d'un autre. Si elle le rejoignait dans son lit,

116

que ferait-il ensuite ? L'épouserait-il, ou lui donne-rait-il un dernier baiser avant de la remettre à Nathanael Parkes ?

« Il ne t'aime pas, se répétait-elle tristement. Il ne t'aime pas et, si tu vas avec lui cette nuit, tu ne seras qu'une traînée. »

Et Nat Parkes ? Il attendait une femme, une mère pour ses filles. « Oh, Angie, quel gâchis ! Tomber amoureuse d'un homme qui ne t'aimera jamais, alors que tu es promise à un autre que tu n'as jamais vu… »

Elle se retourna vers la cloison derrière laquelle Jason l'attendait. Elle sacrifierait beaucoup de choses pour lui — sa virginité, et même son bon-heur en brisant la promesse faite à M. Parkes. Mais seulement si elle était sûre que ses senti-ments étaient partagés.

Elle descendit l'échelle, très tôt le lendemain matin, et se glissa dans la salle, espérant pouvoir prendre une tasse de thé avant que les autres ne se réveillent. Mais il était déjà là, assis à table, la tête dans les mains. Au bruit de ses pas, il leva les yeux.

— Bonjour, Jason, fit-elle avec un sourire forcé.

Il lui lança un regard venimeux.

Angie contourna la table et se dirigea vers la porte qui donnait dans l'appentis. Il bondit et lui coupa la route. Se retournant pour fuir de l'autre côté, elle trébucha sur un sac d'enveloppes de maïs servant à allumer le feu. Jason lui saisit le bras et la plaqua contre le mur.

— Vous me faites mal ! s'écria-t-elle, plus fu-rieuse qu'effrayée.

Il relâcha sa pression, mais la retint par les épaules.

— Où étiez-vous cette nuit ? demanda-t-il.

— Laissez-moi partir.

— Non.

— Vous êtes toujours odieux, le matin.

— Où étiez-vous cette nuit ?

— Je n'ai jamais promis de venir.

S'écartant du mur, il se retourna et se passa une main dans les cheveux.

— Pourquoi me faites-vous ça ?

— Je ne vais pas accourir dans votre lit, Jason Savitch, dès que vous claquez des doigts.

Il plissa les yeux, et Angie, qui commençait à bien le connaître, se raidit, prête à affronter l'orage. Mais elle ne le connaissait pas si bien, car il rejeta la tête en arrière et éclata de rire.

— Vous êtes une drôle de fille. Si je me rappelle bien, la première fois que je vous ai vue, vous étiez dans mon lit.

Comme il lui caressait la joue, le cœur de la jeune fille se serra et ses yeux s'emplirent de larmes.

— Angie… commença-t-il.

Mais elle n'écouta pas la suite. Elle le repoussa et sortit en courant, ne s'arrêtant que lorsqu'elle fut sûre de ne pas être suivie.

Il y avait la variole à Wells.

L'épidémie avait déjà fait des ravages. Deux femmes étaient à l'agonie. Jason et ses compagnons comptaient passer la nuit dans cette petite ville qui s'étirait sur plusieurs kilomètres le long de la côte mais, à cause de l'épidémie, ils établi-

118

rent leur camp sur la plage, dix kilomètres plus loin.

Jason ne prit pas le temps de dîner. Il était sur le point de retourner en ville lorsque Angie voulut l'arrêter.

— Jason, vous ne pouvez y aller! Et si vous attrapez la maladie?

— Je ne l'attraperai pas, dit-il en lui plantant un baiser sur le nez. Je suis vacciné.

C'étaient les premiers mots qu'il prononçait depuis leur dispute.

— Ce sont des sottises, ces vaccins, dit-elle en s'agrippant à son bras. Sir Patrick l'a dit.

— Quand sir Patrick et vous pourrez me montrer vos diplômes d'Edimbourg, je prendrai peut-être votre opinion en considération.

Il monta en selle mais, à la vue de son visage inquiet, il ajouta:

— Angie, je suis médecin. Je dois aider ceux qui ont besoin de moi.

— Mais s'ils doivent mourir, de toute façon...

— Je peux les aider à mieux mourir.

Il fit pivoter son cheval et s'éloigna sur la route.

— Vous n'êtes qu'une tête de mule, Jason Savitch! lui cria-t-elle. Si vous attrapez la variole, ne comptez pas sur moi pour vous soigner!

Il lui répondit par un éclat de rire.

Beaucoup plus tard, cette nuit-là, au bord de l'océan, Angie laissait les vagues lui lécher les pieds. Elle aspirait à pleins poumons l'odeur de la mer. Une brise salée lui caressait la joue.

Devant elle, l'Atlantique miroitait sous la lune. Derrière, s'étendait la forêt. A sa droite, les ombres vacillantes de leur camp dansaient sur le sable. Elle voyait la lueur des flammes mais pas le feu lui-même, caché dans un creux. Elle discernait le ronronnement de la voix de Caleb, lisant la Bible à sa femme. Puis elle entendit le crissement de pas sur le sable.

La jeune fille se figea, mais ne se retourna pas vers lui, pas même quand il lui posa son manteau sur les épaules, laissant ses mains s'attarder sur son cou.

— Je craignais que vous n'ayez froid, dit-il.

Comme elle restait muette, il se planta devant elle, sans se soucier de l'eau qui lapait ses bottes.

— Vous n'êtes pas fâchée contre moi, Angie. Pas vraiment. Alors cessez de faire semblant.

— Vous croyez qu'en étant gentil maintenant avec moi je vous pardonnerai ?

— Jusqu'à présent, je n'ai rien fait qui mérite d'être pardonné.

Bien qu'il fît trop sombre pour voir son expression, elle sentait peser sur elle l'intensité de son regard.

Il n'avait qu'un pas à faire pour être contre elle et il le fit. Elle ne recula pas. Lentement, il abaissa ses lèvres au-dessus des siennes.

— Vous me désirez, Angie, dit-il, son souffle chaud et humide sur la joue de la jeune fille.

— Non, lâcha-t-elle, la gorge serrée.

— Si.

— Je...

— Si.

Il lui écrasa la bouche en un baiser passionné. Elle émit un petit gémissement et s'accrocha à lui.

— Vous me désirez, Angie, dit-il, interrompant le baiser. Mais, la prochaine fois, vous me supplierez...

Sur ces mots, il la planta là.

9

Le minuscule village de Falmouth Neck embaumait le savon.

L'odeur provenait de la cour d'une vieille maison en rondins qui s'élevait juste en face de la jetée. Une femme et un petit garçon remuaient un mélange de graisse et de cendre de bois dans une grosse marmite suspendue au-dessus d'un feu.

A l'arrivée de Jason et de ses compagnons, la femme s'interrompit dans son labeur, écarta quelques mèches de son visage en sueur et sourit.

— Jason ! s'écria-t-elle.

Lâchant son bâton, elle se précipita vers lui. Il sauta à bas de sa monture et courut à sa rencontre. Ils se jetèrent dans les bras l'un de l'autre et Jason la souleva de terre en l'embrassant sur la bouche.

A califourchon sur sa jument, Angie les regardait avec un petit sourire triste.

La femme tint Jason à bout de bras et l'étudia des pieds à la tête.

— Tu m'as l'air en pleine forme, dit-elle. Mais pourquoi te débrouilles-tu toujours pour me surprendre quand je ne suis pas montrable ?

— Tu es ravissante, Suzanne, répliqua-t-il.

Les Hooker étant descendus de leur chariot, Angie mit pied à terre, mais resta à l'écart pendant qu'on faisait les présentations. La femme s'appelait Suzanne Marsten. Veuve avec un fils de cinq ans, appelé Tobie, elle tenait le comptoir de Falmouth. Radieuse, Suzanne s'appuyait contre

Jason qui avait posé une main sur la tête de l'enfant ; ils semblaient constituer une famille, songea Angie avec dépit.

— Vous êtes le bienvenu dans ces régions perdues, révérend, dit Suzanne à Caleb, une fois qu'ils eurent été présentés. Et vous aussi, madame Hooker.

— Et voici Angie. La femme que j'amène pour Nat, expliqua Jason. Venez ici, ajouta-t-il en lui faisant signe d'avancer. Depuis quand êtes-vous devenue timide comme une vieille fille ?

— Je croyais poli de laisser deux vieux amis se retrouver.

Jason fronça les sourcils. Suzanne considéra la jeune fille avec attention, puis reporta son regard sur lui.

— Vous devez avoir soif, tous autant que vous êtes ?

— Nous mourons de soif, acquiesça Jason, prenant Suzanne par la taille.

— Alors, venez tous, dit-elle en riant. Jason, tu as quelqu'un à voir à l'intérieur.

Se déplaçant avec une grâce naturelle, elle les entraîna vers la porte d'entrée.

— Ce vieux Increase Spoon est venu me vendre des peaux. Il a amené sa squaw. Elle est très malade.

Ils entrèrent dans une longue pièce dont un bout était occupé par une cheminée. Dans un coin, il y avait une table et, en face, un placard en érable.

La partie « magasin » de la pièce était séparée du reste par une cloison de quatre-vingts centimètres de haut, avec une porte battante au centre. Le long d'un mur courait un comptoir, derrière

122

lequel étaient accrochées des étagères remplies de tout ce qu'on pouvait imaginer : boutons, bas, manches de hache, lampes à huile...

Tonneaux de rhum, cruches d'eau-de-vie, ballots de peaux de castor et d'ours encombraient le sol. Couvertures et perles pour le commerce indien étaient rangées à part.

Deux silhouettes étaient blotties devant le feu. L'homme se leva à leur arrivée. C'était un Indien.

La femme était étendue sur une paillasse à ses pieds. L'odeur de sueur émanant des couvertures était si forte qu'Elisabeth eut un haut-le-cœur.

— Lizzie, tu devrais peut-être attendre dehors, dit Caleb.

— Voyons, Caleb, rétorqua Elisabeth. Cette pauvre fille a peut-être besoin de notre aide.

Jason s'agenouilla à côté de la malade qui leva vers lui des yeux immenses dans un petit visage cireux. Elle ne devait pas avoir plus de quatorze ans.

Suzanne Marsten poussa un pot de graisse d'ours et un bocal de haricots afin de dégager un espace sur le comptoir.

— Installe-la ici pour mieux l'ausculter.

Jason souleva la fille, la déposa délicatement sur le comptoir et lui dit quelque chose dans sa langue.

Il délaça le devant de sa robe de daim et glissa la main sur sa poitrine et son ventre. La fille sourit ; elle avait perdu une bonne partie de ses dents et ses gencives étaient en sang, mais son sourire était lumineux.

« Il a des mains miraculeuses », se dit Angie avec un mélange de fierté et d'admiration.

— Qu'est-ce qu'elle a, docteur ? demanda l'Indien.

— Une maladie due à une mauvaise alimentation, Increase. Vous devez manger, tous les deux, autre chose que de la viande séchée et des biscuits.

Jason ajouta quelque chose en abenaki et la fille acquiesça.

— Fais-lui cuire un plat de légumes, cet après-midi, et qu'elle mange tout. Ensuite, fais-lui boire une infusion de sapinette.

— Elle va vivre ?

— Si tu la nourris bien. Sapinette, légumes, presque tous les jours, Increase. Des baies et des pommes, à la saison, et mets-en en conserve pour l'hiver. Je vais te donner tout de suite quelque chose à infuser. Ça arrêtera la diarrhée.

Le trappeur indien acquiesça. Il prit la fille dans ses bras et suivit Jason dans la cour.

Suzanne les regarda sortir en secouant la tête.

— Cet Increase ! soupira-t-elle. Pauvre fille. Je suis pourtant sûre qu'il l'aime vraiment... Bon, ajouta-t-elle en se tournant avec un sourire vers les Hooker, il faut que je prépare le dîner. Vous restez au moins la journée et la nuit, j'espère ?

— J'espère, répondit Caleb, exténué par les derniers jours de voyage. Jason a parlé d'une goélette pour atteindre Merrymeeting. Il n'y a donc plus de route ?

— La route s'arrête à Falmouth. Il y a bien une piste de daims qui contourne la baie, mais elle est trop mauvaise, même pour un cheval. Ce vieux pirate de capitaine Abbott vous emmènera demain sur sa goélette. Il doit beaucoup à Jason qui l'a guéri, il y a deux hivers, de consomption.

— Merrymeeting est à combien d'ici ? demanda Angie, bien que Suzanne l'ignorât délibérément.

— Pas loin. Si la marée est favorable, il faut une

journée de bateau. Tobie, dit-elle en caressant la tête de son fils, cours donc au grenier chercher une poignée d'épis de maïs. Nous ferons éclater des grains avant le dîner en buvant un verre. Jason adore ça.

Une journée de bateau... songea Angie. Cela signifiait qu'ils seraient le lendemain à Merrymeeting et que Jason la remettrait à Nathanael Parkes. Elle épouserait un homme qu'elle n'avait jamais vu. Elle verrait Jason de temps en temps, peut-être le dimanche, au temple. Quand elle serait malade, il viendrait lui rendre visite. Et si elle avait des bébés...

Elle se réveillerait, tous les matins, avec l'espoir de l'apercevoir. Comment pourrait-elle le supporter?

Assises de part et d'autre de la table, Suzanne et Angie s'activaient à préparer le déjeuner. En dehors de Tobie qui tournait la broche sur laquelle rôtissait un cuissot de daim, elles étaient seules dans la pièce.

Après avoir picoré du pop-corn et bu deux verres d'un mélange de bière sucrée à la mélasse, épaissie avec un œuf et corsée de rhum, Jason et Caleb étaient partis à la recherche du capitaine Abbott.

Suzanne jetait de temps à autre un coup d'œil sur la porte donnant dans la chambre où Elisabeth Hooker s'était retirée, une heure plus tôt, pour se reposer avant le dîner.

— Mme Hooker est malade? demanda-t-elle enfin, rompant le silence.

— Je ne crois pas, répondit Angie. Elle est juste

fatiguée par le voyage. Elle est habituée à une vie plus facile; son père est pasteur à l'église de Brattle Street à Boston.

Suzanne mit la pâte à lever sur une pierre, pendant que le four chauffait.

— Tobie, s'il te plaît, va me chercher le pot de lait dans la resserre.

— C'est un bon garçon, que vous avez là, dit Angie en voyant l'enfant obéir avec empressement. Mais il n'est pas très bavard.

— Au début, il est timide. Ce soir, il vous cassera les oreilles.

Suzanne se redressa et s'essuya les mains sur son tablier. Après le départ de Jason, elle s'était changée; elle avait enfilé un jupon et une robe courte qui mettait sa poitrine en valeur. Elle avait sur la tête un grand foulard qui lui couvrait les épaules. Avec ses cheveux tirés, ses traits délicats, sa bouche arquée, son nez retroussé et son petit menton pointu, elle était ravissante.

Voyant la jeune femme se retourner, Angie baissa vivement la tête sur ses haricots.

— En voilà de jolis mocassins, dit Suzanne avec un sourire forcé.

— Jason me les a donnés. Ils étaient à sa mère.

Une ombre traversa le visage de Suzanne.

— Oh… fit-elle, comme c'est gentil à lui.

Angie décida qu'elle ne serait pas tranquille tant qu'elle ne saurait pas la vérité, et le seul moyen de la savoir, c'était de la demander carrément.

— Jason et vous couchez ensemble?

— Bien sûr que non! s'offusqua Suzanne, écarlate. Comment osez-vous insinuer une chose pareille?

Après un lourd silence, elle demanda:

126

— Alors vous venez à Merrymeeting pour épouser Nathanael Parkes ?

— Oui… si nous sommes faits l'un pour l'autre. Pourquoi ne l'épousez-vous pas ? ajouta Angie après un nouveau silence.

Suzanne prit une marmite de haricots et la reposa sur la table.

— Il ne me l'a pas demandé.

— Je ne parlais pas de Jason, dit Angie, dissimulant un sourire. Je parlais de M. Parkes. Puisque vous avez perdu votre mari et qu'il vient de perdre sa femme, il semblerait naturel que vous songiez à vous mettre ensemble. Les haricots sont prêts.

Suzanne resta un moment la bouche ouverte, puis la referma avec un claquement sec.

— Les assiettes sont dans ce placard. Si vous voulez bien mettre la table…

Angie versa les haricots dans la marmite, puis se dirigea vers le placard en érable. Elle y trouva des assiettes en étain et des serviettes en lin. Jason devait apprécier ce raffinement.

— En fait, Nat m'a demandée en mariage, expliqua Suzanne. C'est un brave homme, mais nous ne nous convenons pas.

Ce qui signifiait qu'elle espérait un meilleur prétendant. Jason Savitch, par exemple.

Jason mangea trois épaisses tranches de daim et huit biscuits recouverts de jus.

Après le déjeuner et une fois la table desservie, Suzanne prit un sac de toile et annonça qu'elle avait prévu d'aller, cet après-midi, au moulin avec Tobie. Ce disant, elle regarda Jason qui lui sourit, mais il ne proposa pas de les accompagner.

Assis à côté d'Elisabeth sur le banc, devant le feu, Caleb se mit à lire la Bible d'une voix mélodieuse. Jason était assis plus loin sur une chaise faite d'une peau de phoque tendue sur un tonneau. Il nettoyait et huilait son arme, sa pipe oubliée sur le sol. Perchée sur le comptoir, Angie l'observait.

Une fois, il leva les yeux et croisa son regard, mais elle ne sut déchiffrer son expression. Passerait-il la nuit dans le lit de Suzanne Marsten ? se demanda-t-elle.

Caleb venait de commencer la lecture du psaume XXIII, le préféré de Angie, quand il fut interrompu par un coup violent frappé à la porte. Jason posa son fusil et se leva mais, le loquet n'étant pas mis, la porte s'ouvrit et une énorme femme entra. Elle s'arrêta sur le seuil et toisa Jason.

Celui-ci parut effaré.

La femme pointa sur lui un doigt menaçant.

— Vous ne pouvez pas m'échapper. Ma sœur m'a dit vous avoir vu arriver furtivement ce matin.

— Je suis arrivé ouvertement, Sara Kemble. Bonjour, Obadiah.

Il salua de la tête le petit homme fluet qui la suivait. Il avait une moustache blanche aux bouts jaunis et de petits yeux pâles en boutons de bottine sous des paupières tombantes.

— Que faites-vous donc à Falmouth Neck ? demanda Jason en lui adressant un sourire.

Obadiah Kemble ouvrit la bouche pour répondre, mais sa femme prit la parole :

— Nous venons voir ma sœur, mais ça ne vous regarde pas. Je ne suis pas venue ici pour parler de moi.

Sara Kemble portait un jupon molletonné et une charlotte blanche agrémentée d'une cascade de rubans. Elle mit les poings sur ses larges hanches et regarda autour d'elle. Ses yeux effleurèrent Angie et s'arrêtèrent brièvement sur les Hooker. Caleb, qui s'était levé à son arrivée, lui adressa un sourire timide qu'elle ignora.

— Alors, où est-il ? demanda-t-elle à Jason. Qu'en avez-vous fait ?

— De qui parlez-vous ?

— Ne faites pas l'idiot avec moi, Jason Savitch. Nous vous avons envoyé à Boston pour nous ramener un pasteur, et je ne le vois nulle part. Vous connaissant, vous avez dû boire et courir les jupons, au lieu de remplir votre mission.

— Il est devant vous, répliqua Jason, amusé.

Sara Kemble fit pivoter son double menton et regarda de nouveau Caleb, avec plus d'attention cette fois, depuis le chapeau rond jusqu'aux chaussures à bouts carrés.

Caleb avala si fort que sa pomme d'Adam tressauta.

— Bonjour, euh... madame Kemble.

De stupéfaction, les sourcils de Sara disparurent dans son bonnet, et sa petite bouche forma un cercle parfait.

— Mais c'est un bébé ! s'exclama-t-elle.

— Il est assez vieux pour avoir décroché un diplôme de théologie à Harvard, dit Jason avec un sourire rassurant à l'adresse de Caleb.

— Harvard ! renifla Sara Kemble. Nous sommes des gens simples, à Merrymeeting. Des gens croyants. Nous n'avons que faire des diplômes.

— Oui... enfin, je... commença Caleb, jetant un regard implorant à Jason.

— Vous n'avez donc pas de langue ? lança Sara Kemble. Alors, comment comptez-vous prêcher ? Qu'est-ce qu'on vous a appris à Harvard ?

— Je, euh…

Glissant le bras derrière lui, Caleb tira Elisabeth du banc et la poussa en avant.

— Euh, voici ma femme, Elisabeth. Elisabeth Hooker.

Ainsi jetée en pâture aux lions, Elisabeth s'en sortit si bien que Angie se sentit fière de sa nouvelle amie. Elle soutint le regard de Sara Kemble, jusqu'à ce que celle-ci baissât les yeux, puis lui fit une révérence, polie mais discrète.

— Bonjour, madame Kemble.

Sara étudia Elisabeth de ses yeux couleur de terre et hocha la tête d'un air approbateur.

— En voilà une au moins qui a du bon sens, dit-elle avant de se tourner vers Jason. A propos… vous avez la femme pour Nathanael, comme promis ?

— En fait…

— Alors, c'est elle ? rugit-elle, foudroyant Angie du regard. Toi, la fille, debout.

Angie se leva lentement.

— Enfin, Jason Savitch, inutile d'avoir inventé la poudre pour voir que ce n'est qu'une traînée !

La jeune fille sursauta comme si elle avait reçu une gifle.

— Voyons, Sara, vous ne pouvez tout de même pas vous attendre… commença Jason.

— Je m'attendais que vous ayez assez de bon sens pour ramener à Nathanael une femme convenable ! Au lieu de quoi, vous amenez cette fille ! J'avais bien dit à M. Kemble qu'on ne pouvait pas vous faire confiance. N'est-ce pas, monsieur Kemble ? fit-elle en se tournant vers son mari.

— Oui, ma chère, dit-il avec un regard d'excuse à Jason.

— Nat m'a demandé de faire de mon mieux, se défendit celui-ci. Ce n'est pas parce que Angie travaillait dans une taverne qu'elle est...

— Nous savons tous ce qu'elle est. Et vous, vous êtes un paresseux, Jason Savitch. Vous n'avez pas dû chercher bien loin. Vous n'allez pas me faire croire que cette petite catin est ce que vous avez trouvé de mieux parmi toutes les célibataires de Boston...

Angie poussa un cri. Elle empoigna le fusil de Jason comme une massue.

— Si vous me traitez encore une fois de catin, espèce de vieille maquerelle, je vous brise ce fusil sur la tête !

Sara Kemble ouvrit la bouche et recula de deux pas.

— Ô Seigneur, ayez pitié. Que quelqu'un fasse quelque chose. Elle menace de me frapper !

— Exactement, si vous ne retirez pas ce que vous avez dit sur moi, vieille sorcière.

— Sorcière ! haleta Sara.

— Si vous aviez un balai, on vous verrait voler !

Sara Kemble pivota. Sans quitter Angie des yeux, elle traversa en titubant la pièce, ouvrit fébrilement le loquet et poussa la porte. Mais, voyant que la jeune fille ne la poursuivait pas, elle s'arrêta et se retourna.

— Vous le regretterez, petite traînée. Et vous aussi, Jason Savitch.

Elle claqua la porte, puis la rouvrit.

— Monsieur Kemble ! cria-t-elle. Tu viens ?

Obadiah jeta un regard admiratif à Angie, puis sortit en traînant les pieds.

La pièce parut soudain calme, après le passage de cette tornade. A la surprise de Angie, Elisabeth Hooker se précipita pour la prendre dans ses bras.

— Angie, je suis fière de vous. Avoir tenu tête à cette horrible femme, et sans le secours d'aucun de ces deux-là, dit-elle en foudroyant du regard Caleb et Jason.

Caleb afficha un air penaud, puis éclata de rire.

— Oh, Jason, fit-il, vous avez vu sa tête, quand Angie l'a menacée de lui briser le fusil sur le crâne ?

— J'ai cru qu'elle allait éclater ! s'esclaffa Jason.

Seule Angie ne riait pas.

— Depuis des années, les habitants de Merry-meeting se demandent qui aura le courage de remettre la vieille Sara Kemble à sa place, ajouta Jason, riant de plus belle. Attendez que ça se sache. Elle ne pourra pas mettre le nez dehors sans...

— Ce n'est pas drôle, lança Angie.

Tous s'arrêtèrent de rire et la regardèrent.

— Ce n'est pas drôle, répéta-t-elle, jetant le fusil à Jason avec une telle force qu'il eut juste le temps de lever la main pour le rattraper. Elle m'a traitée de catin !

Jason s'avança et l'entoura de son bras, mais elle se raidit.

— Si j'avais été une vraie dame, jamais elle n'aurait osé me traiter ainsi.

Se retenant de pleurer, elle tourna les talons, traversa la pièce et sortit. Mais, contrairement à Sara Kemble, elle ne se retourna pas.

10

Angie se tenait sur un minuscule promontoire, le regard perdu dans l'immensité des flots. La baie était couverte de dizaines d'îles qui ressemblaient à des bateaux.

Elle se pencha pour regarder la plage en contrebas, avec ses rochers couverts de varech. Portées par le vent, deux mouettes s'invectivaient.

— Angie ! Ne restez pas là !

Elle pivota. Jason Savitch se dressait au milieu des ruines calcinées de ce qui avait dû être la palissade d'un vieux fort. Même à distance, elle le sentait tendu, on aurait dit qu'il avait peur qu'elle ne sautât dans le vide. Cette idée la fit rire. Comme si elle avait fait tout ce chemin pour se jeter à la mer !

Abandonnant son poste, elle le rejoignit.

Il écarta une mèche de cheveux que le vent avait plaquée sur la bouche de Angie. Au contact de ses doigts, elle sentit le rythme de son cœur s'accélérer.

— Vous êtes amoureux de Suzanne Marsten ? demanda-t-elle tout à trac.

Il rougit sans répondre, stupéfait de sa question.

— Vous l'êtes ? insista-t-elle, les poings serrés.

— Allons, ne vous mettez pas dans tous vos états. Suzanne et moi sommes bons amis. C'est tout.

— Elle est jolie.

— Elle est jolie, oui… Mais vous aussi, dit-il en lui baisant la main.

Il la garda dans la sienne, tandis qu'ils revenaient sur leurs pas. A marcher ainsi, main dans la main, elle se sentait protégée, aimée.

— C'est ici que s'élevait Fort Loyal, dit Jason, montrant les restes d'une palissade et une bâtisse en ruine. Il a été détruit pendant la dernière guerre indienne, et le site a été abandonné.

Un unique canon restait en place, son fût rouillé pointé vers Falmouth Neck et les claies où la morue était mise à sécher avant d'être salée. Plusieurs hommes, femmes et enfants se déplaçaient prestement au milieu des claies pour retourner le poisson. Malgré le vent qui balayait la baie, l'odeur de morue emplissait l'air.

S'appuyant au canon, Jason attira la jeune fille contre lui. Enflammée par la chaleur de son corps, elle sentit la fièvre du désir la transpercer. Pour calmer les battements de son cœur, elle regarda la baie, et l'océan au-delà.

— Je rêvais de m'embarquer pour les Indes. Ou même l'Angleterre, dit-elle en riant. Et je suis à la veille de m'embarquer pour le territoire de Sagadahoc, un endroit si perdu que je n'en avais jamais entendu parler avant de vous rencontrer... A quoi rêviez-vous autrefois, Jason ?

— Je n'ai jamais perdu mon temps à rêver.

Elle suivait ses lèvres des yeux, se rappelant avoir eu envie de les toucher, la première fois qu'elle l'avait vu. Elle céda à son impulsion. Sa lèvre frémit sous son doigt.

Baissant la tête, il prit sauvagement possession de sa bouche et, cette fois, elle accepta son baiser.

Ce baiser passionné parut durer une éternité. Angie entendait son cœur tambouriner. Le soleil lui tapait sur la tête et le sol semblait ondoyer sous ses pieds.

Rejetant la tête en arrière, elle ouvrit les yeux sur le vaste ciel bleu au-dessus d'elle. Il appliqua la bouche contre son cou.

— Vous m'aimez, Jason ?

— Oh, Angie...

Ses genoux tremblaient si violemment qu'elle chancela.

— Non, pas ici, dit-il en la relevant. C'est trop rocheux.

Il la prit par le poignet et l'entraîna dans la forêt. Il faisait plus sombre sous l'épais feuillage.

Elle regarda les doigts minces de Jason défaire les lacets et les boutons de sa robe. Il lui caressa les seins à travers le fin tissu de sa chemise, jusqu'à ce que les pointes se dressent.

Tout en lui murmurant des mots d'amour, il glissa un doigt dans la ceinture de son jupon, à la recherche des cordons qu'il trouva dans son dos. Il tira sur un bout, mais ne réussit qu'à tout emmêler.

— Mince, dit-il en riant. Tourne-toi.

Il ramena ses cheveux sur une épaule de façon à lui couvrir le cou de baisers.

Le nœud défait, elle fit glisser la jupe le long de ses hanches, tandis qu'il lui retirait sa chemise par la tête. L'air était frais contre sa peau nue.

— Ça fait longtemps que je te désire, dit-il, debout derrière elle, les mains sur ses épaules, les lèvres sur sa nuque. Tu sens, Angie ? fit-il en se frottant contre ses fesses. Bientôt... bientôt tu me sentiras en toi.

— Bientôt... répéta-t-elle, le cœur bondissant.

La prenant par la taille, il la fit pivoter lentement, puis recula pour la contempler.

Elle voulut croiser les bras sur sa poitrine, mais il l'en empêcha.

— Non, ma douce. Je veux te regarder.

Elle rencontra ses yeux brûlants de désir et baissa vivement la tête.

Comme il retirait sa chemise pour l'étaler par terre, elle caressa son torse nu. Le voyant frissonner, elle éprouva un sentiment de triomphe. Elle sentait son cœur battre, fort et vite.

Bouche contre bouche, ils tombèrent à genoux. Puis il la poussa en arrière, de sorte qu'elle se retrouva à moitié sur sa chemise et à moitié sur un lit de fougères, d'aiguilles de pin et de feuilles mortes. Il s'étendit à côté d'elle et regarda ses seins dont les pointes se dressaient.

— J'ai rêvé de tes seins, murmura-t-il. Comme ils sont beaux…

Elle voulut dire qu'elle aussi avait rêvé de lui, mais fut incapable de prononcer un mot.

Il se mit à lui caresser les seins, puis prenant un mamelon entre ses dents, il le mordilla, le suça, jusqu'à ce qu'elle gémisse.

Lorsqu'il passa à l'autre, l'aspirant comme s'il allait l'avaler, elle laissa échapper un petit cri de plaisir.

— Ah, Angie… Angie, gémit-il, glissant les doigts entre ses cuisses.

Elle se mit à trembler de façon incontrôlable. Elle était gênée d'être touchée dans un endroit si secret et ouvrit la bouche pour l'arrêter, mais elle put seulement dire :

— Oh, Jason, s'il te plaît…

Il glissa les doigts dans son intimité, et elle souleva les hanches. Le monde entier se trouva bientôt réduit à un point palpitant qu'il caressait et taquinait avec le pouce. Des sensations incroyables traversaient tout son être.

— Tu me désires, Angie ? demanda-t-il, roulant soudain au-dessus d'elle. Dis que tu me désires maintenant.

— Maintenant... je te désire...

Il se mit à califourchon sur elle et se redressa. A sa vue, elle eut le souffle coupé.

Sa culotte de peau était tendue sur les muscles de ses cuisses, faisant ressortir sa virilité. Son ventre était plat et lisse. Elle caressa sa poitrine. Le soleil filtrait à travers les arbres, accentuant les courbes de son visage.

Fascinée, Angie le regarda délacer sa culotte et la descendre sur ses fesses, faisant surgir son sexe.

— Touche-moi, dit-il.

Elle ne bougea pas. Ne respira même pas.

Il lui prit la main et l'enroula autour de son membre. Surprise par sa chaleur et sa douceur, elle le serra instinctivement, et il laissa échapper un faible gémissement.

Il lui écarta les cuisses et entra en elle.

Angie poussa un cri de douleur. Il se raidit et écarquilla les yeux, stupéfait. Mais il était trop tard. Il avait déjà déchiré son hymen. Après un moment, il donna une forte poussée, s'enfonçant plus profond en elle, et étouffa son cri sous sa bouche.

— Chut, Angie, dit-il. Ça va aller...

Il resta un long moment immobile, puis se mit à bouger. Lentement. Tout ce qui auparavant avait paru merveilleux n'était rien à côté de cette sensation nouvelle.

Elle ouvrit les yeux, éblouie. Jason avait la tête rejetée en arrière, les yeux fermés, la mâchoire serrée. Soudain, il accéléra le rythme et tout son corps se mit à trembler.

Angie crut mourir d'amour pour lui.

Allongé sur le dos, haletant, Jason avait l'impression d'avoir été roué de coups. Il n'avait même pas la force d'ouvrir les yeux.

Il la sentit remuer à côté de lui et chercha sa main. Elle était si petite qu'il en eut le cœur serré. Mortifié, il réalisa qu'il était au bord des larmes et n'en comprenait pas la raison.

Rassemblant ses forces, il roula sur le côté et la regarda en souriant.

— Je t'aime, Jason Savitch, dit-elle en passant un doigt sur sa lèvre inférieure.

Il baissa les yeux, évitant son regard, et lui embrassa le bout du nez, la joue, la bouche. Puis il remonta sa culotte et la boutonna. *Je t'aime, Jason Savitch.* Exactement ce qu'il voulait éviter.

Il se tourna vers elle. Elle était étendue par terre, nue, merveilleusement désirable. Soudain, elle s'assit, saisit son jupon et s'en couvrit la poitrine.

— Angie, pourquoi ne m'as-tu pas dit que tu étais vierge ?

— Je te l'ai dit, la nuit où nous nous sommes rencontrés. Ce n'est pas parce que je travaillais dans une taverne que j'étais une prostituée. Je savais que tu ne me croirais pas.

— J'aurais pourtant dû y penser, dit-il en lui caressant la joue. Ça a dû être horriblement douloureux...

— Oh, non, Jason...

— Ça t'a fait mal, insista-t-il, posant deux doigts

138

sur ses lèvres. Je le sais. Tu étais si étroite. Je n'aurais pas dû entrer en toi comme un taureau en rut.

— Ça n'a fait mal qu'au début...

— La prochaine fois, j'irai lentement.

— La prochaine fois... fit-elle, radieuse. Oh, Jason, ça veut dire que tu me désireras encore?

Il l'attira à lui.

— Oui, je te désirerai encore. Et encore et encore et encore...

— Maintenant?

— Tu es insatiable! s'exclama-t-il en l'embrassant sur la bouche. Un homme a besoin de repos. Nous avons tout l'après-midi et toute la nuit.

Il se mit à explorer son cou.

— Jason, qu'allons-nous faire pour M. Parkes? demanda-t-elle, emmêlant les doigts dans ses cheveux.

— Hein?

— M. Parkes. Qu'est-ce qu'on va lui dire?

Jason avait oublié Nat et n'avait aucune envie d'y penser maintenant.

— On ne lui dira rien, marmonna-t-il en fouillant son cou avec le bout de sa langue.

Elle se tortilla voluptueusement et il sourit.

— Mais il faut lui dire quelque chose, haleta-t-elle, frissonnante. Ne sera-t-il pas furieux quand il apprendra que c'est toi qui m'épouses?

Jason se figea. La brise était soudain glacée sur son dos nu.

S'écartant d'elle, il s'assit et l'aida à s'asseoir face à lui. Dans cette position, elle semblait petite et vulnérable, à peine plus âgée qu'une enfant. Il prit son courage à deux mains.

— Je ne t'épouse pas, Angie.

Elle blêmit.

— Mais... tu as dit que tu m'aimais.

— Je n'ai jamais dit ça.

— Mais si! Crois-tu que je t'aurais laissé... Ô Seigneur! s'exclama-t-elle, les yeux embués de larmes. Crois-tu que ce serait arrivé, si je n'avais pas cru que tu m'aimais? Tu m'as donné des choses — les vêtements et le cheval. Et les mocassins. Les... les mocassins de ta mère.

— Angie...

— Et là-bas, près du canon, tu m'as dit que tu m'aimais. Sinon, je ne t'aurais jamais laissé, jamais, jamais... Je t'aime. Tu ne le vois donc pas? Et tu as dit que tu m'aimais.

Dans l'ivresse de la passion, avait-il prononcé ces mots? Il était certain de ne pas l'avoir fait.

Elle pleurait maintenant, sanglotait.

— Je suis désolé. Je ne voulais pas te faire souffrir. Crois bien que...

— Menteur!

Il voulut la toucher, mais elle bondit sur ses pieds, saisit sa chemise et l'enfila. Il se leva à son tour, chancelant.

— C'est juste que je ne suis pas prêt pour le mariage. Je ne sais pas ce que je veux de la vie. Comment saurais-je ce que j'attends d'une épouse?

Tombant à genoux devant lui, elle lui entoura les cuisses de ses bras.

— Oh, Jason, ne me fais pas ça. Je t'aime tant. Je...

— Ça suffit, Angie! dit-il en la relevant. Je ne t'épouse pas!

Ses sanglots cessèrent brutalement. Elle fut parcourue d'un frisson et passa les mains dans ses cheveux.

140

— Je suis désolée. Je… je ne voulais pas t'embarrasser. Ô mon Dieu, comme j'ai honte!

Elle s'écarta et acheva de s'habiller.

— Si j'avais su que tu étais vierge et que tu t'imaginais amoureuse de moi, je n'aurais jamais laissé les choses aller si loin…

Elle se retourna, de nouveau elle-même, fière, furieuse, agressive:

— Tu crois que c'est de l'imagination?

— Quoi d'autre? Nous nous connaissons à peine.

Elle acheva de lacer sa robe et vint se planter devant lui.

— Mais tu me connaissais assez pour coucher avec moi. Ou bien est-ce un jeu pour toi, de séduire de pauvres filles innocentes?

— Innocentes? Vierge ou pas, tu savais très bien ce que tu faisais. Et si tu penses te servir de ta précieuse virginité pour m'obliger à t'épouser, tu peux toujours attendre.

Les lèvres tremblantes, elle fit un effort pour ne pas éclater en sanglots. Il faillit écraser ses lèvres sous les siennes. Jamais il n'avait eu autant envie d'embrasser une femme, et il l'en détestait presque.

— Je… je n'ai pas… fait ça, Jason. Je n'ai pas essayé de te coincer, je le jure…

— Vraiment? Tu n'étais qu'une fille de taverne, sale et en guenilles, la nuit où je t'ai trouvée… *dans mon lit*. Qui me reprocherait d'avoir cru que tu n'étais qu'une catin?

A ces mots, elle blêmit et vacilla.

— Ô mon Dieu, Angie! s'exclama-t-il en la retenant dans ses bras. Je ne voulais pas…

— Lâche-moi.

Il se sentait vil, méprisable. Que ne lui avait-elle

donné une gifle ou crié sa haine? Mais il voyait à son regard qu'elle ne le détestait pas.

— Je n'ai jamais voulu te blesser, Angie.

Elle fit un geste pour lui toucher le visage, mais laissa sa main retomber.

— Oh, Jason, je sais. Tout est ma faute. J'ai eu tort d'espérer ce que je ne pouvais avoir.

— Angie, tais-toi...

— Cette première nuit, quand je t'ai vu et que tu m'as touchée, je suis tombée amoureuse de toi. Mais je n'aurais pas dû te sacrifier mon honneur. Je n'aurais pas dû te laisser me prendre comme une prostituée.

Elle tourna les talons et s'éloigna. Il faillit la rappeler, la supplier de lui pardonner, lui promettre le mariage, même. Mais s'il souhaitait effacer la douleur que trahissait son visage, il savait que la rappeler serait pire que tout. Car ce qu'elle voulait de lui, c'était de l'amour, et il ne pouvait le lui donner.

Après qu'elle eut disparu, il resta un long moment immobile, puis ramassa sa chemise. Il allait l'enfiler quand il vit qu'elle était tachée de sang. Le sang de Angie.

Il quitta la forêt par le sentier menant à la mer. S'agenouillant sur le sable à côté d'un trou d'eau, il y plongea la chemise et regarda le sang se mêler à l'eau.

Depuis trois semaines que Angie avait surgi dans sa vie, il avait éprouvé une joie immense en se réveillant le matin avec la certitude de voir son visage espiègle et souriant, d'entendre sa voix. Elle l'avait fait rire et mis en colère, mais surtout elle l'avait rendu heureux.

A présent la joie avait disparu, remplacée par un abîme de tristesse.

142

11

Les jolis mocassins étaient posés sur son sac. Jason s'accroupit pour les prendre avec un grognement de colère, et les fourra au fond du sac.

Se redressant, il jeta son chargement sur son épaule et sortit. Suzanne Marsten l'attendait dans la cour ensoleillée.

— Dommage que tu ne restes pas plus longtemps, dit-elle en rougissant.

Il croisa son regard et détourna les yeux. Après des mois d'hésitation, Suzanne l'avait finalement invité dans son lit la nuit dernière. Il avait eu la décence de refuser. Ce qui l'avait blessée. En vingt-quatre heures, il avait réussi à offenser deux femmes merveilleuses.

— Je reviendrai dans une semaine, répondit-il. Il y a une femme sur le point d'accoucher à Cap Elisabeth. Elle est si petite que ce sera difficile, et j'ai promis d'être là au cas où ça tournerait mal.

— Bien, en tout cas... tu pourras t'arrêter ici pour la nuit.

Jason hocha la tête.

Ils se tenaient à côté de la grosse marmite noire. Le feu était éteint, le savon à moitié figé dans le récipient. Ils tournèrent les yeux vers la jetée où Angie et les Hooker regardaient les bœufs monter sur la goélette. Caleb montrait quelque chose à Angie, et son rire leur parvint, porté par la brise matinale.

— Tu songes à épouser cette fille ? demanda Suzanne.

— Je n'ai pas l'intention de me marier. Pas maintenant. Sans doute jamais.

Elle pâlit et Jason regretta la brutalité de ses mots, mais se félicita de les avoir prononcés. Il ne voulait pas que se renouvelât le malentendu de la veille.

Pendant ce temps, sur la jetée, Elisabeth Hooker observait la jeune fille. Elle s'inquiéta :

— Angie, qu'y a-t-il ? On dirait... que vous avez pleuré.

— Le mal du pays, mentit Angie. Et je suis peut-être un peu nerveuse à la perspective de rencontrer M. Parkes.

Ce qui n'était pas un mensonge. N'était-elle pas tombée amoureuse d'un homme, alors qu'elle était promise à un autre ? Ne s'était-elle pas donnée à lui ? Angie était sûre que sa honte était inscrite sur son visage. Elle avait pourtant cru que Merrymeeting serait le début d'une autre vie, une vie respectable.

Caleb monta sur la goélette pour s'assurer que ses précieux bœufs étaient bien attachés.

Elisabeth poursuivit :

— Vous êtes sûre de vouloir épouser M. Parkes ? Et le docteur Savitch ? Il semblerait que vous et lui... enfin, que vous soyez...

Angie se mordit la lèvre et regarda les flots, essayant de refouler ses larmes.

— Elisabeth, j'ai demandé à Jason de m'épouser, avoua-t-elle, la gorge serrée. Il ne veut pas de moi.

— Oh, Angie...

Le jeune fille redressa la tête.

— Un jour viendra, bien sûr, où je me félicite-rai que les choses aient tourné comme ça.

— Vous avez sûrement raison. C'est un homme bien, mais je ne crois pas qu'il ferait un bon mari.

Caleb se pencha par-dessus le bastingage et cria qu'il était temps de monter à bord. Elisabeth s'en-gagea prudemment sur la passerelle, mais Angie demeura immobile.

Elle avait les yeux brûlants de larmes et une douleur dans la poitrine qui ne disparaîtrait jamais, croyait-elle. Elle n'était pas retournée chez Su-zanne, la nuit passée, et avait attendu le matin, pelotonnée sous le canon, au milieu des ruines cal-cinées du vieux fort.

« Oh, Jason, je t'aime tellement ! »

Mais il ne t'aime pas, Angie. Il ne t'aimera jamais.

— Angie...

Son cœur se mit à battre la chamade. Elle se retourna lentement, s'armant de courage pour lui faire face.

Il hésita, puis s'arrêta près d'elle.

— Bonjour, Angie, dit-il.

Elle fut soulagée. Elle craignait qu'il ne voulût même plus lui adresser la parole.

— Bonjour, Jason, répondit-elle avec un sou-rire radieux.

Ils se regardèrent en silence. Finalement, il prit une profonde inspiration.

— Je veux m'excuser encore, pour ce que je... pour ce qui s'est passé hier. Surtout, pour ce que j'ai dit...

— Oh, Jason, je suis sûre que n'importe quel homme aurait réagi de la même façon, face à une femme hystérique se jetant à ses pieds.

— Angie, arrêtez de rejeter la faute sur vous !

grogna-t-il, se passant les doigts dans les cheveux. C'est... c'est arrivé comme ça, c'est tout, et...

— Non, Jason, ce n'est pas arrivé comme ça. Je n'ai pas honte de vous aimer. Je promets de ne plus jamais en parler. Mais je voudrais votre amitié. Je ne supporterais pas l'idée que nous ne puissions être au moins amis.

— Je serais heureux d'être votre ami, Angie.

Elle éprouva une grande joie. Il serait encore à elle. Pas comme elle l'aurait voulu, mais il lui resterait une part de lui. Dont elle se contenterait.

La joie fut de courte durée car il ajouta :

— Vous savez que vous pourriez être enceinte ?

— N... non, protesta-t-elle, incapable d'envisager cette éventualité.

— Si. Et je veux votre promesse que, si c'était le cas, vous me le diriez.

— Et vous m'épouseriez ?

— Il le faudrait, je suppose, jeta-t-il après un long silence.

« L'idée de m'épouser lui fait horreur », se dit-elle, la gorge serrée. Elle voulut s'en aller, mais il se planta devant elle.

— Je veux votre promesse, Angie.

— Eh bien, vous ne l'aurez pas ! cria-t-elle avant de tourner les talons.

Le capitaine de la goélette ne ressemblait pas à un pirate tel que les imaginait la jeune fille. Il avait de la dentelle aux poignets, de longs cheveux blonds et un sourire à réchauffer le plus froid des cœurs.

Mais le capitaine Abbott n'était pas à proprement parler un pirate. C'était plutôt un contrebandier qui trafiquait avec les Français d'Acadie. Bien sûr, s'il lui arrivait de tomber sur un navire marchand désemparé, il le délestait volontiers de sa cargaison.

— Un acte de charité, voyez-vous, avait-il expliqué à Angie, goguenard.

L'air du matin gonflait les voiles. Angie était heureuse de naviguer le long de la côte. Elle aimait le grincement des gréements et le bruissement de l'eau ; les odeurs de poisson, de sel et de toile mouillée ; et elle aimait sentir le vent dans ses cheveux défaits.

La réaction d'Elisabeth Hooker était bien différente. Celle-ci était victime du mal de mer et s'était réfugiée dans sa cabine.

En traversant la baie de Casco, le capitaine Abbott signala à Angie quelques îles. Certaines étaient habitées, et on remarquait çà et là des filets de pêcheurs et des claies pour sécher la morue.

La jeune fille repéra un phoque qui nageait à côté d'eux. Le capitaine envoya un de ses marins chercher un morceau de morue séchée. Il le donna à Angie et guida sa main au-dessus du bastingage pour le jeter au phoque. L'animal n'en fit qu'une bouchée.

La traversée de la baie s'étendit presque sur toute la journée. Une vaste péninsule couverte de pins et de rochers en marquait la frontière orientale. Au-delà du cap, un estuaire parsemé d'îles verdoyantes s'ouvrait dans la baie de Merrymeeting.

Le soleil couchant rougissait les voiles. Des douzaines de phoques s'ébattaient à présent autour du bateau.

— C'est magnifique ! s'exclama Angie.

Elle sentit un mouvement à côté d'elle et crut

que c'était le capitaine Abbott mais, se retournant, elle reconnut Jason et rougit.

— D'après la légende, dit-il, il y aurait quelque part dans le Maine une ville entièrement recouverte d'or. Norumbega. Nombreux sont ceux qui ont tenté, en vain, de la découvrir.

Des collines bleu foncé s'élevaient à l'horizon, mais le terrain, couvert de pins, de sapins, de cèdres et d'érables, descendait en pente douce jusqu'au rivage. Les plages étaient coupées de dizaines de criques couvertes de riz sauvage et d'herbes aquatiques qui ondoyaient sous la brise. Cinq rivières, dont la puissante Kennebec, dégringolaient des montagnes enneigées et se jetaient dans cette mer magnifique.

— La baie de Merrymeeting... murmura Jason.

« Il aime cet endroit », se dit-elle. Et elle fut heureuse qu'il y eût un endroit où il se sentît chez lui.

Jason se secoua, comme s'il se réveillait d'un rêve.

— Les Abenakis l'appellent le Quinnebequi. Du nom de l'esprit de la rivière. Ils croient qu'il habite ces eaux. C'est un lieu sacré.

— C'est un gentil esprit, ce Quinnebequi ?

— Bien sûr. Croyez-vous que le mal se sentirait à l'aise au milieu d'une telle beauté ? répliqua-t-il en englobant le paysage dans un grand geste. Ce pays, le bassin de Kennebec, était le terrain de pêche et de chasse de mon... des Norridgewocks.

— Etait ?

— Ce sont les Yengis qui y vivent maintenant.

— Mais vous êtes...

Elle voulait dire : « Vous êtes un Yengi. Votre sang est anglais. » Mais elle savait que si le sang de Jason était anglais, il avait deux âmes, ou peut-être son âme avait-elle été divisée en deux.

La goélette vira de bord dans un claquement de voiles et se dirigea vers l'embouchure de la Kennebec. Angie découvrit alors l'endroit où elle allait vivre — Merrymeeting.

Elle remarqua d'abord un large quai couvert de tonneaux, et une scierie à côté de laquelle se dressait un joli manoir en briques.

Au milieu des arbres bordant le rivage, elle aperçut de simples maisons en planches. A gauche, sur la hauteur, un fortin en rondins d'un étage avec meurtrières et poste de guet rappelait que Merrymeeting était une oasis précaire au milieu d'une contrée hostile.

Tandis que le bateau louvoyait vers une estacade, les Hooker apparurent sur le pont.

— Regardez, dit Elisabeth en montrant l'embarcadère. On nous attend.

Une poignée de personnes était groupée sur l'estacade. Des hommes surtout, parmi lesquels devait se trouver Nathanael Parkes. Une large silhouette en jupe matelassée, les rubans de sa charlotte claquant dans la brise, se tenait en avant du groupe. Sara Kemble.

— Comment a-t-elle réussi à nous devancer ? demanda Caleb, accablé.

— Son beau-frère est pêcheur, répondit Jason. Il l'a probablement ramenée hier soir dans son sloop.

Se sentant rougir, Angie redressa fièrement la tête. Tout Merrymeeting savait maintenant que Jason ramenait de Boston une fille des rues.

Tandis que les passagers de la goélette débarquaient, un homme et une femme se détachèrent du groupe et s'avancèrent. A son habillement, Angie comprit que c'était un notable du village. Il portait un habit bordé de satin rouge, des boucles d'argent aux genoux et sur ses chaussures, et un chapeau de castor.

Angie prit la femme qui l'accompagnait pour une servante, car elle était vêtue d'un corsage taché, d'un tablier rayé, d'une lourde jupe de lainage et d'un bonnet blanc sur ses cheveux bruns tirés. Elle était si maigre que les os de ses épaules pointaient sous son corsage.

L'homme repéra Caleb.

— Vous devez être le révérend Hooker ! Bienvenue. Bienvenue à Merrymeeting.

Jason présenta le notable comme étant le colonel Giles Bishop, commandant de la milice locale. La femme maigre était son épouse, Anne.

Angie aperçut alors un grand homme élancé, aux cheveux couleur de paille, qui se tenait dans l'ombre de l'entrepôt. Il était flanqué de deux petites filles. Leurs regards se croisèrent fugitivement. Il prit ses filles par la main et se dirigea vers elle.

Jason passa un bras autour de Angie et la poussa en avant. C'était la première fois qu'il la touchait depuis qu'ils avaient fait l'amour. Le contact de sa main sur son dos la fit trébucher.

— Nat est un homme juste, lui murmura Jason, croyant à une réaction de peur. Il ne vous aura pas jugée avant de vous avoir rencontrée.

A son air soucieux, Angie comprit que Sara Kemble avait dû lui en raconter de belles. Il lança à Jason un regard interrogateur.

Celui-ci plaça Angie devant lui en la tenant par les bras. Elle aurait préféré qu'il ne la touchât pas

150

ainsi. Elle se sentait coupable d'accueillir son futur mari tandis que son cœur battait pour un autre.

— Nat, voici Angie McQuaid, de Boston, dit Jason avec un grand sourire.

Angie regarda l'homme dans les yeux. Il était vêtu avec simplicité — culotte grise, habit en tricot, vieux chapeau en feutre. Il était aussi grand que Jason, peut-être plus. Mais, alors que Jason était tout en muscles, Nat était maigre avec de grandes mains et de grands pieds, ce qui lui donnait un air gauche. Il avait les oreilles décollées, le nez aplati, une bouche encadrée de plis qui pouvaient laisser croire qu'il avait beaucoup souri. Mais, pour l'instant, il ne souriait pas.

Jason laissa Angie en tête à tête avec Nat.

— C'est moi qui ai répondu à votre annonce, dit-elle pour briser le silence.

Nathanael Parkes hocha la tête et se racla la gorge.

— C'est gentil à vous d'avoir eu pitié de ma situation.

— Ce n'est pas de votre situation que j'ai eu pitié, monsieur Parkes, mais plutôt de la mienne.

— Alors, nous sommes venus au secours l'un de l'autre... Voici mon aînée, Margaret, dit-il en tournant les yeux vers la petite fille d'environ neuf ans accrochée à son bras droit. On l'appelle Meg.

— Bonjour, Meg, murmura Angie avec un sourire.

Le petit menton de Meg se redressa et elle toisa Angie d'un air mauvais. On aurait dit qu'elle la mettait au défi de trouver quelque chose d'aimable en elle.

Angie sentit son cœur se serrer. Comme elle lui ressemblait, au même âge ! Gauche et maigre, avec ses deux nattes noires qui rebiquaient de part et d'autre de son petit visage. La jeune fille savait exactement ce que pensait Meg : « Elle ne m'aimera pas, et moi non plus, comme ça on sera quittes... »

— Et voici Tildy, mon bébé, ajouta Nat avec fierté.

Avec ses cheveux blonds et ses fossettes, Tildy était adorable.

— J'ai trois ans et demi, annonça Tildy.

— Trois ans ! s'exclama Angie.

— Et demi !

La petite fille tenait dans les bras une poupée en fanes de maïs liée avec des brins de paille et teinte au jus de baie. Elle la tendit à Angie, qui s'agenouilla et prit la poupée.

— Et comment s'appelle-t-elle ?

— Gretchen, répondit fièrement Tildy.

— Bonjour, Gretchen. Comme vous êtes jolie.

— Elle aime Gretchen, dit Tildy en regardant son père.

— Oui, répliqua Nat dans un murmure.

— Vous allez être notre nouvelle maman ? reprit-elle en se tournant vers Angie.

— Elle ne peut pas ! intervint Meg. Même si papa se marie avec elle. Ce n'est pas parce que notre vraie maman est morte qu'elle sera notre maman !

— Meg... commença Nat.

— Bien sûr que je ne vais pas prendre la place de votre maman, l'interrompit Angie en se redressant. Je serai la nouvelle femme de votre papa, ce qui est très différent.

La petite fille ne dit rien, mais conserva son air hostile. Il ne serait pas facile de l'amadouer, pensa Angie, qui l'en aima d'autant plus.

— En attendant, vous habiterez chez les Bishop, dit Nat. Je vais vous y installer. Où sont vos affaires ?

Angie se rappela avoir laissé son sac à bord du bateau. Jason le lui ferait peut-être porter mais, de toute manière, les quelques haillons qu'il contenait ne seraient pas une grosse perte.

— Je viens comme vous me voyez, monsieur Parkes, expliqua-t-elle avec un grand sourire, qui disparut tandis qu'il la fixait d'un air réprobateur.

— Vous devriez peut-être m'appeler Nat, dit-il enfin.

— Nat, répéta Angie d'une voix tendue.

Il continua de la regarder en fronçant les sourcils.

— Bien... soupira-t-il, les Bishop habitent par ici.

Encadrant les deux petites filles, ils prirent la direction de la maison de brique, et passèrent devant la scierie. Angie s'aperçut que Nathanael Parkes boitait. Il portait de lourdes bottes de cuir qui résonnaient sur le quai de bois.

Malgré l'accueil pour le moins réservé de M. Parkes, Angie était éblouie par tout ce qui l'entourait. Elle n'aurait pu choisir plus bel endroit pour une nouvelle vie.

L'air était chargé du parfum des pins et des cèdres fraîchement coupés. Le soleil couchant dorait la surface de la baie.

Ils passèrent à côté de deux hommes travaillant sur une pièce de bois, qui saluèrent Nat de la main. L'un d'eux équarrissait la planche avec une hache, tandis que l'autre la dégrossissait avec une herminette.

— C'est comme ça que notre papa a perdu son pied, dit Meg en montrant l'homme à l'herminette.

— Vous n'avez qu'un pied? demanda Angie, étonnée qu'il pût marcher.

— Jason ne vous l'a pas dit? Je travaillais de temps en temps à la scierie. C'est arrivé il y a un an, en mars. Juste un an avant que ma Marie...

Sa femme lui manquait tellement qu'il avait du mal à prononcer son nom. Peut-être ne devrait-il pas la remplacer si vite...

— L'herminette a glissé, poursuivit Nat, et je me suis coupé l'extrémité des orteils. La blessure s'est infectée et Jason a dit qu'il fallait couper le pied. Mais Obadiah Kemble, le menuisier de Merrymeeting, m'a sculpté un pied en noyer. Ne vous inquiétez pas, je peux subvenir aux besoins d'une femme. Je travaille mon bois et ma terre aussi bien qu'un autre.

— Seigneur, vous avez un pied en bois! s'exclama Angie. Je peux le voir?

Nat parut épouvanté à cette idée, et la jeune fille maudit son impulsivité. Si elle n'y prenait pas garde, elle serait renvoyée sur-le-champ à Boston.

— Ce n'est guère opportun... commença Nat, mais il fut interrompu par Meg le tirant par la manche.

— Montre-lui, papa.

— Montre-lui, papa, répéta Tildy.

Nat regarda ses filles en souriant.

— D'accord.

Il s'assit sur un tonneau, enleva sa botte, puis sa chaussette.

— Vous voyez, il a un pied en bois, dit Meg, espérant que Angie reculerait avec horreur.

La jeune fille se pencha pour mieux voir. C'était une merveilleuse copie avec cinq orteils et une charnière pour l'articulation de la cheville.

154

— Oh, Nat, c'est...

— Vraiment, Nathanael Parkes, vous devriez avoir honte !

Angie se redressa et pivota, pour se trouver nez à nez avec une Sara Kemble fulminante, les poings sur les hanches. Les Hooker, les Bishop et Jason qui marchaient derrière eux s'étaient arrêtés, en même temps que Sara et son ombre, Obadiah.

Ignorant Mme Kemble, Angie sourit à son mari.

— Monsieur Kemble, Nat me montrait le pied que vous lui avez fait. Jamais je n'ai vu un aussi beau travail.

— M. Kemble est menuisier, lança sa femme, le seul de toute la région. Il n'aurait pas dû perdre son temps en futi...

— N'importe qui peut faire une table ou une chaise, dit Angie. Mais je croyais que seul Dieu pouvait faire un pied.

— Vous avez entendu ça ? tonna Sara Kemble en se tournant vers le révérend Hooker qui sursauta de peur. Vous avez entendu ce blasphème ?

— Tais-toi, Sara, intervint Obadiah.

Sara Kemble ouvrit grande la bouche et se redressa de toute sa hauteur.

— Pour qui te prends-tu ?... commença-t-elle.

— Pour ton mari, voilà tout. Et si je dis « tais-toi », je te promets que tu vas te taire !

Grinçant des dents, Sara tourna les talons et revint sur ses pas, ébranlant les pieux du quai. Obadiah la suivit, mais pas avant d'avoir adressé un clin d'œil à Angie.

Celle-ci croisa le regard amusé de Jason.

— Incroyable ! s'exclama-t-elle. M. Kemble lui a fermé le bec !

Jason ne put s'empêcher de rire mais, remarquant l'expression de Nathanael Parkes, il retrouva son sérieux. Angie croisa le regard noir de son futur mari. Tildy était debout entre ses genoux écartés et Meg, triomphante, appuyée contre lui.

«Tête de bois. Tu n'es pas là depuis dix minutes que tu te débrouilles pour humilier ce pauvre homme», s'admonesta la jeune fille.

Une main se posa sur son bras, l'obligeant à pivoter. Lentement, elle leva la tête.

— Bienvenue à Merrymeeting, Angie, dit Jason Savitch avec un sourire.

12

— Pendant votre absence, Jason, nous avons été attaqués par des pirates, raconta le colonel Bishop.

Il posa sa cuillère et s'essuya la bouche sur la serviette blanche qu'il s'était nouée autour du cou.

— Une bande est arrivée de Boston dans des sloops, poursuivit-il. Ils ont coupé et emporté quelques-uns de nos plus beaux arbres.

— Nous aurions dû nous servir de votre fusil, docteur, intervint Anne Bishop.

Elle avait une voix aigre, en harmonie avec son visage anguleux. Mais le sourire qu'elle adressa à Jason trahissait l'affection qu'elle avait pour lui.

— Un coup de fusil et vos cris de guerre abenakis les auraient fait filer, ajouta-t-elle.

Jason marmonna quelque chose. Angie sentait ses yeux sur elle. Elle regarda autour de la table et croisa le regard de Nathanael Parkes, qui la considérait comme s'il ne comprenait pas la raison de sa présence. La lumière des bougies faisait ressortir son expression de tristesse. Angie devinait qu'il la comparait à sa défunte femme.

Elle resterait chez les Bishop jusqu'au mariage. Pour ce premier souper à Merrymeeting, les Hooker avaient été invités, et bien sûr Nat. Mais ses filles avaient été envoyées à la cuisine avec les servantes. Dommage, car si elles avaient été à table, son manque de manières aurait été moins voyant.

Réprimant un soupir, elle regarda le bol de crème de potiron, prit une profonde inspiration et saisit la cuillère en étain.

La soupe avait l'air délicieuse, et elle mourait de faim, mais elle avait peur de faire une bévue. Elle sentait que Nat Parkes épiait chacun de ses mouvements.

Angie n'avait jamais mangé dans de la faïence et ne savait même pas qu'il existât des salles à manger. Elle avait toujours pris ses repas dans une cuisine, dans une taverne ou dans la rue. La salle à manger des Bishop comportait une table en merisier et des chaises qui craquaient au moindre mouvement. La pièce sentait la violette et le tabac à priser.

Elle fut soudain prise d'une irrésistible envie d'éternuer. Et plus elle essayait de se retenir, plus l'éternuement devenait imminent. Il retentit comme un coup de canon.

Rouge de confusion, elle se couvrit la bouche avec sa serviette.

— Je... je suis désolée, marmonna-t-elle.

— C'est le tabac à priser, dit Anne Bishop. Vraiment, Giles, vous devriez faire attention.

— Oui, bien sûr, répondit le colonel. Excusez-moi, mademoiselle McQuaid.

Angie jeta un coup d'œil à Jason, s'attendant à

157

un regard sévère, mais il lui adressa un sourire éblouissant, et elle se détourna, gênée.

Dans son habit cintré à poignets mousquetaires, jamais il ne lui avait paru aussi beau. Son gilet en velours et son col blanc faisaient ressortir sa peau brune et le bleu vif de ses yeux. Il avait déposé à l'entrée le chapeau gris orné d'un ruban bleu indigo qu'il portait en arrivant.

En fait, tout le monde sauf Angie s'était habillé pour le dîner. Elisabeth Hooker avait ajouté un fichu blanc à sa robe noire, le pasteur avait revêtu un habit vert gazon. Anne Bishop avait échangé son corsage taché contre une robe en soie violette.

Tandis que chacun mangeait sa soupe, Angie étudiait la femme du colonel. Proche de la cinquantaine, elle paraissait plus âgée que son mari, comme si la vie avait été plus dure pour elle que ne le laissait croire le luxe relatif du manoir.

— J'ai remarqué que tous ces mâts que vous fabriquez ici étaient marqués d'une flèche en forme de patte de corbeau, dit le révérend Hooker, tandis qu'une domestique enlevait les assiettes à soupe. Cela a-t-il un sens spécial ?

— Le roi se réserve, pour la Marine royale, tous les mâts ayant plus de deux pieds de diamètre, expliqua le colonel. En tant qu'inspecteur des mâts, je dois veiller à ce que les troncs ayant cette taille soient gravés de la marque du roi. Ce qui, je le crains, me rend impopulaire auprès de certains.

— Parce que les gens obtiennent un meilleur prix à Lisbonne ou à Cadix, précisa Anne Bishop. A Merrymeeting, vous ne trouverez pas que des sujets loyaux.

— Ça ne me surprend pas, dit Caleb.

La servante posa devant eux des assiettes remplies d'épaisses tranches de rôti de porc, avec du chou cuit à la vapeur et du pain de maïs. A côté de l'assiette, elle plaça un couteau et quelque chose que Angie n'avait encore jamais vu.

En fait, elle avait vu une chose similaire — un ustensile de cuisine à long manche avec deux grandes dents appelé fourchette, dont on se servait pour tenir un rôti pendant qu'on le découpait. Mais cette fourchette-ci était petite, de la taille d'une cuillère, avec un manche en corne et trois dents de métal.

L'estomac de Angie criait famine, mais elle avait peur de se servir de cet étrange instrument. Elle observa Jason. Il tenait la viande avec la fourchette, coupait un morceau, puis le portait à sa bouche.

Elle essaya à son tour et réussit sans provoquer de désastre.

Levant les yeux, elle croisa le regard de Jason. «Je ne suis peut-être pas encore assez bien pour vous, Jason Savitch, se dit-elle en redressant le menton. Mais un jour je le serai. Vous verrez.»

Un jour, il la regarderait avec admiration.

Admiration et regret.

Plus tard dans la soirée, Jason et les Hooker quittèrent le manoir. Son cheval tenu par la bride, Jason les ramena au presbytère, fusil sur l'épaule.

Dans l'obscurité, la forêt semblait menaçante. Caleb s'attendait à voir des yeux briller dans la nuit, à entendre le cri de guerre d'un Indien. Jetant un regard à sa femme, il comprit à sa bouche crispée qu'elle avait encore plus peur que lui.

Ils s'arrêtèrent devant le nouveau presbytère.

— Restez un moment, dit Caleb au docteur. J'aimerais vous dire un mot.

Jason attacha son cheval à la balustrade de la véranda, tandis qu'Elisabeth disparaissait à l'intérieur, emportant la lanterne. Ils aperçurent son ombre derrière les fenêtres, avant qu'elle ne ferme les volets.

— Je dois avouer que je suis un peu déçu, commença Caleb.

— Qu'est-ce qui vous déçoit? Votre épouse n'aime pas la maison?

Le pasteur retira son chapeau et passa la main dans ses cheveux.

— Oh, le presbytère est parfait, répliqua-t-il avec un sourire. Et Lizzie s'adaptera.

«Et les fenêtres ont toutes des volets, ajouta-t-il en son for intérieur, de sorte qu'elle pourra s'isoler, s'isoler de tout, y compris de moi.»

— Non, reprit-il, c'est juste que pendant mes longues nuits d'étude à Harvard, quand je me représentais mon premier ministère, je voyais un temple avec un grand clocher et une girouette.

Jason regarda la silhouette trapue du bâtiment en planches grossières qui faisait office de temple.

— Il n'y a pas de clocher, c'est vrai, admit-il.

— Ça m'apprendra à ne pas attacher trop d'importance aux rêves.

— Il n'y a pas de mal à rêver.

Caleb laissa le silence s'installer. Durant le voyage jusqu'à Merrymeeting, les deux hommes s'étaient liés d'amitié, mais il ne savait pas comment aborder le sujet qui lui tenait à cœur. Il décida d'aller droit au but:

— Vous êtes sûr que vous souhaitez laisser Nathanael Parkes épouser Angie?

— Nat devrait s'estimer heureux. Elle fera une bonne épouse pour lui.

— Vous ne me comprenez pas. Je crois que Angie ferait une bonne épouse pour n'importe quel homme. Mais surtout pour vous, parce qu'il est évident qu'elle vous aime... et je vous soupçonne de l'aimer aussi.

— Je ne l'aime pas, rétorqua Jason sèchement. Je ne sais pas ce qu'est l'amour. Je ne suis peut-être pas capable d'aimer.

— Oh, je crois que vous en êtes tout à fait capable, plus même que beaucoup d'hommes. C'est pourquoi vous combattez ce sentiment avec tant de force. Peut-être avez-vous l'impression que l'amour vous affaiblit, ou vous rend vulnérable...

— Foutaises!

— Très bien. Entêtez-vous, grommela Caleb. Mais rappelez-vous ceci. Une fois mariée à M. Parkes, Angie sera perdue pour vous. A jamais.

Voilà. Il avait vidé son sac.

Jason serra les poings et les fourra dans les poches de son habit. Il était descendu du porche, mais se retourna.

— Que faire, révérend? Epouser Angie à la place de Nat, au cas peu probable où je serais amoureux d'elle? Je ne sais plus où j'en suis, je n'arrive pas à faire la part du désir et de l'amour. Je ne peux tout de même pas en faire ma maîtresse en attendant d'être éclairé? Je doute que vous approuviez. Et connaissant Angie, elle accueillerait ma suggestion par une gifle. Elle sera mieux avec Nat.

161

Jason quitta le révérend et rejoignit la solitude de sa cabane au fond des bois de Sagadahoc.

Il n'aimait pas Angie. C'était du désir qu'il éprouvait, pas de l'amour.

Elle épouserait Nathanael Parkes. C'était un brave homme ; il serait bon pour elle, subviendrait à ses besoins, et elle serait heureuse. Et le docteur Jason Savitch resterait libre...

Libre de faire quoi ?

Il l'ignorait. Soudain, cette liberté avait un goût amer.

Debout dans l'ombre du tas que formaient les mâts empilés, Angie regardait les eaux noires de la baie de Merrymeeting. Un pâle clair de lune argentait la surface que ne ridait pas la moindre brise. L'air était chargé d'une odeur d'herbe mouillée et de sel.

Elle pencha la tête en arrière. Les étoiles étaient si proches qu'elles semblaient danser dans l'air. Malgré la beauté de ce spectacle, elle avait la gorge serrée. Elle finit par comprendre d'où venait cette tristesse... Jason était parti.

Il était parti avec les Hooker. Angie l'avait regardé s'éloigner. Il lui avait même souri et avait dit :

— Bonsoir, fillette.

Elle avait été réchauffée par son sourire et son ton taquin. Mais, à présent, elle se sentait seule. Il se passerait peut-être des jours avant qu'elle ne le revoie. Sans doute même essaierait-il de l'éviter. Malgré leur promesse d'amitié, la tension était palpable entre eux.

162

Angie entendit des pas derrière elle et se retourna, s'attendant à le voir.

— Vous devriez être couchée, dit Anne Bishop de sa voix aigre. Le soleil se lève tôt dans le Maine. Vous avez tout ce qu'il vous faut ?

— Oh, c'est parfait. Vous m'avez donné une ravissante chambre.

Pour la première fois de sa vie, la jeune fille allait dormir dans une chambre pour elle seule, et dans un lit à baldaquin avec un matelas en plume. La pièce comportait une commode en chêne pour ranger ses vêtements, un fauteuil et un tapis au crochet devant la cheminée. Enfant, elle avait souvent imaginé une chambre comme celle-ci.

— Venez, ma fille, reprit Anne en lui touchant le bras. Les moustiques sont féroces, le soir.

Elles se dirigèrent vers le manoir. Une véranda longeait la façade donnant sur la baie. De la lumière brillait aux fenêtres du haut. Pour Angie, le manoir des Bishop n'était bien sûr qu'une étape. Quand elle serait mariée, elle aurait une maison, une terre, des enfants. Un époux. Mais lorsqu'elle fermait les yeux pour se représenter cette scène, ce n'était pas Nathanael Parkes qu'elle voyait à côté d'elle.

Elles pénétrèrent dans le long vestibule séparant la maison. Le parquet figurait des losanges noirs et blancs qui donnaient le tournis à Angie quand elle le fixait trop longtemps. Un escalier de chêne menait à l'étage. Elle s'y engagea mais, apercevant par une porte ouverte une bibliothèque, elle s'arrêta. Intriguée, elle entra dans la pièce sans attendre d'y être invitée.

— C'est un deuxième salon, dit Anne Bishop en lui emboîtant le pas.

— Incroyable! s'exclama Angie en caressant respectueusement le dos des livres. Ils appartiennent tous au colonel? Il doit être très instruit. Comme le docteur Savitch.

— Non, ces livres sont à moi.

— Vous les avez lus? demanda Angie surprise. Tous?

— Oui. Certains plusieurs fois, bien que Giles soit agacé quand il me surprend à lire, car il pense que c'est une perte de temps pour une femme. La plupart des hommes estiment qu'une femme n'a pas besoin d'être instruite.

— Comme mon père. Il me disait toujours que les femmes ne servent à rien, en dehors de la cuisine et du lit...

Elle s'interrompit, horrifiée par ce qu'elle venait de dire. Une vraie dame n'aurait jamais fait allusion à l'intimité d'un homme et d'une femme. Quand apprendrait-elle à réfléchir avant de parler?

Mais Anne Bishop ne parut pas offensée. Elle émit une espèce de gloussement que Angie prit pour un rire.

— C'est à la cuisine ou dans la chambre à coucher qu'on peut espérer gouverner un homme. Et je pencherais plutôt pour la cuisine. Mais vous découvrirez cela bientôt, si ce n'est déjà fait.

Elle tapota Angie sur l'épaule, comme si elle était une enfant.

— Maintenant, ma fille, il faut aller au lit. Je parie que votre Nat sera ici de bon matin, et voudra vous emmener voir sa ferme dont il est si fier.

Votre Nat...

Anne Bishop lui sourit à nouveau. Mais Angie fut incapable de lui rendre son sourire.

13

— J'ai pensé que vous aimeriez voir la ferme, déclara Nathanael Parkes en tripotant nerveusement le large bord de son chapeau de feutre.

Angie eut un moment de panique : et si Jason venait pendant son absence ? Ridicule. Il n'avait aucune raison de lui rendre visite.

— Ce serait merveilleux, Nat, dit-elle avec son plus beau sourire.

Elle le suivit jusqu'à sa charrette. La jument qui somnolait s'ébroua quand Nat aida Angie à y prendre place. Elle sentit sa force, mais n'éprouva aucunement le frisson qui la parcourait lorsque Jason la touchait.

Merrymeeting avait la forme d'un fer à cheval, avec le nouveau temple et le fortin à chaque extrémité, la scierie face à la baie et, au centre, le pré communal couvert de riz sauvage, de touffes de romarin et de gueules-de-loup. Au milieu du pré poussait un pin solitaire au sommet duquel était fixée une girouette. Anne Bishop avait dit à la jeune fille que la première chose que l'on faisait en se réveillant le matin était de regarder de quel côté soufflait le vent.

Nat suivit la route coupée d'ornières qui longeait la rivière. De la fumée montait de la forge et la roue du moulin faisait entendre son fracas. Devant l'entrepôt des mâts, deux jeunes garçons ramassaient de la sciure et des copeaux. Le quai était encombré de planches de pin, de blocs de chêne et de mâts, les mâts du roi.

Ils laissèrent Merrymeeting derrière eux. La charrette avançait sur une route en rondins qui traversait la zone humide. Des ponts grossiers faits de troncs d'arbre enjambaient les innombrables ruisseaux qui se déversaient dans la baie. Ici et là, au milieu d'une clairière, on apercevait une maison en planches.

— Une de ces maisons appartient au docteur Savitch ? ne put-elle s'empêcher de demander.

— Non, la cabane du docteur est beaucoup plus loin en amont de la rivière. Au-delà de ma ferme. Jason Savitch, dit-il en fixant sur elle ses yeux gris, est jaloux de son indépendance. Comme la plupart des gens du Maine, il tient à préserver son intimité. Vous feriez bien de vous en souvenir, si vous voulez vivre ici.

— Je m'en souviendrai.

Piquée par cette mise en garde, Angie se tut. S'écartant de la rivière, Nat s'arrêta après avoir parcouru quelques centaines de mètres sur une piste cahoteuse à travers une forêt de sapins, de pins et d'érables.

— On est arrivés, annonça-t-il.

Elle le sentait à l'affût de sa réaction.

La ferme se dressait au milieu d'une clairière ; des collines plantées de maïs l'entouraient sur trois côtés. Le quatrième côté faisait face à la rivière que l'on ne voyait pas, mais dont on entendait le léger bruissement. La maison était en planches et sans étage. Le toit en bardeaux de cèdre, à forte pente, était percé de deux lucarnes. Devant, on remarquait un potager et, plus loin, un petit verger de pommiers. La grange avait été construite sur la pente d'une colline, suffisamment loin de la mai-

son pour ne pas être exposée aux étincelles. Ados-
sés à la maison, un bûcher et un fumoir.

— Je n'y connais pas grand-chose, dit Angie en
lui adressant un sourire, mais nous avons vu un
bon nombre de fermes depuis Boston, et c'est la
plus belle.

Elle pensait que ce compliment, qui était sin-
cère, lui ferait plaisir, mais la bouche de Nat resta
crispée.

— Ça demande beaucoup de travail, répliqua-
t-il d'un ton sec, ce qui signifiait qu'elle ne devait
pas s'attendre à avoir la vie facile.

— J'ai dit au docteur Savitch, quand j'ai répondu à son annonce, que travailler dur ne me
faisait pas peur.

— Tout dépend de ce que vous appelez travailler
dur.

Angie se sentit rougir. Nat remarqua son embarras et détourna les yeux, hochant la tête comme si
cela confirmait ses pires soupçons.

— Nat, j'ignore ce que Sara Kemble vous a dit
sur moi, mais je veux que vous sachiez…

— Plus tard. Nous en parlerons plus tard. Les
filles nous attendent. Meg nous a préparé un
déjeuner. Si vous acceptez de rester.

— J'en serai ravie, Nat. Merci.

Il l'aida à descendre de la charrette et la conduisit vers la maison. Elle s'arrêta un moment pour
admirer les alentours. C'était vraiment une ferme
magnifique. «Je pourrais y être heureuse, décida-
t-elle. Si seulement, si seulement…» Mais il ne fallait pas y songer.

Au-delà de la zone défrichée, entre les arbres, on
avait planté du maïs, des haricots et des citrouilles.

— Le sol est fertile, expliqua Nat, mais pour

herser et labourer, c'est le diable à cause des rochers. On dirait qu'ils se reproduisent pendant l'hiver.

Le tintement d'une cloche attira l'attention de Angie.

— Oh! s'écria-t-elle en tapant des mains. Vous avez un bouc!

Nat éclata de rire. C'était la première fois qu'elle entendait son rire.

— Je vois que vous ne vous y connaissez guère en bétail. C'est une chèvre.

Celle-ci était attachée à un pieu près de la grange.

— Elle nous fournit généreusement en lait, mais, lâchée dans le jardin, c'est une vraie tornade. Ma femme... euh, Marie a été un jour tellement furieuse qu'elle a menacé d'en faire un ragoût...

Il laissa son regard s'égarer. Angie attendit qu'il se fût repris. Lorsqu'il se retourna vers elle, il avait de nouveau son visage douloureux.

— Je suis content que vous aimiez cet endroit, Angie.

— Oh, oui, je l'aime! acquiesça-t-elle avec enthousiasme.

Nat poussa la porte de sa maison. Elle ouvrait dans un vestibule d'où partait une échelle menant à la soupente. A gauche, une petite chambre et, à droite, la salle. Angie y entra.

Assise à une table, Tildy recopiait laborieusement des lettres sur une fine feuille d'écorce de bouleau avec une mine de plomb, tandis que Meg alimentait le feu. A l'entrée de Angie, cette dernière se redressa et l'accueillit avec un froncement de sourcils.

— C'est notre nouvelle maman! s'exclama Tildy

en bondissant, l'écorce de bouleau dans sa main potelée. Regardez. J'apprends mon alphabet.

— C'est formidable, répondit Angie après avoir examiné son travail.

— Elle n'est pas notre nouvelle maman! protesta Meg. Ils ne sont même pas encore mariés.

— Meg, ne recommence pas, l'avertit Nat.

Se détournant, Meg souleva le lourd chaudron afin de le suspendre au-dessus du feu. Angie s'avança pour l'aider.

— Je peux me débrouiller toute seule! jeta la petite fille.

— Ça suffit, Meg, s'interposa Nat en lui prenant le chaudron des mains. Si tu ne changes pas d'attitude, tu recevras le fouet.

Meg blêmit et serra les lèvres.

— Je vais dehors, dit-elle, au bord des larmes. Viens, Tildy.

— Veux pas.

Meg la prit par la main et l'emmena de force, malgré ses cris de protestation.

— Je suis désolé, Angie, dit Nat en suspendant le chaudron à un crochet. Je ne sais pas pourquoi elle agit ainsi. Mais je vous promets que ça va cesser.

— Oh, je vous en supplie, ne la punissez pas à cause de moi. Donnez-lui un peu de temps. Ma mère est morte quand j'avais son âge. Je peux la comprendre. Ne la punissez pas, insista-t-elle en posant la main sur son bras.

Il se raidit et s'écarta vivement.

Pour se donner une contenance, Angie inspecta la pièce du regard. Le foyer de granit disposait d'une broche de belle taille et d'une cheminée équipée d'un four. Des planches de pin recouvraient les murs, et des rideaux en coton imprimé ornaient les deux fenêtres. En dehors d'un buffet en érable mouluré, le mobilier était simple. Six assiettes en faïence étaient disposées au sommet du buffet, de part et d'autre d'une théière blanche. Une délicieuse odeur de bougie imprégnait la pièce.

Remarquant une broderie en soie et lin dans un cadre sur le mur, elle traversa la pièce pour l'examiner de plus près. Le tableau représentait une grange, un cheval et un homme fauchant du foin.

— C'est ma Marie qui l'a fait, expliqua fièrement Nat.

— C'est joli.

A côté, au-dessus d'un rouet, était accrochée une pendule en merisier et cuivre qui égrenait son paisible tic-tac.

— C'est mon cadeau de mariage pour Marie, dit Nat. J'avais hésité entre une vache et la pendule. Elle m'a dit ensuite que j'aurais dû choisir la vache. Elle était tellement raisonnable, Marie.

Angie aurait préféré la pendule, mais se garda de le dire. Marie Parkes avait manifestement laissé son empreinte sur la maison. Une empreinte indélébile. Angie ne s'était pas rendu compte de l'énormité de la tâche qu'elle entreprenait. Refoulant un soupir, elle fit tourner la roue du rouet. Comment avait-elle pu songer occuper la place d'une autre femme ? Elle prit une profonde inspiration et croisa le regard de Nat.

— Je vais être honnête avec vous, Nat. Je connais le travail de serveuse mais, avant de quitter Boston, je n'avais jamais mis les pieds dans une ferme. Je devrai apprendre presque tout.

— J'avoue que je suis déçu. Je cherchais une

femme pour s'occuper de mes filles et de la maison, et pour m'aider dans les champs. Sinon, je n'ai pas besoin de femme.

Que voulait-il dire exactement ? Elle se sentait si vide, si seule.

— Vous pouvez peut-être m'apprendre ce que j'aurai besoin de savoir, dit-elle. J'apprends vite.

Il arrêta la roue.

— Peut-être. Mais je ne peux pas vous apprendre ce qui est propre aux femmes.

— Oh, Elisabeth Hooker est une merveilleuse fileuse, à ce que dit Caleb. Elle voudra bien me montrer, je suis sûre.

Ils se regardèrent en silence, puis Nat se racla la gorge.

— Vous voulez voir le reste de la maison ? Les filles dorment dans la soupente, et Marie et moi… je veux dire, acheva-t-il en rougissant, le lit est dans la chambre.

De taille modeste, la chambre comportait, outre le lit, un coffre en cuir, une table de toilette en pin et une cheminée. La vue du lit peint en rouge rendit Angie nerveuse.

Cette pièce présentait aussi une petite fenêtre. La jeune fille s'en approcha et appuya les mains sur le châssis de bois.

Elle aperçut Meg qui arrachait les mauvaises herbes entre les rangées de maïs. De temps en temps, elle s'arrêtait et jetait vers la maison un regard où se mêlaient peur et fureur. Assise par terre à l'extrémité d'une des rangées, Tildy jouait avec sa poupée Gretchen.

Nat s'éclaircit la voix :

— J'aimerais savoir la vérité, Angie. Sur la vie que vous meniez à Boston.

Elle pivota pour lui faire face.

— Mon père buvait et je travaillais dans une taverne pour nous faire vivre. Depuis l'âge de quatorze ans. J'ai peut-être fait des choses que vous n'approuveriez pas, mais je n'ai jamais vendu mon corps. Je ne suis pas une prostituée.

Il la regarda fixement.

— Je vous crois, dit-il enfin. Quant à moi, je suis un bon travailleur, malgré ma jambe. Et un homme sobre. Vous avez vu l'endroit, et je crois que nous savons ce que nous attendons l'un de l'autre. Alors, si vous êtes toujours d'accord...

— Vous voulez dire que vous êtes disposé à m'épouser ?

— Oui. Angie McQuaid, consentez-vous à devenir ma femme ?

Angie resta un moment pétrifiée, incapable de bouger, incapable de parler. Ce n'est pas ainsi que les choses auraient dû se passer...

Elle ne pouvait épouser Nat quand son cœur, son âme appartenaient à un autre homme. Mais Jason ne l'aimait pas. Et si Nat ne l'aimait pas davantage, il avait besoin d'elle. Ses filles aussi. Surtout Meg, si blessée et apeurée.

En outre, comment gagnerait-elle sa vie, maintenant qu'elle était à Merrymeeting ? Jason avait proposé de la renvoyer à Boston si Nat et elle ne se convenaient pas, mais que retrouverait-elle là-bas ? Un père ivrogne et violent, une existence misérable.

Ici, elle serait une femme mariée, respectable. Elle aurait, sinon l'amour de Jason, une maison, une famille, une nouvelle vie.

— Oui, Nathanael Parkes, murmura-t-elle sans réussir à sourire. J'accepte d'être votre femme.

— Dans ce cas, c'est décidé. La ville s'attend à des réjouissances, alors plus tôt on en aura fini, mieux ce sera. Nous avons la fenaison dans deux semaines et il ne sera plus temps de s'amuser.

— Non, je suppose que…

— Je vais demander au nouveau pasteur d'afficher les bans sur la porte du temple. Et je vais payer Jack Tyson — il est pêcheur — pour qu'il amène le juge dans son sloop.

Angie était hébétée. Elle ne demandait pas à Nat d'être amoureux d'elle, mais elle aurait aimé qu'il éprouvât au moins quelque chose. On aurait dit qu'il engageait une domestique.

— Vous n'êtes pas porté sur le rhum ? demanda-t-elle, soudain prise de panique.

— Je vous ai dit que je suis sobre. Je ne touche jamais à l'alcool.

— Combien de temps faudra-t-il attendre, pour les bans ?

— Pas plus de dix jours.

Dix jours. Angie porta les yeux vers le lit. Dix jours…

Plus tard, après le déjeuner, Nat étant sorti atteler la jument pour la ramener au manoir, elle repéra l'abécédaire de Tildy sur le banc près de la cheminée et demanda à la petite fille de le lui prêter.

— Vous pouvez le prendre, répondit Meg à la place de sa sœur. Je parie que vous ne savez ni lire ni écrire. Tildy n'a que trois ans, mais elle connaît déjà toutes ses lettres. N'est-ce pas, Tildy ?

— Un peu, dit l'enfant en levant vers Angie ses grands yeux candides.

— Elle va bientôt avoir son premier livre de lecture, ajouta Meg. Ma maman savait lire et écrire et elle m'a appris, et maintenant j'apprends à Tildy. Je ne vois pas pourquoi papa doit vous épouser. Nous n'avons pas besoin de vous et de toute façon vous ne savez rien.

Sans répondre, Angie prit l'abécédaire. Elle songea aux livres qu'elle avait vus dans la bibliothèque d'Anne Bishop. Peut-être accepterait-elle de lui apprendre à lire et à écrire, pour être une bonne épouse et une bonne mère ?

Pour impressionner Jason Savitch. Et lui montrer quelle femme il laissait échapper.

Nat et Angie trouvèrent une foule bruyante rassemblée devant le manoir. Debout sur le perron des Bishop, Jason criait quelque chose, et plusieurs personnes l'apostrophaient.

Anne Bishop se tenait derrière lui, appuyée au mur, les bras croisés sur sa poitrine. Angie contourna la foule et monta les marches en courant.

Jason lui accorda un regard, mais interpella quelqu'un dans la foule :

— Vous, là, Agnès Cartwright, par refus de comprendre, vous allez laisser vos cinq petits attraper la variole !

— Que se passe-t-il ? demanda Angie à Anne. Pourquoi toute cette agitation ?

— Oh, le docteur prétend qu'en injectant aux gens du pus de vaccine, ils n'attraperont pas la variole.

Angie se rappela que Jason avait parlé à son grand-père de ces expériences.

— Comme si donner une maladie empêchait de

l'attraper, ajouta Anne assez fort pour que Jason entende.

— Vous n'avez pas écouté un mot de ce que j'ai dit, gronda-t-il en se retournant.

— Quand on me crie dans les oreilles, je n'entends rien.

Angie gloussa et Jason s'en prit à elle :

— Où étiez-vous toute la journée ?

— Avec Nat. Dans sa ferme. Vous pouvez me le faire, Jason. Ça m'est égal.

— Vous faire quoi ?

Elle montra la sacoche à côté de lui :

— L'expérience avec la vaccine. Quand ils verront que je ne suis pas morte, ils accepteront de se laisser vacciner.

Jason n'hésita pas. Il ouvrit le sac et sortit son assortiment de lancettes et une fiole enveloppée dans un linge. La foule devint brusquement silencieuse.

— Donnez-moi votre bras, dit-il, soudain radouci. Vous n'êtes pas du genre à vous trouver mal, au moins ?

— Pas vraiment.

— Je vais devoir vous inciser le bras.

— Je ne braillerai pas.

— Tant mieux. Il en va de ma réputation.

— J'espère que vous savez ce que vous faites, intervint Anne Bishop, inquiète.

— Bien sûr qu'il sait, répliqua Angie avant de tourner vers Jason un visage où se lisait clairement la confiance qu'elle lui accordait.

L'inoculation prit une minute. La foule regardait avec un intérêt passionné. Angie ne broncha pas. Jason recouvrit ensuite l'incision d'un petit pansement.

— Il se peut que vous ayez de la fièvre pendant deux jours, dit-il. Anne, vous devriez la faire rentrer et lui donner une tasse de thé au sassafras.

— Vous et votre sassafras! A vous entendre le prescrire pour n'importe quelle maladie, on dirait un élixir magique.

— *C'est* un élixir magique.

Il regarda longuement Angie, puis lui caressa la joue.

— Angie, je... merci.

— Ce n'est rien, Jason. Et si je ne suis pas morte d'ici la fin de la semaine, je clamerai votre succès dans tout Merrymeeting.

Tandis que Angie se faisait vacciner, Nat attendait l'occasion de parler à Jason. Il l'interpella une demi-heure plus tard, alors que le docteur traversait le pré communal pour se rendre au presbytère.

— Dites-moi franchement, docteur. A Boston, Angie était-elle une prostituée?

Jason s'arrêta.

— Non, je peux vous le garantir.

— C'est ce qu'elle m'a dit et je l'ai crue, mais ça me chiffonnait et je me suis dit... je ne peux pas introduire une prostituée dans la maison de ma Marie, je dois penser à mes filles. Je voulais donc être sûr.

— Nat, comme je l'ai dit à Angie, si vous décidez que vous ne vous convenez pas...

— Non, non. Ce n'est pas ça, soupira Nat en passant une main dans ses cheveux. C'est juste qu'hier, quand je l'ai vue descendre de cette goélette... elle était tellement différente de ce que j'at-

176

tendais. J'espérais sans doute que vous me ramèneriez ma Marie en chair et en os.

— Nat...

— Docteur, ce n'est pas votre faute. Ni celle de cette pauvre fille. Je ne peux pas lui reprocher de ne pas être Marie. Hier, pour la première fois, je me suis résolu à admettre que Marie est morte. Elle est morte, Jason. Et elle me manque tellement... N'allez pas croire, s'empressa-t-il d'ajouter, que je ne vous suis pas reconnaissant d'avoir amené Angie. Elle est évidemment un peu jeune et j'aurais préféré qu'elle soit moins... disons, rustre et ignorante. Je sais que vous avez fait de votre mieux. C'est juste qu'elle est si différente de ma Marie. Marie était solide, facile à comprendre. Angie me surprend sans cesse et, pour vous dire la vérité, je ne suis pas sûr de pouvoir la gouverner.

— Vous devriez peut-être repousser le mariage, proposa Jason avec un étrange sentiment de soulagement. Prenez le temps de faire connaissance.

— Le temps presse. Je dois rentrer mon foin et le jardin est plein de mauvaises herbes. De toute façon, nous ne serons pas les premiers à nous marier sans vraiment nous connaître. Non, ajouta-t-il en tapant sur l'épaule de Jason, puisque vous me jurez que ce n'est pas une prostituée, il n'y a aucune raison d'attendre. Je vais demander au révérend Hooker d'afficher les bans.

Jason regarda Nathanael s'éloigner dans sa charrette et fut secoué d'un petit rire amer. Deux jours plus tôt, elle avait prétendu l'aimer, *lui*. Et voilà qu'elle acceptait d'épouser un autre homme. Ah, les femmes !

Elle aurait tout de même pu attendre un peu avant de dire oui, au moins le temps qu'il décide...

qu'il décide quoi ? Est-ce que, par hasard… Non, il ne l'aimait pas. Il la désirait seulement. Elle voulait un mari et lui ne voulait surtout pas d'une épouse. Ce qu'il voulait était simple. Il voulait l'inviter dans son lit, l'espace d'un été. Pas de mariage, pas de bébés, pas d'amour éternel.

Se retournant vers le manoir, il vit bouger le rideau d'une fenêtre, à l'étage. Il était sûr que c'était elle.

— Mon Dieu, Angie, pourquoi ne me laisses-tu pas tranquille ? murmura-t-il tout bas.

14

Penchée sur l'ardoise posée sur ses genoux, Angie faisait grincer la craie en écrivant. Anne Bishop apparut dans l'embrasure de la porte de la véranda ; un sourire adoucissait ses traits.

Elle s'approcha et regarda par-dessus son épaule.

— J'ai écrit mon nom, dit Angie en tendant l'ardoise. Puis le vôtre et celui du colonel.

— Et aussi celui de Jason Savitch, je vois.

Angie rougit et s'empressa d'essuyer l'ardoise avec un chiffon mouillé, puis elle sourit :

— C'est gentil à vous, Anne, de m'apprendre les lettres.

— D'ici la fin du mois, vous lirez le *Pilgrim's Progress*.

Anne porta son regard vers la baie.

— Il va bientôt être l'heure de vous habiller, ajouta-t-elle. Votre Nat traînait dans les parages, il y a un moment. Je lui avais pourtant dit de ne venir qu'une demi-heure avant la cérémonie.

Le mariage devait avoir lieu dans l'après-midi. Les domestiques d'Anne dressaient des tréteaux dans le pré communal, en vue du banquet qui suivrait.

— Je n'ai jamais vu ce pauvre garçon aussi terrorisé. Il avait les genoux qui s'entrechoquaient.

— Moi aussi, j'ai les jambes flageolantes, soupira Angie. Je n'ai encore jamais été mariée.

— L'expérience n'arrange rien, gloussa Anne.

Comme une servante arrivait en roulant un chariot de thé, Angie posa l'ardoise et se leva.

— Ramenez ça, Bridget, dit Anne. Et apportez-nous deux verres de vin blanc.

La roue du moulin voisin emplissait l'air d'un tintement apaisant qui faisait contrepoint aux cris rauques des goélands. En ce début d'après-midi, le soleil faisait resplendir les eaux de la baie comme de l'or en fusion. Une brise légère apportait une odeur de fougère et de cirier.

— C'est si beau ici, murmura Angie.

— Oh, Merrymeeting est vraiment le plus bel endroit de la Terre. Mais ce n'est pas le paradis. Ne vous méprenez pas.

« Je suis bien placée pour le savoir, songea Anne. J'y ai enterré un mari et trois enfants. »

Bridget revint avec deux gobelets d'étain remplis de vin. Anne en but une gorgée puis, se tournant vers Angie, elle leva son verre.

— Belle journée pour un mariage.

— Si les gens daignent venir, répliqua tristement Angie.

— Pourquoi ne viendraient-ils pas ?

— Sara Kemble. Elle a dit à tout le monde qu'à

Boston j'étais une... que je couchais avec n'importe qui. Tout Merrymeeting en parle. Et assez fort pour que j'entende.

— Ce que dit cette mouche du coche n'a aucune importance. Le problème de Sara Kemble, c'est qu'elle est moche comme un pou, et jalouse d'une fille jeune et jolie comme vous.

Angie goûta le vin et s'étrangla.

— Beurk! fit-elle avec une moue de dégoût.

— Les dames boivent du vin blanc, Angie. Il faut vous y habituer.

La jeune fille acquiesça et prit une nouvelle gorgée, essayant de ne pas montrer sa répulsion. Anne réprima un sourire. Cette fille était tellement forte. Assez forte pour affronter ce que la vie exigerait d'elle — et la vie en exigeait beaucoup dans ces régions sauvages.

— Je n'ai pas vu le docteur Savitch cette semaine, dit Angie d'un ton détaché.

— Il est parti mercredi pour Falmouth Neck.

— Oh...

— Pour accoucher une femme à Cap Elisabeth.

— Ah bon! fit-elle, soulagée.

— Ma chère, ça se voit vraiment beaucoup.

— Qu'est-ce qui se voit? demanda Angie en regardant son corsage avec inquiétude.

Anne éclata de rire. Elle posa son vin sur la balustrade et prit le visage de Angie entre ses mains.

— Votre amour pour Jason Savitch. Il se voit sur votre figure, dans vos yeux, dans la façon dont vous prononcez son nom.

Angie s'écarta d'elle et lui tourna le dos.

— Je dois admettre que je suis moi-même un peu amoureuse de lui, poursuivit Anne. Je ne pense pas qu'il y ait une seule femme à Merrymeeting qui ne le soit pas.

— J'aimerais Jason Savitch même s'il était vérolé. Je l'aimerai quand il sera vieux, voûté et édenté. Je continuerai à l'aimer quand je serai morte et enterrée.

— Laissons ces divagations romantiques, ma fille. Aujourd'hui, vous allez épouser Nathanael Parkes.

— Je sais, dit Angie d'une voix fêlée par l'émotion, et je vous jure que je serai une bonne épouse, car Nat est un brave homme. Ce n'est pas comme s'il était amoureux de moi, car il aime toujours sa défunte femme. Je ne lui enlèverai donc rien en aimant Jason dans le secret de mon cœur.

— Oh, Angie, c'est peut-être vrai maintenant, mais les choses changent...

— Vous ne voyez donc pas ? s'exclama Angie en saisissant ses mains. J'aime Jason, et il ne m'aime pas. Mais il sait ce que j'éprouve pour lui, combien je l'aime, et il en a mauvaise conscience.

— Qu'il ait donc mauvaise conscience !

— Non, non, vous ne comprenez pas. Il m'a touchée avec ses mains magiques et je suis tombée amoureuse de lui. Il n'y est pour rien. Mais si j'épouse Nat, il ne se sentira plus coupable. Et quand il se mariera, je me réjouirai qu'il ait trouvé le bonheur. Il n'est pas heureux maintenant. Il est seul et triste.

« Seigneur, être aimé comme ça ! pensa Anne. Pas étonnant que Jason Savitch ait pris peur... »

Soudain, elle vit une silhouette familière se diriger vers elles.

— En parlant du loup... dit-elle.

Alertée par un sixième sens, Angie s'était déjà retournée. Anne ramassa les deux gobelets et s'éclipsa.

Angie était appuyée à un pilier de la véranda. A sa vue, il pressa le pas mais, lorsqu'il prit conscience de sa hâte, il ralentit.

Il ne put toutefois s'empêcher de monter l'escalier en courant et faillit la prendre dans ses bras. Il s'arrêta juste à temps. Leurs regards se croisèrent et il retint son souffle.

Elle avait changé, et ce changement ne lui plaisait pas. Ses beaux cheveux étaient dissimulés sous un bonnet. Les manchettes blanches et empesées de son corsage lui cachaient les poignets, et son jupon lui tombait jusqu'aux pieds. Elle avait l'air sage d'une jeune fille de bonne famille et il regrettait la fille du port.

— Comment ça va, Angie ?

— Oh, je pense que je m'en sortirai, dit-elle avec un sourire éblouissant.

Son amour pour lui éclatait dans ses yeux fauves. Il se rendit compte, à sa honte, qu'il attendait ce regard, et en avait besoin.

Il lui prit le bras. Elle sursauta et essaya de se dégager, mais il la tenait fermement. Il déboutonna la manchette.

— Que faites-vous ? s'écria-t-elle, les pupilles dilatées.

Il la regarda un moment dans les yeux, sans bouger, sans rien dire.

— Jason... lâchez-moi.

— Pas la peine de piquer une crise, dit-il d'un

ton bourru. Je veux simplement examiner l'inoculation.

Il remonta sa manche. Une croûte s'était formée sur la plaie qui cicatrisait bien.

— Vous ne vous êtes pas sentie mal ? Pas de fièvre ?

— N… non.

Il lui lâcha le bras. Elle s'écarta vivement, descendit sa manche et la reboutonna.

— Ça démangeait un peu, c'est tout.

— Vous vous plaisez à Merrymeeting ?

— Oh, oui ! J'aime beaucoup cet endroit.

Un lourd silence s'installa entre eux. Ils se regardèrent longuement dans les yeux. Jason éprouvait une irrésistible envie de l'embrasser. Mais elle se mariait aujourd'hui…

— Vous m'avez manqué, Jason, dit-elle, et ces mots lui firent l'effet d'une caresse.

— J'étais parti.

— Oui, je sais. Pour un accouchement.

— Vous êtes bien informée.

Elle avait bel et bien changé. Presque une vraie dame. Cette pensée le fit sourire.

— La mère et l'enfant se portent bien ? demanda-t-elle.

— Ça a été dur, mais ils ont survécu.

— Et… vous êtes passé voir Suzanne Marsten ?

Voilà qui ressemblait plus à l'ancienne Angie.

— Oui, je l'ai vue.

— Vous avez couché avec elle ?

Il n'avait pas couché avec Suzanne. Il pensait bien trop à Angie. Non, il n'avait pas couché avec elle et ne le ferait probablement jamais. Son silence pourtant équivalait à un aveu.

— Vous devriez l'épouser, murmura-t-elle.

— J'y songerai.

Il sourit et se pencha, si près que leurs souffles se mêlèrent. Elle sentait le savon de sassafras et les bougies de cirier, et une odeur musquée qui lui était propre.

Elle écarta les lèvres.

— Vous faites l'entremetteuse ? Maintenant que vous allez être une femme mariée...

Elle rit. Il essayait de la blesser et elle riait. Elle le rendait fou.

— Pourquoi ne l'épouseriez-vous pas ?

— La barbe ! Vous êtes obsédée par le mariage.

— Elle est gentille, Jason. Et elle vous aime.

— Dommage, parce que je ne l'aime pas.

— Vous n'avez jamais aimé une femme ?

— Pourquoi faites-vous ça ?

— De quoi parlez-vous ?

Il se pencha de nouveau, si près que leurs lèvres se frôlèrent.

— Vous croyez que j'arrêterai ce mariage ridicule à la dernière minute ? Eh bien, je vais vous dire... je ne vous aime pas, Angie, cria-t-il en la secouant violemment, et rien ne me convaincra du contraire !

Il recula pour constater les dégâts. C'était un succès. Elle était blême et comme sculptée dans la glace.

Il faillit la prendre dans ses bras et lui dire que ce n'étaient que des mensonges. Que non seulement il avait peur de l'aimer, mais qu'il était probablement condamné à l'aimer toute sa vie. Et à la perdre.

— Vous avez fini de crier, Jason Savitch ? rétorqua-t-elle en levant le menton.

— Non...

— Parce que je n'ai pas le temps de vous écouter. Je dois m'habiller. Pour mon mariage.

Elle se dirigea vers la porte.

— Angie !

Mais elle ne se retourna pas.

Nat Parkes grimpa sur la colline derrière la grange. C'était la première colline à avoir été défrichée et cultivée, l'année où il avait acheté la ferme.

Marie avait travaillé à ses côtés, jusqu'à ce qu'elle soit enceinte de Meg. C'était son coin préféré — peut-être parce qu'ils l'avaient défriché ensemble. Elle y venait souvent seule, « pour converser avec moi-même », comme elle disait.

C'est donc là qu'il avait choisi de l'enterrer.

Au bout de deux mois, la terre avait séché. Mais la pierre tombale avait toujours l'air neuve. Il l'avait fait tailler à Portsmouth. Sous une tête de mort, était gravé : *Ici repose le corps de Marie Parkes, née en 1693 et morte à 28 ans*. Il avait voulu ajouter : « épouse et mère bien-aimée » quelque part, mais il n'y avait pas eu la place.

Il s'agenouilla.

— Marie... C'est aujourd'hui, Marie, murmura-t-il. J'épouse cette fille. Je t'ai sûrement déjà dit qu'elle s'appelle Angie McQuaid. Je ne sais pas si elle te plairait beaucoup. Je crains qu'elle ne soit guère religieuse, et je la soupçonne d'être un peu fantasque. (Il eut un petit rire.) Tu disais toujours qu'un homme doit éviter les femmes fantasques... L'ennui, Marie, c'est que le docteur l'a ramenée de Boston, et je n'ai pas le courage d'en chercher une autre.

Il essaya de refouler ses larmes et ferma les yeux.

— Je regrette que tu me l'aies fait promettre, Marie. Sans doute pensais-tu aux filles, et tu savais que je ne me remarierais jamais de mon plein gré. Et tu avais raison. Personne ne pourra jamais te remplacer, Marie. Jamais...

Ses épaules se soulevèrent et il éclata en sanglots.

— Oh, Marie... pourquoi es-tu morte ?

Anne Bishop déposa une couronne de marguerites sur la chevelure de Angie.

La jeune fille lissa avec ses paumes le corsage de sa nouvelle robe en lin, puis souleva le jupon de calicot, s'émerveillant de sa douceur. Avec ses minuscules pois verts, il avait la couleur d'un pommier en fleur. Sa robe à manches courtes avait la couleur de la mousse. Sa jupe bruissait à chaque pas et lui caressait les jambes.

— Oh, Anne, je me sens si jolie ! s'exclama-t-elle en tournoyant.

— Vous êtes aussi jolie qu'un cygne.

Angie s'arrêta de danser et lui sourit. Au cours des dix derniers jours, elle avait appris à aimer cette femme rêche qui, d'une certaine façon, était devenue la mère qu'elle avait perdue quand elle avait neuf ans.

— Oh, Anne... Comment vous remercier pour tout ce que vous avez fait pour moi ? Pour ces nouveaux vêtements et pour vos leçons. Et pour m'avoir reçue dans votre belle maison. Je vais regretter ma vie ici, avec vous et le colonel.

— Mais vous reviendrez trois matins par

semaine pour les leçons. Je n'ai pas passé toutes ces heures à vous apprendre à lire et à écrire pour que vous vous arrêtiez maintenant. J'ai l'intention de vous éduquer, ma fille.

Anne sortit du coffre un paquet enveloppé dans de la soie et le tendit à Angie.

— J'ai pensé qu'ils vous plairaient. C'est un cadeau de ma mère et je les ai portés pour mon premier mariage.

Angie la regarda, étonnée. Elle ignorait qu'elle avait été mariée deux fois. Elle hésita à ouvrir le paquet. L'emballage était déjà si précieux...

— Ne restez pas plantée là comme une statue de sel, s'impatienta Anne. Ouvrez-le, ma fille.

Angie écarta la soie et découvrit à l'intérieur une paire de gants en dentelle blanche, rebrodés de minuscules perles. Elle en eut le souffle coupé. Jamais elle n'avait possédé quelque chose d'aussi beau.

— Oh, Anne, ils sont ravissants. Mais je ne peux...

— Ne dites pas de bêtises. Je n'ai pas eu de fille à qui les donner.

— Oh, Dieu du ciel... murmura Angie, les larmes aux yeux.

Les deux femmes tombèrent dans les bras l'une de l'autre.

— Soyez heureuse, dit Anne en lui caressant le dos.

— Oui, j'essaierai.

Mais, au fond, elle était déçue à en pleurer. L'homme qu'elle aimait ne l'aimait pas, et l'homme qu'elle épousait aimait sa défunte femme.

La seule personne susceptible d'être heureuse

en ce jour était Jason Savitch qui serait débarrassé d'elle et du souvenir gênant d'un certain après-midi dans la forêt de Falmouth Neck...

Angie descendit lentement l'escalier, laissant traîner sur la rampe sa main gantée. Nathanael Parkes l'attendait dans le vestibule en tripotant son chapeau. Il leva la tête, avança d'un pas puis s'arrêta, stupéfait. Un sourire éclaira son visage.

— Vous êtes rudement jolie, Angie! laissa-t-il échapper malgré lui.

— C'est le plus beau compliment qu'on m'ait jamais fait, murmura-t-elle, afin de le mettre à l'aise.

Sans succès. Car s'il lui prit le bras pour sortir de la maison, il se tint aussi éloigné d'elle que possible. Il boitait plus que de coutume.

Angie avait une boule dans la gorge. «Arrête de faire ta tête de bois, s'admonesta-t-elle. Qui croyais-tu trouver en descendant ces escaliers? Jason Savitch, les yeux débordant d'amour? Nat Parkes a besoin d'une femme et toi d'une maison. De toute façon, il y a très peu de mariages d'amour, alors cesse de demander la Lune. Epouse cet homme, et qu'on n'en parle plus!»

La courte cérémonie devait avoir lieu sur le pré communal, et tout le village attendait que le mariage fût fini pour que la fête commence. Lorsque la porte du manoir s'ouvrit, tout le monde se retourna d'un même mouvement vers les mariés.

A califourchon sur la barre d'un chariot, Tildy, qui faisait semblant de monter un cheval, fut tellement saisie qu'elle tomba par terre, faisant un accroc à sa robe. Elle songea à pleurer mais, se rappelant ce qui se préparait, elle se releva et se précipita vers eux.

— Papa, papa, c'est maintenant ? On va avoir notre nouvelle maman ?

Elle se jeta contre les jambes de son père et tendit les bras vers lui.

— Tildy, tu m'avais promis de rester propre. Et où sont tes chaussures ? fit-il en essayant de prendre une voix grondeuse.

Angie la souleva dans ses bras et l'embrassa sur la joue.

— Oui, mon petit chou. C'est maintenant. Ton papa et moi, nous nous marions.

Tildy poussa un cri de joie. La petite fille dans les bras, Angie entra sur le pré, scrutant la foule à la recherche d'un certain visage. Ne le voyant pas tout de suite, elle en eut les larmes aux yeux. Il n'avait même pas pris la peine d'assister à son mariage.

Puis elle l'aperçut — en retrait, appuyé nonchalamment contre une des tables chargées de nourriture. Leurs regards se croisèrent, mais son expression était impénétrable. Elle détourna les yeux.

Nat scrutait lui aussi la foule.

— Où est Meg ? demanda-t-il.

— Meg est furieuse, dit Tildy. Elle veut pas une nouvelle maman.

— Je suis désolé, Angie, soupira Nat. Je ne sais pas quoi faire...

— Laissez-la, elle reviendra à de meilleurs sentiments.

Angie avait repéré Meg entre le pressoir à cidre et l'entrepôt des mâts. Elle portait une nouvelle robe qui flottait sur son corps maigre.

Un étranger s'avança. Il était minuscule avec un petit nez aplati sur lequel était posée une paire de lunettes. Nat le présenta. Il s'agissait d'Isaac Deere, le magistrat colonial qui devait diriger la cérémonie. Bizarrement, pour une société où la religion jouait un rôle si important, les mariages dans les colonies étaient considérés comme des affaires civiles.

Toutefois, le révérend Caleb Hooker donnerait sa bénédiction, car Nat avait insisté pour que leur mariage ait une consécration religieuse. Le pasteur s'approcha avec son plus grand sourire.

— Vous êtes ravissante, Angie, dit-il. Belle journée pour un mariage, monsieur Parkes.

Rougissant, Nat marmonna quelque chose en regardant par terre.

— Merci, Caleb, répliqua Angie.

Elisabeth, qui venait de poser une marmite de haricots sur une des tables, se dirigea vers eux. Elle se montra plus réservée que son mari, se contentant de prendre la main de la mariée et de la serrer.

— Que Dieu vous garde, Angie. Que Dieu vous garde, vous et M. Parkes.

Un sourire aux lèvres, Angie promena le regard sur les habitants de Merrymeeting qui s'étaient rassemblés par ce tiède après-midi d'été pour assister au mariage. La plupart lui étaient inconnus, mais ils seraient bientôt ses voisins, et peut-être un jour ses amis. Le propriétaire du moulin, Constant Hall, et sa femme, Charité. Samuel et Hannah Randolf — Sam était le forgeron, et ils avaient sept enfants, plus un en route. Obadiah et même Sara Kemble, qui boudait...

Et Jason.

Comme leurs regards se croisaient de nouveau, le sourire de Angie s'évanouit.

Jason fut le premier à détourner les yeux. Il s'éloigna à pas rapides vers la baie et n'eut pas un regard en arrière, pas même quand le magistrat s'éclaircit la voix et annonça :

— Nous allons commencer !

Isaac Deere remonta ses lunettes sur son nez et fixa Tildy, toujours dans les bras de Angie. Celle-ci posa la petite fille, mais garda sa main dans la sienne.

Elle jeta un coup d'œil à Nat. Il regardait quelque chose dans le lointain. Comme s'il s'attendait que sa Marie surgisse de la forêt et vienne le sauver de cet affreux destin.

— Nat, dit-elle doucement sans se préoccuper du magistrat, il n'est pas trop tard pour changer d'avis...

Il déglutit, ferma les yeux et secoua la tête.

— Non, Angie... Il le faut.

Il le fallait donc.

Elle faillit crier à Jason de revenir, d'arrêter ce mariage, de déclarer son amour et de la sauver de cette terrible erreur.

Mais elle n'en fit rien, et le magistrat prononça les paroles rituelles d'une voix monotone. Nat et Angie répondirent sans réfléchir, car s'ils avaient songé à ce qu'ils disaient, ils se seraient étranglés.

Puis, soudain, Angie entendit Isaac Deere annoncer :

— Par la loi de Dieu et du Commonwealth, je vous déclare mari et femme.

15

La fête battait son plein, et Meg Parkes boudait.

Elle jouait devant le manoir des Bishop avec sa nouvelle toupie qu'elle essayait de faire tourner le plus longtemps possible. Pour ce faire, elle la cinglait avec une lanière en peau d'anguille. Trois garçons passèrent à côté d'elle en courant et la bousculèrent délibérément. L'un d'entre eux était Daniel Randolf, le fils aîné du forgeron qu'elle détestait plus que quiconque.

— On n'a jamais vu une fille bonne à ça!

— Une fille est bonne à rien, intervint son jeune frère.

— Va au diable, Daniel Randolf! cria Meg.

Daniel et son frère s'esclaffèrent et repartirent en hurlant comme des Indiens.

— Il a tort, tu sais. Il n'y a pas de raison pour qu'une fille ne puisse pas cingler une toupie aussi bien qu'un garçon.

Au son de cette voix, Meg pivota, l'air renfrogné, car elle avait reconnu Angie McQuaid. Mariage ou pas, jamais cette femme ne remplacerait sa mère.

— Qu'est-ce que vous en savez?

— J'ai été championne de toupie de Ship's Wharf pendant cinq ans. Je connais un ou deux trucs qui fermeront le bec à ces gamins. Tu veux que je te montre?

— Non. Ce n'est pas la peine d'essayer de faire amie avec moi, parce que je ne vous aimerai jamais.

— Peut-être. Mais mon papa disait toujours que

j'étais têtue comme une mule. J'essaierai donc encore, si ça ne te fait rien.

Meg haussa les épaules et tourna les yeux vers les tréteaux installés sous le pin. Deux geais essayaient de chiper de la nourriture. Mme Bishop les fit partir en agitant son tablier; les autres femmes rirent.

— Vous ne devriez pas aller les aider? lança la fillette en pointant son petit menton vers les tables.

— J'ai proposé, répondit Angie d'un air mélancolique, mais elles ne veulent pas de mon aide.

Meg sourit. Elle avait vu les femmes chasser Angie comme elles l'avaient fait avec les geais. A part Mme Bishop et la femme du nouveau pasteur, les autres ne l'aimaient pas. Sara Kemble disait qu'elle avait fait de vilaines choses à Boston. L'espace d'un instant, Meg eut pitié d'elle, mais s'empressa de durcir son cœur. Elle lui tendit cependant le fouet.

— Vous pouvez me montrer comment cingler la toupie. Vous étiez vraiment championne?

— Oui! s'exclama Angie, les yeux brillants. Un jour, j'en ai fait tourner une pendant une bonne heure. J'ai pulvérisé tous les records...

Meg la regarda poser la toupie sur sa pointe. Elle la fit tourner d'un mouvement sec du poignet, puis la caressa à petits coups de fouet. La toupie allait si vite que Meg rit de plaisir, oubliant un moment qu'elle détestait la nouvelle femme de son père.

Angie lui sourit, dévoilant ses dents blanches et régulières.

— Tout est dans le coup de main, tu vois? Il faut y aller tout doucement, comme si tu voulais effleurer la surface de l'eau avec une plume sans faire de rides. Doucement, doucement...

Et la toupie continuait à tourner.

Daniel Randolf et les autres garçons étaient revenus pour regarder. Ils semblaient impressionnés par l'habileté de Angie, qui faisait tourner la toupie plus vite et plus longtemps qu'aucun des garçons de Merrymeeting. Et Angie était une fille...

Meg donna un coup de coude à Daniel.

— Elle va m'apprendre à le faire.

— Ça alors! s'exclama Daniel, les yeux écarquillés. Vous pouvez m'apprendre aussi, m'dame?

Meg retint son souffle. Angie la regarda, puis revint à la toupie.

— J'aimerais bien, jeune Daniel. Mais malheureusement, je ne peux pas. C'est un secret que seules les filles ont le droit de connaître.

Les garçons eurent l'air déconfits et le visage de Meg s'illumina.

— Daniel, je t'invite à une compétition dimanche prochain, annonça la fillette avec un grand sourire. Je te parie un penny que je ferai tourner la mienne plus longtemps.

Mais Daniel avait déjà tourné les talons.

— Je ne joue pas contre des filles! lança-t-il par-dessus son épaule.

— Je déteste les garçons, grommela Meg, les poings sur les hanches, en le regardant partir.

— Ils sont tous comme ça, expliqua Angie. Tous sûrs d'eux et arrogants. Et ils ne s'améliorent guère avec l'âge...

Un rire masculin résonna derrière elle. Meg avait vu le docteur arriver de l'écurie du colonel Bishop, menant par la bride une jolie jument baie.

Mais Angie lui tournait le dos et, au son de ce rire, elle se retourna comme une toupie.

— Jason Savitch, comment osez-vous m'épier ?

Jason passa les rênes sur son épaule et glissa le pouce dans sa ceinture.

— Je ne vous épiais pas. J'arrivais ouvertement… Ne crois pas un mot de ce qu'elle dit, Meg. Nous ne sommes pas tous sûrs de nous et arrogants. Regarde-moi, par exemple…

— Ah ça ! se moqua Angie, écarlate. Même Anne Bishop pense que vous êtes pire qu'un paon, avec vos airs importants.

Le docteur parut blessé, mais Meg vit à son expression qu'il jouait la comédie. Il lui sembla aussi que Angie n'aimait pas le docteur. Elle n'eut pas le temps d'en chercher la raison, car elle remarqua près des tréteaux son père qui lui faisait signe d'approcher. Les convives entouraient les tables et s'asseyaient sur des bancs, des tabourets ou des caisses. On commençait à passer des assiettes pleines de nourriture, des pichets de bière et de cidre.

— Hé, on mange ! annonça Meg.

Elle ramassa sa toupie et partit en courant.

Angie voulut suivre la petite fille, mais Jason la retint par le bras. Comme d'habitude, ce contact l'enflamma. Comment avait-elle pu croire qu'en devenant la femme d'un autre ses sentiments changeraient ? Elle l'aimerait toujours, mais dorénavant elle devrait se garder de le montrer à quiconque, et surtout à lui.

Elle s'écarta.

— Jason… Nat doit attendre… balbutia-t-elle.

— Une minute. Je voudrais vous donner votre cadeau de mariage.

La jument baie secoua la tête et souffla par les naseaux ; Angie reconnut le cheval qu'il lui avait donné à Portsmouth.

— Je vous ai déjà rendu ce cheval, dit-elle en levant le menton.

— Il est pour vous et Nat, précisa-t-il en lui prenant le menton entre le pouce et l'index. Et je n'aime pas qu'on me jette mes cadeaux à la figure, fillette. C'est impoli.

Elle s'arracha à son emprise.

— Vous ne m'en voudrez pas si je ne déborde pas de gratitude. J'ai appris, voyez-vous, à ne pas accorder beaucoup de valeur à vos cadeaux.

Le visage de Jason se crispa, et Angie regretta ses paroles blessantes. D'ici peu, il ne voudrait même plus d'elle comme amie. Rassemblant son courage, elle le regarda dans les yeux.

— Je suis désolée, Jason. J'ai été grossière. Elle est superbe et c'est un magnifique cadeau. Je vous en remercie.

Il la fixa encore un moment, les lèvres serrées, puis sa fureur s'apaisa.

— Je ne voulais pas vous fâcher en vous donnant cette jument. Vous sembliez si excitée, la première fois que vous l'avez vue. Je pensais qu'elle vous ferait plaisir...

— Elle me fait plaisir, Jason, vraiment. Et Nat sera content, lui aussi. Elle nous sera utile à la ferme : il n'a qu'un cheval et il est un peu vieux.

— En fait, précisa Jason avec un sourire d'enfant, Nat l'a déjà vue. Il a l'intention de la monter cet après-midi, dans la course.

Il noua les rênes à la barre d'attache des Bishop.

— Qu'est-ce que c'est que cette course ? demanda-t-elle.

Une mèche de cheveux chassée par le vent lui balaya le front et il rejeta la tête en arrière.

— C'est la tradition. A toutes les fêtes de Merrymeeting.

— Je suppose que vous gagnez toujours?

— Vous vous trompez. Je n'y participe pas.

— Vous avez peur de perdre?

— Non, fillette, dit-il, amusé. Je ne participe pas à la course pour la bonne raison que *je* suis le prix. Ou plutôt, le prix est un bébé gratuit.

— Quoi? s'esclaffa Angie, lâchant la barre pour le dévisager.

— Je mets au monde gratuitement le prochain bébé du gagnant. C'est un prix de valeur, parce que mes services ne sont pas bon marché. Et avec les longs hivers que nous avons ici, les gens de Merrymeeting n'arrêtent pas de faire des bébés.

— Oh, Jason, vous êtes vraiment un homme merveilleux! dit-elle en le regardant avec amour.

— Pas si merveilleux... Angie, je suis désolé pour les choses blessantes que je vous ai dites. Je ne sais pas ce que...

— N'en parlons plus. C'est du passé et je suis... je suis mariée, maintenant.

— J'espère que vous serez heureuse, dit-il d'une voix bourrue. J'espère que vous serez heureux tous les deux.

Elle hocha la tête, incapable de prononcer un mot.

— Bon... Nous ferions mieux d'aller manger quelque chose, avant qu'il n'y ait plus rien.

Elle le regarda s'éloigner, les yeux baignés de larmes.

Angie tassa ses jupes entre ses genoux, révélant les plus jolies chevilles que Jason ait jamais vues. Il la regarda lancer la balle vers le tabouret qu'elle devait heurter. Daniel Randolf balança sa batte si fort que son élan le fit tourner sur lui-même. Mais il rata la balle qui renversa le tabouret.

— Ah ah! brailla Meg Parkes. Raté!

— La ferme, Meg! cria Daniel, la foudroyant du regard.

— Je croyais que le jeune Daniel et toi, vous étiez amoureux, dit Jason.

— Pouah! cracha Meg avec une grimace de dégoût qui le fit rire. Je le déteste! Il est méchant comme la gale, et en plus laid comme un pou.

En vérité, Daniel Randolf était un beau garçon, avec un corps souple et athlétique, et des cheveux dorés qui brillaient au soleil. « Encore deux ans, pensa Jason, et au lieu d'insultes, ils échangeront des baisers… »

Assise en tailleur devant Jason, Tildy retira son pouce de la bouche, le temps de dire:

— Docteur Jason? Les filles peuvent jouer au tabouret aussi bien que les garçons. C'est Angie qui l'a dit!

— Elle a l'air d'avoir raison, répliqua Jason comme un autre garçon ratait à son tour la balle.

C'était un plaisir de la regarder. Le soleil allumait des reflets rubis dans ses cheveux, et le vent faisait voler des mèches autour de son visage. Ses joues étaient aussi fraîches que des pêches humides de rosée. Quand elle rejetait le bras en arrière, ses seins pointaient vers le ciel.

— Angie est ma nouvelle maman, déclara fièrement Tildy.

Jason redressa la tête, furieux contre lui-même. Que faisait-il donc à regarder cette fille comme ça ? Angie était la femme d'un autre.

— Angie !

Nathanael traversait le pré en traînant son pied de bois. Au son de sa voix, Angie lança la balle à l'un des garçons, laissa retomber ses jupes et courut à sa rencontre. Elle était un peu hors d'haleine et ses seins se soulevaient dans son étroit corsage. Jason dut faire un effort pour détourner les yeux.

Nat, par contre, semblait n'avoir aucun mal à résister aux charmes de sa nouvelle épouse.

— Que faisiez-vous ? demanda-t-il avec colère.

— Je montrais aux filles comment lancer…

— C'est ce que j'ai vu. Je veux dire, pourquoi vous donnez-vous en spectacle ? Pour l'amour du ciel, tout le monde vous regarde !

C'était un peu exagéré. La plupart des femmes s'affairaient encore autour des tréteaux, à débarrasser assiettes et plats vides, tandis que les hommes s'étaient rassemblés de l'autre côté du pré, se préparant pour le départ de la course.

— Mais quel mal…

— Quel mal ! N'avez-vous pas songé à ce que les gens penseront ? En plus, Angie, je ne veux pas que vous encouragiez mes filles à jouer à des jeux de garçons. Ma Marie n'aurait pas approuvé de telles choses.

— Je suis désolée… dit Angie en baissant la tête.

Révolté, Jason ouvrit la bouche pour prendre la défense de Angie, mais la referma aussi vite. Si Nat Parkes ne voulait pas que sa femme joue au tabouret, c'était son affaire.

Nat tapota le sommet du crâne de Angie, comme si elle était un chien tremblant qu'il venait de fouetter.

— Ça ne fait rien. Je sais que vous ne vouliez pas me faire honte.

Le colonel Bishop se mit à battre le rappel pour le départ de la course. Meg, qui avait assisté à l'humiliation de Angie avec un sourire triomphant, se précipita vers son père.

— La course va commencer, papa.

Tildy les rejoignit, et son père la souleva dans les airs et la prit sur ses épaules.

— Allons, les filles. Grâce au cadeau de mariage du docteur, dit-il avec un sourire à l'adresse de Jason, je crois que je vais gagner cette course.

Le visage fermé, Angie regarda son mari s'éloigner avec ses filles. Jason vit qu'elle luttait pour ne pas pleurer.

— Je ne serai jamais une vraie dame, murmura-t-elle.

Il avait mal pour elle, car il savait exactement ce qu'elle ressentait. Combien de fois, au cours de sa première année dans le monde des Yengis, avait-il fait des gaffes qui le désignaient aux yeux de tous comme un «sauvage abenaki»?

Il avait envie de prendre la jeune fille dans ses bras et de la consoler. Mais il ne le pouvait pas, bien sûr. Il ne pouvait même pas lui prendre la main.

— Venez, fillette. Allons regarder la course.

Elle hocha la tête et essuya une larme.

— D'accord, Jason, dit-elle avec un brave sourire qui lui fendit le cœur.

Jason alla chercher le pistolet pour donner le départ. Il traversait le pré quand le révérend Hooker le rejoignit.

— J'ai entendu dire que le prix de cette course est un bébé gratuit ?

— C'est exact, révérend. Vous n'allez pas concourir ? Un tel prix pourrait bientôt vous être utile.

Caleb rougit. Ses yeux se portèrent vers les tréteaux où Elisabeth conversait avec Anne Bishop et Hannah Randolf. L'espace d'un instant, le visage du jeune pasteur s'assombrit.

Mais quand il se retourna vers Jason, il souriait de nouveau.

— Il semble que ce soit Mme Randolf qui en ait le besoin le plus pressant.

— Avec Hannah Randolf, le besoin est toujours pressant. Elle est pratiquement continuellement enceinte. Si vous voulez y participer, j'ai un cheval à vous prêter.

Caleb secoua la tête en riant.

— Je ne pense pas que mes supérieurs à Boston approuveraient que l'un de leurs ministres participe à une course de chevaux...

La course de Merrymeeting couvrait neuf kilomètres. Elle partait du moulin à girouette au milieu du pré, contournait l'entrepôt des mâts et de la scierie, piquait sur le nouveau temple et son presbytère, puis suivait la piste des fermes. Là, hors de vue des témoins, elle devenait une mêlée générale, où chaque concurrent usait de tous les vilains coups possibles pour gagner. Six kilomètres plus loin, après avoir fait le tour du fortin, la course revenait vers le village et le pin solitaire.

Jason avait pour mission de donner le signal du départ. Il se plaça sous le pin, les femmes et les enfants en demi-cercle autour de lui, et leva le vieux pistolet du colonel Bishop.

— Messieurs, à vos marques !

Il n'y avait pas vraiment de ligne de départ. Aussi les cavaliers se poussaient-ils, en grommelant et en jurant, pour se placer en meilleure position.

Jason arma le pistolet.

— Prêts ?

Il appuya sur la détente. Le bruit de la détonation fut noyé par les cris et le martèlement des sabots.

Son humiliation oubliée, Angie sautait d'excitation. Comme les chevaux et leurs cavaliers contournaient le temple, Nat était en tête.

— Regardez, Jason, regardez ! s'écria-t-elle en lui pressant le bras. Nat est en tête. Oh, j'espère qu'il va gagner !

Si Nat remportait la course, il gagnerait un accouchement gratuit pour son prochain bébé. Le bébé de Angie...

Nat gagna la course.

La jument baie surgit de la forêt, Nat accroché à son encolure, un étrier perdu. Avant d'atteindre l'arrivée, il devait encore faire le tour des palissades, mais il avait trois longueurs d'avance sur son concurrent le plus proche.

Enfin, il arrêta la jument au pied du pin et glissa à terre. Une des manches de son habit était déchirée et son front saignait, mais il était triomphant.

Soulevant Tildy, Angie se précipita vers lui, Meg sur ses talons. Elle était si excitée qu'elle jeta son bras libre autour du cou de son mari et l'embrassa sur la bouche.

— Oh, Nat, Nat! s'écria-t-elle. Vous avez gagné!

Il se raidit et la repoussa, mais personne ne le remarqua, car Meg s'était jetée à son tour sur son père.

— Papa a gagné! Papa a gagné! cria Tildy d'une voix perçante. Yaouh!

— Il a bel et bien gagné, approuva Angie en déposant la petite fille dans les bras de son père.

Tandis que les traînards atteignaient la ligne d'arrivée, les autres vinrent féliciter le gagnant. Sam Randolf, le forgeron, glissa de son cheval à côté de Jason et lui donna un petit coup sur l'épaule.

— Vous aurez à remettre ce prix dans neuf mois, hein, docteur? dit-il suffisamment haut pour que tous entendent.

Rire général. Certains lâchèrent des plaisanteries grivoises sur la nuit de noces. Nat rougit, puis, croisant le regard de Angie, il sourit, glissa le bras autour de sa taille et l'attira à lui.

— Papa, tu vas faire tes preuves, ce soir? demanda Tildy, répétant la remarque d'un homme.

Nat couvrit la bouche de sa fille.

— Tais-toi, Tildy. Les petites filles, on doit les voir, mais pas les entendre.

Jason découvrit alors ce qu'était la jalousie. Il imaginait Nat et Angie nus dans leur lit, et cette pensée était insoutenable.

«C'est bien ce que tu voulais, imbécile, se gronda-t-il. Tu la voulais mariée pour qu'elle cesse de te rendre fou. Eh bien, c'est raté...»

Excités par la course, quelques colons réunirent un orchestre composé de violons et d'une guimbarde.

Même si son pied de bois le lui avait permis, Nat Parkes, en puritain austère, aurait refusé de danser. Debout à côté de son mari, Angie regardait avec un sourire triste les autres couples évoluer.

Conscient de faire une bêtise, mais ne supportant pas de la voir malheureuse, Jason vint s'incliner devant elle.

— Voulez-vous danser avec moi, Angie ?

Elle jeta un regard timide à Nat.

— C'est que je...

— Vous savez bien que je n'approuve pas la danse, docteur, dit Nat. C'est l'œuvre du diable.

Jason sourit et montra le cercle des danseurs, parmi lesquels évoluaient une Elisabeth rouge de plaisir et un Caleb hilare.

— Si le révérend n'y voit aucun danger, je pense que l'âme de votre femme n'a rien à craindre.

Sans laisser à Nat le temps de discuter, il entraîna Angie. Au début, elle se déplaça avec raideur, mais ne tarda pas à se laisser emporter par la musique. Leurs corps se joignaient et se séparaient au gré du rythme.

Il essaya de rester insensible, mais c'était impossible. Balayés par le vent, les cheveux de Angie lui caressaient le cou, le faisant frissonner. Ses seins palpitaient au rythme de sa respiration. Elle sentait l'eau de rose.

Il la voulait.

Elle s'écarta de lui en tourbillonnant. Il pensa au large lit couvert de fourrures dans sa cabane.

Il avait envie d'elle et brûlait de la ramener cette nuit même chez lui.

L'Abenaki qui sommeillait en lui songea, l'espace d'un instant, à l'enlever. Il passerait ses journées et ses nuits à l'aimer comme un fou, jusqu'à ce que...

Angie buta sur une touffe d'herbe et chancela. Il avança les bras pour la rattraper. Leurs visages étaient si proches qu'il sentit son haleine chaude et parfumée sur la joue.

Elle retint son souffle.

Levant la tête, il dévora du regard ses yeux fauves, ses lèvres écartées et humides, la courbe délicate de ses joues... Il fut à un doigt d'écraser sa bouche sous la sienne.

— Lâchez-moi, Jason... s'il vous plaît, murmura-t-elle d'une voix suppliante.

Il la lâcha au moment où les violons s'arrêtaient, et elle s'enfuit. Jason jeta un regard autour de lui. Personne ne semblait les avoir remarqués.

«C'est parce que rien ne s'est vraiment passé», se dit-il. Mais il savait que c'était un mensonge.

16

En entendant la porte s'ouvrir, Angie se retourna vivement, la main sur la gorge.

— Je ne voulais pas vous faire peur, s'excusa Nat.

— C'est juste que je ne vous attendais pas... si tôt.

— Les filles ont mis un certain temps à se calmer mais, une fois au lit, elles se sont tout de suite endormies.

— La journée a été longue pour elles.

Nat balaya du regard le coffre en cuir, la table de toilette en pin avec son broc et sa cuvette en faïence, les rideaux de calicot qui frissonnaient devant la fenêtre ouverte, mais évita soigneusement le lit.

— Longue journée pour nous aussi, dit-il.

— Oui...

Avec ses couvertures et son matelas de plume, ce maudit lit emplissait toute la chambre. Il était accueillant, et elle brûlait de s'y endormir. Mais d'abord...

Ressentant une bouffée de chaleur, elle s'approcha de la fenêtre ouverte pour offrir son visage à la brise. La nuit était si calme qu'on entendait le murmure du maïs et le bruissement des branches des pins. Au loin, elle perçut le ululement d'une chouette. Un dernier quartier de lune perçait faiblement l'obscurité.

A l'intérieur, une lampe baignait la chambre d'une lumière douce. Nat arpenta la pièce, boitant plus que d'habitude. Angie se demandait si, à la fin de la journée, sa jambe le faisait souffrir. Une béquille était appuyée contre le mur près de l'âtre vide. Peut-être enlevait-il son pied de bois en rentrant des champs.

— Nat ? dit-elle après s'être éclairci la voix. Pourquoi n'enlevez-vous pas votre pied, s'il vous fait mal ?

Il pivota et la dévisagea, tendu.

— La seule personne à avoir jamais vu mon moignon, c'est ma femme.

«Mais *je suis* votre femme maintenant», songea-t-elle.

— Je voulais seulement vous mettre à l'aise...

Angie regretta immédiatement ses paroles mais, à sa surprise, Nat émit un petit rire. Ce fut un rire bref, mais qui suffit à détendre un peu l'atmosphère.

— Les fêtes distraient du travail, dit-il en regardant le lit, mais le lendemain la tâche est double. Nous devrions nous reposer.

— Oui...

Il vint se planter, la mine sévère, devant elle, et lui entoura les bras de ses grandes mains. Puis il baissa la tête et pressa les lèvres contre les siennes.

Pas d'emmêlement de langues, pas de bouches ouvertes. Il se contenta de bouger les lèvres. Angie se crut sur le point de vomir. Elle tint aussi longtemps que possible, avant de détourner la tête. Elle l'entendit pousser un soupir. On aurait dit un soupir de soulagement.

Il ferma les volets, puis lui tourna le dos et commença à se déshabiller.

Angie était incapable de faire le moindre mouvement. Nat dénoua son foulard, sortit sa chemise de sa culotte, la passa par la tête et l'accrocha à une patère. Il avait le torse lisse et blanc.

Comme il sentait le regard de Angie posé sur lui, il se retourna, rouge de confusion.

— Quelque chose ne va pas?

Angie sursauta comme s'il l'avait apostrophée. Ses mains tremblaient tellement qu'elle n'arrivait pas à déboutonner sa robe.

— Je vais peut-être sortir une minute, proposa-t-il.

Dès qu'il eut quitté la chambre, elle ferma les yeux, soulagée, et se hâta de se déshabiller.

Outre la robe et le jupon, Anne avait confectionné pour Angie une chemise de nuit. Les poignets étaient ornés de dentelle. La jeune fille ne s'attarda guère à l'admirer ; elle l'enfila, se passa un coup de brosse dans les cheveux, puis se glissa dans le lit. Les draps étaient doux sous ses jambes nues, mais ils étaient également froids et elle frissonna. Elle hésita à éteindre la lampe posée sur le coffre à côté du lit, mais décida que Nat préférerait peut-être la laisser allumée.

Il mit du temps à revenir. Au bruit de la porte, Angie se retourna à demi endormie, puis se raidit. Leurs regards se croisèrent.

Elle se rappela le contact de sa bouche sur la sienne et espéra qu'il ferait simplement... ce qu'il avait à faire sans baisers.

Il éteignit la lampe, et la chambre se trouva plongée dans l'obscurité.

Le matelas s'affaissa sous son poids. Il s'assit en lui tournant le dos. Elle entendit des bruits sourds : il enlevait ses bottes. Puis le matelas bougea de nouveau et il y eut un froissement de tissu : il ôtait sa culotte. Elle distingua vaguement sa silhouette penchée et comprit qu'il enlevait son pied de bois — claquement du cuir sur le bois et grincement de la charnière de la cheville. Tous les couples mariés se déshabillaient-ils dans le noir ? se demanda-t-elle. Elle ne verrait donc pas le visage de Nat pendant qu'il lui ferait l'amour. Grâce au ciel, il ne verrait pas non plus le sien...

Un courant d'air froid enveloppa Angie : Nat repoussait les couvertures et entrait dans le lit. Elle essayait de ne pas trembler. Mais quand il avança la main et lui toucha les seins, elle tressaillit.

Il s'écarta et s'assit au bord du lit.

— Je ne peux pas, dit-il.

Elle avait la gorge nouée.

— Je suis désolé, Angie... mais je ne peux pas. Elle n'est morte que depuis trois mois. Nous sommes restés mariés dix ans. Dix ans, nous avons dormi ensemble dans ce lit. Elle est la seule femme avec qui j'ai... Vous n'êtes pas en cause, Angie, mais je ne peux pas...

— Nat, ce n'est rien. Je comprends, murmura-t-elle, se soulevant à demi.

Il tourna la tête vers elle, mais il faisait trop sombre pour qu'elle pût discerner son expression.

— Cet après-midi, quand je vous ai vue descendre l'escalier et quand je vous ai vue danser, vous étiez si jolie. Je me suis dit que peut-être... Mais la seule pensée de... Ça me donne mauvaise conscience. La pensée de toucher une autre femme. Je sais que Marie est morte. Je le sais, mais je ne peux pas m'empêcher de me dire que je la trahirais...

— Rien ne nous oblige à le faire tout de suite.

— Non, non. Rien ne nous y oblige, approuva-t-il, soulagé. En plus, comme vous êtes vierge, ce sera plus long. Le temps que nous nous connaissions mieux.

Il l'avait d'abord prise pour une prostituée, et voilà maintenant qu'il la croyait vierge! Elle faillit éclater d'un rire hystérique. «Oh, Angie, dans quel pétrin t'es-tu mise?»

— Angie?

— Oui, Nat, c'est ça. Nous avons besoin de temps pour mieux nous connaître.

Il se leva, s'agrippant au montant du lit, et sautilla jusqu'à la béquille. Il la plaça sous son bras et se tourna vers le lit.

— Nat, ce n'est pas la peine de...

— Je crois que, pour l'instant, je vais dormir ailleurs. A dire vrai, ma Marie m'accusait toujours de ronfler à réveiller les morts. Vous serez mieux toute seule.

Il décrocha sa chemise et sa culotte de la patère et les fourra sous son bras.

— Vous étiez jolie cet après-midi, Angie, ajouta-t-il, la main sur la poignée de la porte. J'étais fier d'être à vos côtés, de vous prendre pour femme.

— Merci, Nat...

La porte s'ouvrit puis se referma derrière lui.

La gorge serrée, Angie enfouit le visage dans l'oreiller. Elle se sentait seule. Elle voulait être touchée, aimée. Mais pas par Nat.

C'était Jason qu'elle voulait.

Il ne l'aimait pas.

C'est ce qu'il se répétait, inlassablement. Mais s'il ne l'aimait pas, pourquoi rôdait-il dans la nuit, les yeux fixés sur la fenêtre ouverte de la chambre où elle se coucherait bientôt dans les bras de son mari ?

Il s'appuya contre un mur. La nuit était fraîche, mais il transpirait et ses muscles étaient si tendus qu'ils lui faisaient mal.

La voyant soudain se détacher sur la lumière jaune de la fenêtre, il se redressa. Elle était seule, et bien qu'il sût cela impossible, il s'imagina qu'elle le voyait. Il se pencha, près de l'appeler.

Puis Nat arriva, la prit dans ses bras et l'embrassa sur la bouche.

Désespéré, Jason pivota et martela le mur, jusqu'à avoir le poing en sang. Il entendit les volets se fermer et renversa la tête en arrière. Il avait envie de hurler, de pousser le cri de guerre et de mort des Abenakis.

S'écartant du mur, il s'enfonça dans la forêt. Il avait peur de ses pulsions, peur de faire irruption dans la maison de Nat et d'arracher Angie à son lit nuptial pour l'emporter avec lui.

Il parvint enfin à la clairière où se dressait sa cabane, près d'une boucle de la rivière. Le bruit du courant n'était pas plus fort que celui de son pouls.

— *Angie!* cria-t-il comme un fantôme. Que le diable t'emporte. Je ne suis pas amoureux de toi. Tu m'entends? Je ne t'aime pas!

Trois jours plus tard, Nat Parkes et ses deux filles étaient assis autour de la table et finissaient leur petit déjeuner. La maison sentait les haricots roussis, car Angie les avait laissés brûler.

Nat feuilletait les pages écornées de son almanach.

— Cette chaleur sèche ne va pas durer longtemps, dit-il. Août sera humide, cette année. Nous ferions mieux de commencer à rentrer le foin aujourd'hui.

Comme la jeune femme débarrassait la table, elle découvrit sous l'écuelle de Tildy un cercle d'épaisses croûtes de pain. Elle essaya de les faire disparaître, mais ne fut pas assez rapide.

— Tildy, finis ton pain, dit Nat.

— Mais, papa, il est trop dur !

— Le pain de maman était toujours bon et souple, déclara Meg avec un sourire moqueur à l'adresse de Angie.

Celle-ci avait fait le pain, la veille au soir, et l'avait mis au four pour qu'il cuise pendant la nuit. Mais au matin, quand elle avait retiré du four les miches noircies, elles étaient dures et presque immangeables.

Angie gardait la tête baissée. Elle sentait sur elle le regard sévère de Nat.

— Tant pis, dit-elle. Je le mouillerai avec de l'eau et le donnerai aux cochons.

— Mais c'est du gâchis, Angie.

— Alors, que voulez-vous que j'en fasse ? lança-t-elle, au bord des larmes.

Après trois jours, elle savait qu'elle serait une exécrable fermière.

A l'aube du premier jour, Nat avait trait la chèvre pour lui montrer comment faire. Le lendemain, Angie s'en était chargée, et la sale bête avait essayé de lui manger les cheveux, puis avait renversé le seau d'un coup de patte. Elle était revenue à la maison avec à peine un fond de lait.

Le lendemain, elle avait travaillé dans le jardin, pendant trois heures sous un soleil brûlant, pour s'entendre dire ensuite que ce qu'elle avait pris pour des mauvaises herbes était des betteraves et des navets !

— Angie a ruiné le jardin de maman, avait annoncé Meg à son père quand il était revenu des champs.

Et aujourd'hui, elle commençait par gâcher le petit déjeuner. Quels nouveaux désastres l'attendaient encore ?

A la vue des bols intacts, elle poussa un soupir, mais remarqua que tous les verres de chocolat chaud étaient vides. Elle l'avait préparé avec du lait de chèvre et sucré à la mélasse, comme elle se souvenait vaguement d'avoir vu faire sa mère.

— Je dois aller faire les foins, déclara Nat en se levant.

Il manquait une boucle à sa culotte. Elle avait oublié de la recoudre, la veille au soir, comme elle l'avait promis. Jamais elle ne ferait une bonne épouse.

— Viens avec moi, ajouta-t-il à l'adresse de Meg. Angie, quand vous aurez fini de ranger la maison, vous pourrez venir nous aider.

— Nat, se risqua Angie, j'aimerais aller à Merrymeeting, cet après-midi… Mme Bishop doit me donner ma leçon. Ça ne durera pas plus d'une heure.

— Elle est d'accord pour vous apprendre à filer ? Ça peut attendre. La fenaison est plus importante.

Angie s'humecta les lèvres et se tordit les mains derrière le dos.

— Pas à filer. Elle m'apprend à lire et à écrire.

— Vous n'avez pas le temps pour ça maintenant. En plus, vous n'en avez pas l'utilité.

— Mais je viens de commencer. Je ne veux pas abandonner…

— J'ai dit ce que j'avais à dire, Angie. Inutile de discuter.

Ils se mesurèrent du regard.

— J'y vais, Nat. Je rattraperai mon travail ce soir, mais j'y vais.

Il plissa les yeux, serra le poing et avança vers elle. Comme elle se préparait à recevoir une gifle, Tildy poussa un gémissement. Tous se retournèrent vers la table où la petite fille était assise et se frottait vigoureusement l'œil droit.

— J'ai mal à l'œil ! J'ai mal à l'œil !

Angie s'agenouilla à côté d'elle et lui retira la main.

— Laisse-moi voir, petit ange.

Nat s'approcha et s'accroupit également. Le bord de la paupière de Tildy était rouge et enflé.

— C'est un orgelet, grommela-t-il, la voix encore vibrante de colère. Emmenez-la chez le docteur Jason. Il saura quoi faire.

— Mais je ne… commença Angie, le cœur battant. Peut-être que Meg peut…

— Meg m'aide à faire les foins. Elle sait le faire, et je ne veux pas perdre une heure à vous apprendre.

— Ce n'est rien, murmura Angie, essuyant les larmes de Tildy. Nous irons chez le docteur Savitch et il t'arrangera ça.

— Est-ce que le docteur me donnera un biscuit ? La dernière fois, quand je me suis écorché le genou, il m'a donné un biscuit.

— Je suis sûre que oui.

Nat s'était redressé. Il décrocha son chapeau à large bord d'une patère et se dirigea vers la porte.

— Nat, dit Angie, je vais cet après-midi à Merrymeeting. Pour ma leçon.

Elle vit le dos de son mari se raidir, mais il continua son chemin. L'instant d'après, la porte d'entrée claquait.

Meg s'attarda un moment, le visage fermé.

— Vous avez mis papa en colère.

— C'est vrai.

— Ça vous est égal ?

214

— Non. Mais ces leçons sont importantes pour moi.

De l'extérieur leur parvint la voix coupante de Nat qui appelait sa fille. Celle-ci se tourna vers la porte, puis revint à Angie :

— Vous avez dit que vous m'apprendriez à cingler la toupie... Peut-être demain ?

Angie sourit.

— Bien sûr, je n'ai pas oublié. D'accord pour demain. Mais après les foins, pour ne pas fâcher davantage ton papa.

Le visage de Meg se détendit et elle parvint même à sourire.

— Vas-y. Ton père t'appelle.

Angie enleva sa grossière blouse de travail et, suivie d'une Tildy babillante, elle alla dans la chambre mettre sa nouvelle robe courte. Il n'y avait pas de miroir dans la maison, mais en se regardant dans une vitre, elle rectifia sa coiffure et mit un chaperon pour se protéger du soleil. Elle avait les joues rouges et son cœur battait anormalement vite. Ce matin, elle allait voir Jason...

Nat possédait le long de la rivière deux hectares de marais asséchés où poussait son foin. Tandis qu'elle suivait le cours d'eau en donnant la main à Tildy, Angie repéra le père et la fille qui travaillaient. Elle leur fit signe, mais ils ne s'arrêtèrent pas pour lui répondre.

La rivière coulait lentement. Un poisson sauta de l'eau, effrayant un héron cendré. Angie remarqua des fraises des bois qui avaient l'air tellement appétissantes qu'elle se promit d'en remplir sa jupe au retour. Tildy montra en riant de joie un écureuil qui s'enfuyait en remuant sa queue rousse.

Au bout d'un moment, le chemin tourna dans la forêt. Le soleil de midi filtrait à travers les épaisses ramures.

A l'entrée d'une clairière, Angie s'arrêta, retenant son souffle. Devant elle se dressait une coquette cabane de rondins précédée d'une vaste véranda et entourée d'une profusion d'iris bleus, de roses sauvages et d'airelles. A côté d'un bouquet de saules, s'élevait une petite hutte conique recouverte de peaux d'animaux et d'écorces de bouleau.

— Docteur Jason, docteur Jason! cria Tildy en lâchant la main de Angie. J'ai un orgelet! Je peux avoir un biscuit?

Un chat noir apparut en s'étirant et vint se frotter contre les jambes de Tildy. La petite fille poussa un cri de joie et se laissa tomber sur son derrière. Le chat roula sur le dos en ronronnant.

Angie s'approcha avec précaution, s'exhortant au calme, mais elle ne pouvait pas contrôler les battements de son cœur. Elle s'arrêta au pied des marches et leva la tête, les joues en feu.

Assis sur la véranda, il se balançait dans son siège, un pied botté sur la balustrade, une chope vide sur la cuisse. Une barbe de plusieurs jours ombrait son visage, et ses cheveux étaient trempés de sueur.

Il ne semblait pas du tout content de la voir.

— Bonjour, Jason. Vous avez l'air d'avoir... chaud.

— Et vous, vous avez l'air en pleine forme. Le mariage vous va bien.

Il avait la langue pâteuse et les yeux injectés de sang.

— Que faites-vous ivre à cette heure du jour ? demanda-t-elle sans cacher son mécontentement.

— Je fais la fête, se moqua-t-il avec un sourire mauvais.

Elle monta sur la véranda. Pas rasé et à moitié nu, il semblait dangereux. Dangereux et désirable.

Il la parcourut de son regard brûlant, et elle dut faire un effort pour ne pas fuir.

— Qu'est-ce qui vous amène ? C'est une visite mondaine ?

— Oh, non… Tildy a quelque chose à l'œil.

Jason fit retomber son siège en avant et se leva lentement. Il appela l'enfant, s'accroupit devant elle et l'examina.

Il n'avait pas dû arrêter de boire depuis trois jours… depuis le mariage, songea Angie qui eut l'intime conviction d'en être la cause. Cette idée lui donna le vertige.

— J'ai un orgelet, annonça Tildy.

— En effet, ma chérie, confirma Jason.

— Vous pouvez le soigner ? demanda Angie.

Il releva la tête et sourit.

— C'est comme si c'était fait.

Il emmena Tildy à l'intérieur. Angie les suivit. Elle regarda autour d'elle avec curiosité. La cabane était faite de bûches carrées si bien ajustées qu'on n'aurait pas pu passer une lame de couteau dans les interstices. En hiver, il devait y faire bon. Angie prit une profonde inspiration — l'air sentait la résine de pin et l'huile dont il enduisait son fusil.

La cabane comportait une unique pièce, surmontée d'une demi-galerie, où Angie distingua l'angle d'un lit recouvert de peaux d'ours. Elle était luxueusement meublée : un canapé sculpté, une paire de sièges recouverts de damas, un buffet rempli d'étains et de cristaux. Se rappelant qu'il s'était présenté à elle comme un homme aux goûts raffinés, Angie sourit.

Le feu était pratiquement éteint, mais Jason y jeta une brassée de bois et accrocha une bouilloire dans l'âtre, tout en expliquant d'une voix douce à Tildy qu'elle devrait mettre le visage au-dessus d'un bol d'eau bouillante et cligner des paupières pour que l'orgelet crève et se vide.

— Je peux avoir un biscuit? demanda la petite fille.

Il partit d'un grand rire qui amusa Angie.

— Je peux ouvrir le coffre à jouets? demanda encore Tildy de sa petite voix flûtée.

— Bien sûr.

L'enfant se dirigea vers une malle garnie de cuivre, qui était pleine de poupées, de bateaux, de ballons, de billes. Il y avait également un minuscule chariot en bois. Tildy le prit et le remplit de copeaux.

Jason regardait la fillette jouer avec un sourire attendri. Seul un homme aimant les enfants pouvait avoir un coffre plein de jouets. Pourquoi ne s'était-il pas encore marié? se demanda Angie.

Elle fit le tour de la cabane. Les deux cultures, blanche et indienne, s'y mêlaient. Au milieu de la table étaient posés une salière en cristal et un sucrier en argent. Du plafond, près de l'âtre, pendait une claie où séchaient des pommes. Un grand candélabre en fer forgé trônait sur une armoire. Mais, d'autre part, une grossière lanterne en corne de bœuf était pendue à un clou près de la porte. Sa pipe en terre, sa blague à tabac en peau d'écureuil, et son couteau de chasse étaient rangés sur le buffet.

Une partie de la pièce était réservée à sa profession : pots de pharmacie, pilon et mortier, instruments terrifiants, bistouris.

Deux étagères étaient remplies de livres en rapport avec la médecine et la chirurgie. L'un d'eux, relié en cuir rouge, attira l'attention de Angie. Elle le prit, fière de ses nouvelles connaissances, mais ne comprit pas un mot.

— C'est du latin, dit Jason, la faisant sursauter.

— Mme Bishop m'apprend... m'apprend à lire.

— C'est ce qu'on m'a dit. Voilà qui va vous être utile pour travailler dans les champs.

Elle remit le livre en place avec colère.

Quand elle pivota, elle se retrouva face à son large torse. Il sentait la transpiration, mais ce n'était pas désagréable. Toutefois, Angie ne put s'empêcher de lancer :

— Vous pourriez prendre un bain.

Elle fut contente de constater à la couleur de ses pommettes que sa pique avait fait mouche.

Ses lèvres se crispèrent. Il avança d'un pas, la collant au mur et l'enfermant entre ses bras.

— Que faites-vous ici, Angie ? gronda-t-il, le visage à quelques centimètres du sien. Pourquoi êtes-vous venue ?

— Tildy...

Il secoua la tête.

— Je ne crois pas. Je crois que vous êtes venue pour...

La bouilloire siffla.

— Ça bout, docteur ! s'exclama la fillette. L'eau bout !

Jason jura tout bas et s'écarta de la jeune femme.

Il installa Tildy devant son grand bol à raser en cuivre dans lequel il versa de l'eau bouillante. Le visage enveloppé de vapeur, la petite cligna des paupières et, au bout de quelques minutes, l'orgelet creva. Il lui épongea le visage avec un linge doux et examina son œil.

— Ça fait encore mal, Tildy ?

— Non. Je peux avoir mon biscuit, maintenant ?

Il lui donna deux biscuits à la mélasse.

N'ayant plus de raison de rester, Angie prit l'enfant par la main et se dirigea vers la porte.

— Vous direz à Nat ce qu'il vous doit.

— Sûrement.

Il les suivit dehors. L'air était humide et on entendait le crissement des sauterelles. Angie s'arrêta sur la véranda, n'osant poser la question qui l'obsédait.

Tildy, la bouche pleine de biscuit, courait après le chat noir. Le regard de Angie se porta vers l'étrange hutte conique.

— Qu'est-ce que c'est ? demanda-t-elle pour dire quelque chose.

Elle n'aurait pas dû le regarder. Il avait les pouces dans la ceinture, les jambes écartées. Son magnifique torse nu se soulevait et s'abaissait au rythme de sa respiration. Il était l'image de la virilité. Elle détourna vivement les yeux.

— C'est un wigwam, dit-il.

— Ah… souffla-t-elle.

Prenant son courage à deux mains, elle posa la question qu'elle avait en tête :

— Aviez-vous promis à Nat que la femme que vous lui amèneriez serait vierge ?

— Que se passe-t-il ? demanda-t-il, sarcastique. Il a été déçu ?

220

— Comment osez-vous ?...

— Ou est-ce vous qui avez été déçue ? Nat n'a pas réussi à vous donner du plaisir ?

— Vous êtes toujours aussi mufle avec les femmes... ou bien est-ce moi qui vous inspire ?

— Oh, zut, Angie ! La vérité, c'est que je suis j... Il s'interrompit.

— Quoi ? Quelle est la vérité ?

— Rien. Nat m'a demandé si vous étiez une prostituée à Boston. Je l'ai rassuré. C'est tout ce que je lui ai dit.

Elle écouta à peine son explication. Il était sur le point d'admettre qu'il était jaloux, elle en était sûre. Cette pensée la réjouit, la troubla et l'effraya tout à la fois.

Tildy sortit de dessous l'escalier en traînant le chat par les pattes arrière.

— Viens, mon petit chou, dit Angie en riant. Il faut rentrer. Ton papa veut que je l'aide à faire les foins.

Arrivées de l'autre côté de la clairière, elles se retournèrent et Tildy agita vigoureusement la main.

— Au revoir, docteur Jason ! cria-t-elle. Merci pour les biscuits !

Jason leva la main en signe d'adieu. Il paraissait bien seul sur sa véranda.

17

Angie regardait Meg, incrédule.

— Tu veux dire que je dois laisser tomber deux poulets dans la cheminée !

— C'est toujours comme ça que maman nettoyait la cheminée, acquiesça Meg. Dès que ça fumait trop. En battant des ailes, ils font tomber la suie.

La fumée emplissait la salle, piquant les yeux. Nat et ses filles avaient dû finir leur petit déjeuner dehors. Au regard que son mari lui avait lancé, Angie avait compris qu'il l'en rendait responsable.

Il était parti travailler dans les champs. Après un mois de mariage, elle se sentait toujours aussi incapable.

— Tu ne serais pas en train de me jouer un tour ? interrogea Angie en regardant Meg, l'air soupçonneux.

— Bien sûr que non. Je vous dis ce que faisait maman. Demandez à papa.

Angie n'avait pas l'intention de demander à Nat. Les choses étaient tellement tendues entre eux que la moindre discussion s'achevait en dispute. Ils avaient du mal à se supporter. La nuit, Nat n'avait toujours pas réintégré la chambre. Et il passait une heure, chaque soir, sur la colline à parler à sa défunte femme.

— D'accord, grommela Angie à contrecœur. Dis-moi comment faire.

Sur les indications de Meg, la jeune femme éteignit le feu avec des seaux de sciure et d'eau, ce qui souleva des nuages de fumée noire. La pièce et son contenu se retrouvèrent recouverts d'une couche de suie. Angie en aurait pleuré — elle devrait passer la journée à nettoyer et raterait sa leçon.

Dans la cour, elle attira les volatiles avec une poignée de grains de maïs et attrapa une poule par les ailes.

— Et maintenant ? demanda-t-elle, tandis que la poule se débattait.

— Vous montez sur le toit et vous la laissez tomber dans la cheminée.

Angie leva les yeux vers la cheminée et déglutit ; elle avait toujours eu le vertige.

— Trouve-moi un sac de toile. Je ne peux pas grimper sur une échelle en portant ce fou... fichu poulet.

Avec quelque difficulté, Angie et Meg mirent deux poules dans le sac. Elles allèrent ensuite chercher l'échelle dans la grange et l'appuyèrent contre le mur le plus bas de la maison. Après avoir retiré ses chaussures à semelles de cuir glissantes, la jeune femme grimpa, en marmonnant qu'elle aurait mieux fait de rester à Boston où, quand une cheminée fumait, on faisait appel à un ramoneur.

Le toit était à forte pente et elle dut se hisser à quatre pattes, en traînant le sac agité de soubresauts. Elle n'osait pas regarder vers le sol. Une fois en haut, elle s'assit à califourchon et regarda dans la cheminée, mais ne vit que du noir.

— Meg, va à l'intérieur ! cria-t-elle. Comme ça tu récupéreras la poule !

Après un moment d'hésitation, la petite fille disparut dans la maison.

— Angie, ne tombez pas ! cria Tildy.

Angie sortit du sac une poule ébouriffée et caquetante, et plongea de nouveau le regard dans la cheminée.

— Tu es prête ? cria-t-elle à Meg.

L'écho de sa voix lui revint, puis elle entendit une réponse étouffée qu'elle prit pour une affirmation. Elle se pencha et laissa tomber le volatile dans la cheminée. Il y eut force gloussements et battements d'ailes, puis plus rien.

— Meg?

— Elle est coincée! La poule est coincée!

Angie redescendit tant bien que mal, se précipita à l'intérieur, et regarda dans la cheminée. On n'y voyait rien.

— Elle ne fait pas de bruit, murmura Meg. Vous croyez qu'elle est morte?

— Dans ce cas, nous aurons du ragoût pour ce soir. Je vais essayer de la faire descendre en la piquant avec quelque chose.

Passant sur la véranda, elle chercha parmi les outils accrochés au mur l'instrument le plus approprié et opta pour la binette.

Elle en enfonça le manche dans la cheminée, mais ne rencontra que le vide.

— Je n'y arrive pas. Tu vas devoir monter sur mes épaules, Meg.

La fillette écarquilla les yeux, mais acquiesça.

Le dos voûté, Angie s'introduisit dans l'âtre et se redressa lentement.

— Donne-lui un bon coup, Meg.

Meg lui donna un bon coup. La poule poussa des cris perçants et battit des ailes. Il y eut une pluie de suie et de plumes.

Soudain l'animal leur fonça dessus. Meg recula. Angie perdit l'équilibre, et elles tombèrent en arrière, butant sur une poêle qui glissa sur le sol, renversant une demi-douzaine de manches de hache que Nat avait mis à sécher près de la cheminée.

Angie mit un moment à retrouver son souffle. Se dressant sur ses coudes, elle regarda Meg — deux yeux blancs dans un visage noir de charbon.

— Ça va?

— Je me suis cogné la tête, gloussa la petite fille en se frottant le front.

La poule, qui avait miraculeusement survécu à cette étrange expérience, courait autour d'elles en caquetant d'indignation.

Soudain, de la cour leur parvinrent les cris de Tildy.

Pensant à des loups ou à des Indiens, Angie se leva en titubant, s'arma de la binette et se précipita dehors, Meg sur ses talons.

Tildy tendit un doigt.

— La biquette est dans le jardin! La biquette est dans le jardin!

— Oooh! cria Angie, brandissant son arme et se ruant au secours du précieux jardin où elle peinait depuis des semaines. Tu vas voir, sale bête!

Elle avait bien l'intention de l'assommer, encore fallait-il l'approcher. Elle lui courait après, sa colère montant à mesure que la chèvre piétinait ce qu'il restait de légumes, lorsqu'elle entendit un rire d'homme...

Elle s'arrêta brusquement et se retourna. Jason Savitch se tenait là. Elle en eut le souffle coupé. Il était nu — ou presque. Il ne portait qu'une paire de hauts mocassins à revers frangés, et un pagne si court qu'il ne couvrait que le strict nécessaire, laissant à découvert ses longues cuisses musclées. Un cuissot de quelque énorme animal était jeté sur ses épaules, et des filets de sang dégoulinaient le long de son torse bronzé.

Elle regarda, bouche bée, ce superbe sauvage. Puis elle se reprit et avança vers lui en brandissant la binette.

— Pourquoi riez-vous, espèce d'imbécile?

Jason rit de plus belle.

— Vraiment, Angie, ces temps-ci vous êtes très irritable...

Comment osait-il l'accuser d'être irritable, alors qu'elle ne l'avait pas vu depuis des semaines ?

Comme elle continuait d'avancer, elle sentit soudain la puanteur de la viande.

— Pouah ! s'exclama-t-elle en reculant.

Jason promena sur elle un regard insolent, commençant par les cheveux qui s'étaient échappés de son bonnet, balayant son visage noir de suie, s'attardant sur le manche de la binette pressé entre ses seins.

— Vous avez nettoyé la cheminée ?

— Qu'est-ce que vous... Pourquoi... Zut ! fit-elle, les doigts crispés sur le manche de la binette. Qu'est-ce que c'est que cette viande puante ?

— J'ai pensé que Nat et vous aimeriez avoir un morceau de l'ours qui a saccagé votre maïs.

— Et j'en fais quoi ?

— Eh bien, vous l'écorchez, vous l'embrochez et le mettez à rôtir sur un grand feu. Ensuite vous le mangez.

— Manger de l'ours ! Jamais de la vie !

Meg et Tildy, qui avaient réussi à chasser la chèvre du jardin, arrivèrent en courant. A la vue du cuissot d'ours, la cadette ouvrit de grands yeux.

— Vous avez tué cet ours tout seul, docteur Jason ? demanda-t-elle.

— Oui. A mains nues.

— Mince alors ! fit la petite fille, les yeux comme des soucoupes.

— La bonne blague ! se moqua Angie.

— Quoi ? Vous ne me croyez pas ?

Cela paraissait impossible... mais, évidemment,

226

il était fort et courageux. Et il avait été élevé par les Indiens...

— Ce n'est pas vrai! insista-t-elle pourtant.

— Vous avez raison, dit-il en riant. Je l'ai tué d'une balle, caché derrière un grand rocher, à trente mètres.

Elle ne put s'empêcher de rire avec lui. Oh, c'était si bon de le voir! Chaque fois qu'elle allait à Merrymeeting, son cœur battait follement à la perspective de le rencontrer — chez les Bishop, à l'épicerie ou au moulin.

— Les filles, reprit-il sans lâcher Angie des yeux, vous ne voulez pas courir à la maison et essayer de me trouver un morceau de tissu pour envelopper cette viande?

Les filles se sauvèrent, ravies de se rendre utiles.

Le silence descendit soudain sur la clairière. On entendait le vrombissement des abeilles autour des fléoles. Le soleil était chaud. Une brise humide charriait l'odeur du foin coupé.

— Comment ça se passe, Angie? demanda Jason, la dévorant des yeux.

— Bien...

— Nat vous traite bien?

— Oui, oui, mentit-elle.

En tout cas, il ne la battait pas.

— En ce moment, il défriche au-dessus de la crête, là-bas.

— C'est bien, fit-il, le visage impassible. J'aimerais mettre ça dans la cabane du puits, si vous voulez bien, ajouta-t-il avec un sourire en biais. Il est lourd, l'animal.

Il y avait derrière la maison un puits recouvert d'une construction en bardeaux de cèdre. Angie posa sa binette contre le mur et ouvrit la porte qui grinça. Il faisait frais dans la cabane, mais elle n'en ressentit aucun apaisement. Son sang paraissait bouillir.

Jason jeta le cuissot d'ours sur un croc en fer.

— Nous… enfin, Nat et moi, nous nous demandions pourquoi on ne vous voyait jamais au temple, lança-t-elle.

Elle regretta aussitôt cette remarque.

— Je ne suis pas très croyant, répondit-il en se tournant vers elle avec un sourire moqueur.

— Vous ne croyez pas en Dieu ?

— Je crois au *gitche* manitou qui n'est pas un dieu, mais une force spirituelle qui habite toute chose. C'est pourquoi, ajouta-t-il en regardant le morceau de carcasse avec une certaine tristesse, j'ai chanté un chant de pardon à l'esprit de l'ours, pour lui expliquer pourquoi je devais le tuer.

Demander pardon à l'esprit de l'ours ? Ce médecin instruit conservait des croyances païennes. Quel homme étrange ! Le comprendrait-elle un jour ? Mais se comprenait-il lui-même ?

Il tira un seau d'eau du puits et s'aspergea la poitrine pour en ôter le sang. Angie le regardait passer les mains sur ses muscles magnifiques, la gorge nouée.

Elle lui tendit le chiffon accroché à un clou qui tenait lieu de serviette. Mais il ne se sécha pas. Il plongea le chiffon dans le seau, se redressa et, s'approchant d'elle, lui essuya le visage. Elle ferma les yeux, savourant ce contact, à la fois si innocent et si excitant. Ivre de désir, elle s'écarta de lui et tituba. Il la retint par les épaules.

— Angie… ? Si jamais vous avez besoin de moi, pour quoi que ce soit, viendrez-vous me trouver ?

Cette question la bouleversa.

— Vous... Bien sûr, Jason, balbutia-t-elle.

Il poussa un soupir, baissa la tête, se rapprocha. Elle avait les yeux fixés sur sa lèvre inférieure — pleine, sensuelle, délicieuse. Elle leva la main pour caresser cette lèvre...

La porte s'ouvrit brutalement, et les filles firent irruption dans la cabane.

— Ça ira, docteur? demanda Meg, hors d'haleine, en brandissant un grand morceau de flanelle usée.

— Parfait, dit Jason, la voix tendue.

Angie tremblait tellement sur ses jambes qu'elle dut s'appuyer au mur.

Une fois la viande enveloppée dans la flanelle, Jason n'avait plus de raison de s'attarder. Précédés des filles, Angie et lui sortirent et se dirigèrent vers la rivière, sans se parler ni se regarder.

Si les petites n'avaient pas surgi dans la cabane, ils se seraient embrassés.

18

Les derniers accents du cantique résonnèrent entre les murs nus, et l'assemblée s'assit, faisant craquer les bancs.

Le chaud soleil d'août entrait par les fenêtres. L'air à l'intérieur du nouveau temple était étouffant et sentait la sciure. Sur le point d'éternuer, Angie se pinça le nez mais, levant les yeux, elle vit que Nat la regardait en fronçant les sourcils.

Elle rougit, lâcha son nez et éternua. Le bruit

déchira le silence. Petit sourire narquois de Meg. Regard courroucé de Nat.

— Angie a éternué, chuchota Tildy, assez fort pour que tout le monde entende, ce qui provoqua des rires étouffés.

— Chut! fit Nat, comme le révérend Hooker montait en chaire.

Dominant les bancs, la chaire était arrondie et surmontée d'une coupole destinée à renvoyer la voix du pasteur, ce qui n'était pas nécessaire pour Caleb dont le timbre portait loin.

Le service dominical fait de prières, d'hymnes, de lectures de psaumes et de sermons était commencé depuis déjà deux heures, et devait durer une heure encore. Et ce n'était que le service du matin. Dans l'après-midi, après le repas servi dans la maison du dimanche, suivraient deux heures de culte.

Prise de démangeaisons, Angie se tortilla sur son siège, ce qui lui valut, de la part de Nat, un nouveau regard désapprobateur. Sachant qu'elle devrait subir, en rentrant, l'un de ses fastidieux sermons qui s'achevaient toujours par l'affirmation que *sa Marie* n'aurait jamais fait ceci ou cela, elle étouffa un soupir.

Caleb s'éclaircit la voix, retourna le sablier et se lança dans son sermon. Angie s'amusait à regarder les membres de l'assemblée lutter contre l'assoupissement.

Constant Hall, propriétaire du moulin, qui faisait également office de bedeau, allait et venait dans l'allée centrale, une baguette à la main, pour réveiller les fidèles endormis. Par cette chaude matinée, il avait du travail. Quand Sara Kemble commença à dodeliner de la tête et qu'un faible ronflement s'échappa de ses grosses lèvres, Angie dut se mordre la joue pour ne pas rire.

Soudain, la porte s'ouvrit dans un gémissement. Tout le monde se retourna en même temps. Angie laissa échapper une exclamation de surprise.

Jason Savitch se tenait dans l'embrasure, magnifique dans un habit rouge, un gilet en brocart et une culotte vert mousse. Un flot de dentelle dépassait de ses manches et dégringolait sur sa poitrine. De hautes bottes noires gainaient ses mollets.

Bien que tous les yeux fussent fixés sur lui, il ne bougea pas et scruta lentement l'assemblée, ne s'arrêtant que lorsqu'il eut trouvé Angie. L'espace d'un instant — si bref qu'elle se demanda ensuite si elle avait rêvé —, il lui jeta un regard brûlant qui affola son cœur.

Puis il se glissa sur un banc près de l'entrée. Chacun se tourna vers son voisin, et l'édifice s'emplit d'un chuchotement diffus.

— Hum! fit le révérend Hooker de sa voix profonde, mettant un terme au caquetage. Docteur Savitch, nous sommes honorés que vous ayez décidé de nous gratifier de votre présence. Bien qu'avec un peu de retard... ajouta Caleb avec un grand sourire.

Rires.

— Mais, maintenant que vous êtes ici, puis-je continuer?

— Amen, révérend! tonna Jason.

Nouveaux rires, et reniflement de dégoût de la part de Sara Kemble.

Caleb retrouva son sérieux et reprit le fil de son sermon. Les minutes se traînaient. Comment Angie trouva-t-elle la force de ne pas se retourner vers Jason?

Enfin, l'interminable service arriva à son terme. Le bedeau ouvrit les portes et les fidèles sortirent dans l'éclatant soleil. Caleb se tenait à l'entrée, échangeant des plaisanteries avec ses ouailles. Feignant un problème avec son talon, Angie laissa Nat et les filles sortir et attendit, assise sur son banc, que le temple fût vide. Elle n'avait pas le courage d'affronter Jason Savitch. Les deux seules fois, depuis son mariage, où elle s'était trouvée face à lui, elle s'était débrouillée pour se couvrir de ridicule.

« Rien n'arrivera, se disait-elle pour se rassurer. Toute la ville est là. »

— Angie, ça va ?

Elle sursauta et reconnut le révérend Hooker.

— Oh, je vais bien, révérend. J'attends un peu avant d'affronter cette chaleur.

— C'est une chaleur d'enfer, reconnut Caleb. Il s'assit à côté d'elle.

— Angie, reprit-il avec un sourire hésitant, j'aimerais vous parler...

Elle se figea, persuadée qu'il allait lui rappeler qu'elle était mariée et que son attirance pour le médecin célibataire de Merrymeeting était un grave péché.

— C'est à propos de mes sermons.

— Vos sermons ? fit Angie, soulagée. Mais... je ne me suis pas endormie, cette fois-ci. J'avais peut-être l'air un peu distraite, mais...

— Oh, Angie ! s'esclaffa Caleb. C'est justement ça. Vous êtes tellement franche. Je me demandais... J'ai l'impression que mes sermons déçoivent le bon peuple de Merrymeeting, et je me demandais si vous pourriez me donner un conseil.

232

— Eh bien, dit-elle après réflexion, ce n'est qu'une idée...

— Allez-y, Angie.

Elle s'aperçut soudain que Jason se tenait près de la porte, discutant avec le colonel Bishop. Elle prit une profonde inspiration et adressa un grand sourire à Caleb.

— Bon, si c'était moi, je veux dire, si j'étais vous, j'aiguillonnerais un peu les gens en évoquant les feux de l'enfer, le prix du péché et le terrible jugement de Dieu. Et je négligerais ces sujets livresques appris à Harvard.

— Ah oui, je vois...

— Et n'ayez pas peur de prononcer des noms.

— Prononcer des noms?

— Oui. Les gens viennent au temple autant pour potiner et voir leurs voisins que pour vos sermons — je vous demande pardon, révérend. Vous pourriez, par exemple, dire que le bébé de Hannah Randolf est prévu pour le mois prochain, et qu'ayant déjà sept garçons les parents espèrent que ce sera une fille. Que le capitaine Abbott a apporté hier une cargaison d'articles français. Qu'il y a plus de deux mois que le docteur Savitch m'a fait cette piqûre avec...

— Inoculation, précisa Jason en s'approchant.

— Oui. Inoculation.

Oubliant ses bonnes résolutions, Angie se laissa aller à contempler son visage. Sa joie de le voir éclatait dans son sourire.

— Et je ne suis pas encore morte, ajouta-t-elle. Et je n'ai pas non plus attrapé la variole.

— Je vois ce que vous voulez dire, répliqua Caleb, se levant pour serrer la main de Jason. Je devrais peut-être annoncer que le distingué médecin de Merrymeeting a trouvé le moyen d'échapper à la maladie.

— C'est peut-être un peu précipité, murmura Jason, caressant des yeux le visage de Angie.

Elle était habituée à lire le désir dans ces yeux d'un bleu profond. Mais, cette fois, elle croyait presque y lire...

« Oh, arrête de faire l'imbécile ! » se dit-elle. Son cœur ne survivrait pas à une nouvelle déception. En outre, elle était mariée maintenant. Il était mal de penser à Jason autrement que comme un ami.

— J'ai une autre suggestion, révérend... dit-elle pour rompre le charme.

— Oh, oh. Faites attention, révérend, intervint Jason avec un sourire taquin. Elle va vous écrire votre sermon.

— Ce qui ne serait peut-être pas une mauvaise idée, répliqua Caleb, amusé.

Le colonel apparut à cet instant et appela le révérend. Malgré toutes ses réticences, Angie se retrouva donc seule avec Jason.

— Ne vous inquiétez pas, fillette, dit-il, lisant dans ses pensées. Je me suis promis de bien me tenir aujourd'hui. Allons rejoindre les autres, ajouta-t-il en lui offrant son bras. C'est sacrément épuisant de se surveiller et je meurs de faim.

Elle se leva et lui prit le bras.

Le tissu de son habit était doux sous ses doigts. Comprenant qu'elle avait commis une bêtise en le touchant, même de manière si innocente, elle s'écarta de lui.

— Angie...

Elle attendit, le cœur battant.

— Vous avez mangé de mon ours ?

— Vous êtes fou? Je ne veux rien avoir à faire avec cette viande puante.

Jason éclata de rire.

A son grand soulagement, elle repéra Anne Bishop et lui fit signe.

— Anne! Justement je voulais vous voir! s'exclama-t-elle avec une fausse gaieté.

Le visage ridé d'Anne prit un air sévère.

— Vous avez fini de lire les *Essais* de Bacon? demanda-t-elle.

— Pas complètement. J'ai été assez occupée...

— Occupée! Occupée à peiner pour cet homme et ses deux jeunes ingrates.

— Oh, Anne, gémit Angie en lui pressant les mains, cessez de me harceler et écoutez-moi. J'ai eu une merveilleuse idée...

Jason et Anne Bishop échangèrent un regard atterré.

— C'est vraiment une bonne idée, insista Angie, feignant d'être vexée. J'ai pensé que vous pourriez devenir la maîtresse d'école de Merrymeeting.

— Mais... je suis une femme.

— Et alors? Je ne vois pas quel homme vous serait supérieur. En plus, nous n'en avons encore trouvé aucun. Et puis vous économiseriez à Merrymeeting les dix livres d'amende que Boston nous réclame pour ne pas en avoir.

— Aucune ville n'a jamais eu de femme maître d'école, dit-elle en regardant Jason.

— Vrai, acquiesça-t-il. Mais aucune loi ne l'interdit.

— Les gens d'ici ne sont pas du genre à rompre avec les traditions.

— Encore vrai.

— Mais vous pouvez les convaincre, intervint Angie.

— Il est un fait que je suis plus instruite que n'importe qui dans le Maine, déclara Anne. Je pourrais en parler à Giles. Mais si je lui demande, il dira non. Non, je le lui annoncerai comme si c'était chose faite...

Des rires et une délicieuse odeur de maïs rôti s'échappaient par la porte ouverte de la maison du dimanche. Perdue dans ses pensées, Anne y entra en marmonnant.

Se retournant, Angie vit que Jason la fixait avec une expression étrange.

— Qu'est-ce que vous regardez? demanda-t-elle en rougissant.

— Vous. Parfois, vous me stupéfiez, Angie.

— Eh bien, ne me regardez pas comme ça. C'est très impoli.

— Vous avez tué un ours l'autre jour, Jason? demanda Sam Randolf. Il devait être comme une montagne?

— Peut-être, répondit Jason en mordillant sa pipe. A dire vrai, j'ai eu tellement peur que j'avais les yeux fermés.

Tous les hommes rirent. Dans le Maine, un homme ne se vantait jamais de ses hauts faits, laissant cela à ses amis.

Jason se pencha et ramassa une braise avec des pincettes. En la mettant dans le fourneau de sa pipe, son regard erra du côté des femmes, parmi lesquelles se trouvait Angie. Elle regardait Elisabeth actionner son rouet. Pour la centième fois, ce jour-là, leurs yeux se croisèrent.

Il n'était venu au temple que pour la voir, inutile de prétendre autre chose. Parce qu'il se sentait responsable d'elle, se disait-il. Parce qu'il voulait s'assurer de son bonheur, savoir si, après un mois et demi de mariage, elle aimait son mari. Et si Nat l'aimait. Peut-être alors pourrait-il l'oublier...

Mais dès que Angie parlait à son mari, Jason sentait la jalousie le ronger. Si elle lui souriait, il serrait les poings. Une fois, pendant le déjeuner, elle s'était penchée vers Nat, avait posé la main sur son bras et lui avait dit quelque chose qui l'avait fait rougir. Jason l'aurait étranglée. Il avait eu envie de crier : « Tu ne l'aimes pas, Angie ! C'est moi que tu aimes. Moi ! »

Qu'avait-elle pu dire à Nat pour qu'il rougisse ainsi ? Avait-elle fait allusion à quelque jeu intime qu'ils avaient inventé ?

Il ne pouvait supporter le souvenir de leur nuit de noces, quand il les avait vus enlacés. Depuis lors, des images insoutenables le harcelaient.

Aucune femme ne lui avait jamais fait un tel effet. Alors, pourquoi cette fille de taverne ? Pourquoi son sourire, son rire, ses yeux le hantaient-ils ? Même mariée à un autre, elle continuait à tourmenter ses jours et à gâcher ses nuits. Pourquoi diable ne le laissait-elle pas tranquille ?

— Vous croyez qu'ils sont vaincus, docteur ?

Levant la tête, Jason croisa les petits yeux en boutons de bottine d'Obadiah Kemble.

— Quoi ?

— Je disais que ça fait trois ans que les Abenakis ont enterré la hache de guerre. Pensez-vous que c'est parce qu'ils ont été battus ?

Sam Randolf secoua sa tignasse rousse.

— Je sais que vous avez vécu avec eux quand

vous étiez enfant, docteur, mais vous devez admettre que ça ne sert à rien de les battre. Il faut les supprimer.

— Il est vrai qu'il n'y a pas de mot dans la langue abenaki pour « reddition », répliqua Jason. Mais il y en a plusieurs pour exprimer la paix.

Tous les hommes présents, sauf Caleb Hooker, secouèrent la tête en marmonnant. Depuis que le premier sloop de pêche anglais avait aperçu les côtes du Maine, cent ans auparavant, il n'y avait pas eu vraiment de paix.

— Tant que le dernier Abenaki ne sera pas mort, il n'y aura pas de paix. C'est eux ou nous, intervint Nat Parkes.

Au début, Angie dut tendre l'oreille pour entendre la conversation des hommes. Mais l'une après l'autre, les femmes se turent. Sara Kemble secoua énergiquement la tête, agitant les rubans de sa charlotte.

— Honte au docteur Savitch de défendre ces enfants de Satan, dit-elle. Evidemment, on ne peut rien attendre d'autre d'un garçon dont la mère s'est laissé capturer par ces sauvages.

— Vous avez l'air de dire qu'elle était consentante, protesta Angie.

— Elle a vécu avec eux, non ? Elle a laissé l'un d'entre eux en faire sa squaw. Une femme honnête se serait tuée.

— Le suicide est un péché, intervint Elisabeth.

Angie la regarda avec surprise, car elle prenait rarement part aux conversations des autres femmes. En outre, à la seule mention des Indiens, Elisabeth se trouvait mal.

— Mon Sam a raison, déclara Hannah Randolf. Ça fait longtemps que les Indiens n'ont pas

238

fait parler d'eux. J'espère que ça va durer. Rappe-lez-vous ce qui est arrivé la dernière fois.

Tout le monde se tourna vers Anne Bishop. Elle était blême et le coin de sa bouche se mit à se contracter nerveusement. Alarmée, Angie tendit la main vers elle.

— Anne ? fit-elle.

Celle-ci se leva brusquement, renversant son tabouret, et s'enfuit dans une autre pièce de la maison. Angie voulut la suivre, mais Hannah Ran-dolf la retint.

— Il vaut mieux la laisser seule, dit-elle.

— Mais...

— Son dernier fils vivant a été capturé et tor-turé à mort par les sauvages, raconta Sara Kemble avec délectation. Ça s'est passé il y a trois ans, ici même à Merrymeeting. Nous avons été prévenus à temps du raid, mais Willy Bishop traquait un wapiti et a été pris à l'extérieur du retranchement. Anne et le colonel — et nous tous — avons tout vu depuis le chemin de ronde. Ils l'ont attaché nu à une croix juste devant nous, puis ils l'ont tailladé avec des couteaux. Ensuite, ils ont enfoncé des éclats de pin enflammés dans les entailles. Ça a duré des heures. Les cris étaient horribles. Mais il était hors de portée de fusil, si bien que personne n'a pu mettre un terme à ses souffrances.

Angie ferma les yeux, prise de nausées, puis les rouvrit en entendant un bruit sourd.

Elisabeth Hooker s'était évanouie.

Lorsque Jason sortit de la chambre, Caleb et Angie se levèrent.

— Comment est-elle ? demanda le jeune pas-teur, livide.

— Elle dort. Elle s'est seulement évanouie, Caleb. Il n'y a pas lieu de s'inquiéter.

Caleb inclina la tête, la gorge serrée, et se glissa sans bruit dans la chambre, dont il referma la porte derrière lui.

Jason et Angie se regardèrent, chacun essayant de lire dans les pensées de l'autre sans trahir les siennes.

— Que s'est-il passé ? demanda-t-il enfin.

— Cette Sara Kemble mériterait qu'on lui arrache la langue. Elle nous a raconté ce qui est arrivé au fils d'Anne... Ils sont vraiment si cruels, vos Abenakis ?

— Ils peuvent l'être.

Il souffrait. Elle le voyait à sa bouche contractée, à son regard noir. Elle brûlait de le serrer contre sa poitrine et de le consoler. Pour cacher ses sentiments, elle le considéra d'un air sévère.

— Qu'y a-t-il, Angie ? Vous me plaignez d'avoir dû assister, enfant, à de telles atrocités ? Ou bien vous vous demandez si j'y ai moi-même participé ?

— Vous y avez participé ?

— Quelle importance ? Ah, Angie... dit-il en soupirant, où est la fille de taverne qui s'est jetée à mes pieds ? Vous estimez-vous maintenant trop bien pour moi ?

— Je suis mariée, Jason. C'est tout.

— Vous voulez dire que vous aimez Nat ? dit-il en lui étreignant le bras.

— Lâchez-moi. Vous me faites mal.

Il resserra son étreinte jusqu'à ce qu'elle ait les larmes aux yeux.

— Répondez, ordonna-t-il, la mâchoire crispée. Etes-vous amoureuse de Nat ?

— Il est mon mari.

Jason relâcha son bras comme s'il l'avait brûlé. Tournant les talons, il ouvrit brutalement la porte et s'effaça.

— Retournez à la maison du dimanche, madame Parkes. Votre mari doit se demander où vous êtes.

Angie passa devant lui, la tête haute. Dehors, le vent s'était levé, collant sa jupe contre ses jambes. Nat avait amené le chariot devant la maison et attelait la jument. Le révérend Hooker avait annulé l'office de l'après-midi, et un orage s'annonçait. Des nuages gris s'amoncelaient au-dessus des montagnes.

La jeune femme s'arrêta devant le perron et pivota.

— Au revoir, Jason.

Comme il lui était douloureux de prononcer ces mots ! Et plus encore de les entendre prononcés d'une voix froide et indifférente :

— Au revoir, Angie.

Redressant les épaules, elle se détourna. Les nuages crevèrent au moment où elle mettait le pied sur la route. Chauffée par le soleil, la terre se mit à fumer.

19

Elisabeth recula prestement — un, deux, trois pas —, tenant haut le long fil qui s'entortillait. Puis elle avança, laissant le fil s'enrouler sur le fuseau, et recula de nouveau. Avancer, reculer, avancer, filer, filer... Le fil montait sur le fuseau, tandis que le vrombissement de la roue semblait estomper le monde autour d'elle...

On dut frapper deux fois avant qu'elle n'entende. Elle arrêta la roue, contrariée. Si elle l'ignorait, peut-être l'importun s'en irait-il ?

On frappa de nouveau, avec plus d'insistance, cette fois.

Elisabeth entrouvrit la porte, regarda dehors, et sourit.

— Oh, c'est vous, docteur Savitch, dit-elle en ouvrant tout grand.

Jason entra dans la cuisine immaculée. Il embrassa la pièce du regard, remarquant les marmites étincelantes, la bouilloire en cuivre et les plats en porcelaine sur le buffet, le rouet avec son fuseau plein. Il lui sourit.

— Quelqu'un est malade, docteur ? demanda-t-elle, remarquant sa sacoche de médecin.

— Non. Je suis venu en ville pour vous voir, madame Hooker.

— Moi ? Oh, parce que je me suis évanouie hier... Mais je vais bien, maintenant. Voulez-vous du thé ?

— Oui, merci, dit Jason en s'asseyant sur un siège en cuir. J'ai pensé que vous voudriez me parler de ce qui a provoqué cet évanouissement.

— Cette histoire... de sauvages, murmura-t-elle avant de prendre la bouilloire.

— Ah oui... Et de quand datent vos dernières règles ?

La bouilloire tomba par terre avec fracas, et son couvercle roula sous la table. Elisabeth devint écarlate. Comment osait-il lui poser une question aussi personnelle ?

Elle sentit deux fortes mains se poser sur ses

épaules et leva la tête. Il lui souriait, un sourire entendu et doux qui chassa son embarras.

— Laissez-moi faire le thé. Asseyez-vous.

Elisabeth lui obéit. Elle joignit les mains sur la table.

— Je ne me sens pas bien le matin, admit-elle d'une toute petite voix. Et je n'ai pas... eu ce que vous disiez depuis plus de deux mois. Vous croyez que j'attends... ?

— C'est plus que probable.

— Oh...

Un bébé! Elle allait avoir un bébé! Elle ne savait qu'en penser. Caleb serait fou de joie. Mais elle... elle avait un peu peur.

Jason s'accroupit à son côté et lui prit les mains.

— Vous voulez bien que je vous examine?

— Ça veut dire... que vous devrez me toucher?

— Juste un peu. Vous pouvez garder vos vêtements.

Il avait des yeux perçants. Plus bleus que la baie. Des yeux qui la troublaient.

Il débarrassa la table et l'y fit s'allonger, puis il glissa la main sous sa jupe et sa chemise. Quand il lui toucha le ventre, elle sursauta.

— Désolé, dit-il d'une voix calme. J'aurais dû d'abord me réchauffer les mains.

Elle secoua la tête en se mordant la lèvre, mais se détendit au contact de sa main.

— Mes soupçons étaient justes, madame Hooker. Vous êtes enceinte, dit-il en l'aidant à s'asseoir. L'eau bout. Si nous prenions ce thé? Vous avez du sassafras? C'est bon pour les nausées.

Elle acquiesça, horriblement gênée. Aucun homme, à l'exception de son mari, ne l'avait touchée si intimement. Et dire qu'elle avait aimé ce contact. Serait-elle tombée amoureuse du docteur ? se demanda-t-elle horrifiée. Mais lorsqu'il se retourna après avoir rempli la théière, elle comprit qu'elle était ridicule et que seul son état pouvait expliquer son trouble. Elle appréciait cet homme parce qu'il était bon et gentil, mais quand elle le regardait, son cœur ne bondissait pas comme lorsqu'elle contemplait le cher visage de Caleb.

Le docteur remplit deux jolies tasses en porcelaine. Elisabeth venait de porter la tasse à ses lèvres quand la porte s'ouvrit, et Caleb entra en trombe. Il était tellement hors d'haleine qu'il mit quelques instants à reprendre son souffle.

— Sara Kemble m'a dit avoir vu le docteur... Lizzie, qu'est-ce qui est arrivé ? Tu t'es encore évanouie ?

Elisabeth éclata de rire.

— Non, Caleb, je ne me suis pas évanouie. Je me sens très bien. J'attends un bébé !

Caleb blêmit, frappé de stupeur.

— Vous allez être papa, révérend.

— Ô mon Dieu... fit Caleb, se précipitant vers son épouse qui s'était levée. Assieds-toi, chérie, pour l'amour du ciel. Peut-elle rester debout ? demanda-t-il au médecin. Ne devrait-elle pas être couchée ? Jason, ne restez pas planté là. Faites quelque chose !

Jason et Elisabeth échangèrent un sourire complice.

— Venez me chercher quand les douleurs commenceront, alors je ferai quelque chose, dit Jason en prenant sa sacoche. D'ici là, si vous voulez bien m'excu...

— Ne partez pas, décréta Caleb qui saisit son bras.

— Je ne peux tout de même pas rester ici six mois !

— Mais...

— Caleb, tu es bête, le gronda Elisabeth.

— N'oubliez pas le thé au sassafras, madame Hooker, dit Jason en se dirigeant vers la porte. Non seulement c'est bon pour les nausées, mais ça calme les nerfs des futurs pères.

Caleb l'accompagna sur le porche.

— J'ai bien vu que vous essayiez de ménager Elisabeth, dit-il. Et je vous en suis reconnaissant, Jason. Mais à moi, vous pouvez parler franchement.

— Voyons, Caleb. Vous n'êtes pas le premier homme à engendrer un enfant. Et Elisabeth ne sera pas la première femme à accoucher. Elle est plus forte qu'elle ne paraît. Tout ira bien.

Jason prit les rênes de son cheval et se tourna pour un dernier conseil :

— Au fait, vous pouvez avoir des relations conjugales jusqu'au dernier mois.

— Pourquoi me dites-vous ça ? Elisabeth vous l'a demandé ?

— Non. Mais j'ai pensé que vous aimeriez savoir qu'elle ne se cassera pas et que vous ne ferez pas de mal au bébé, si vous vous sentez amoureux durant les prochains mois.

— Oh... euh, Jason ?

Celui-ci attendit, tandis que Caleb se massait la nuque et étudiait le bout de ses chaussures.

— D'après votre expérience, est-ce que les épouses... se sentent souvent amoureuses ?

245

— On ne peut pas dire que j'aie une grande expérience du mariage.

— Mais vous avez connu pas mal de femmes, non?

Jason ne chercha pas à nier. Caleb poursuivit:

— Voyez-vous, un étudiant en théologie n'a guère l'occasion de... En nous mariant, Elisabeth et moi étions tous les deux vierges, et je veux savoir si vous croyez que la plupart des femmes aiment l'amour physique.

— Oui, je le crois.

Caleb détourna les yeux.

— C'est moi alors, murmura-t-il. Mon Dieu, comme elle doit me détester...

— Vous vous faites des idées, dit Jason en rattachant les rênes au poteau. Elisabeth vous aime, Caleb. Un aveugle le verrait.

— Peut-être. Mais comment une femme peut-elle aimer un homme quand elle déteste être touchée par lui? Je lui fais rarement l'amour et aussi vite que possible, pour ne pas lui faire mal. Mais ça la dégoûte, je vous le dis. Je la dégoûte.

— Mal? Elle ressent toujours une douleur? Vous êtes sûr?

— Oui. Chaque fois. Elle est tellement étroite. Je la fais pleurer. J'essaie de faire au plus vite, mais elle a tout de même mal.

Jason poussa un soupir et montra la porte du presbytère.

— Vous avez du cognac?

— Oui, enfin...

— Allez le chercher. Nous avons à discuter, mon ami. Et je crois que nous en aurons besoin.

Angie accrocha un petit morceau de porc salé à l'hameçon, puis cala la canne dans les poings de Tildy.

— Voilà, mon chou, dit-elle en caressant les boucles blondes de la petite fille. Essaie d'attraper un poisson.

Tildy se rapprocha de l'eau, l'air concentrée, et tendit sa poupée à Angie.

— Faites aussi une canne pour Gretchen.

— Ne sois pas idiote! lança Meg de son perchoir rocheux. Gretchen n'est qu'une poupée. Elle ne peut pas pêcher.

Meg tira la langue à sa petite sœur. Tildy fit de même, révélant une bouche noircie par les mûres.

— Si vous êtes sages, les filles, dit Angie en installant Gretchen sur un petit rocher avec une minuscule canne à pêche, je vous montrerai comment attraper un poisson à la main. Tu verras, insista-t-elle devant l'air dubitatif de Meg. C'est un vieil Indien qui m'a appris.

Comme le soleil de midi dépassait la cime des arbres, une brume monta des hautes herbes encore mouillées par la pluie de la veille. Nat était parti au moulin avec une charrette de grains, et Angie avait le sentiment de faire l'école buissonnière. Elle avait du travail par-dessus la tête à la ferme, mais quand Meg avait proposé d'aller pêcher, elle avait tout de suite accepté. Depuis le jour où la poule était restée coincée dans la cheminée, elle sentait faiblir l'hostilité de la fillette à son égard.

Le bout de la canne de Tildy plongea.

— J'en ai un! s'écria-t-elle. Oh, Angie, j'ai un poisson!

Tildy se leva et fit deux pas dans l'eau. Meg se précipita et la saisit par la taille.

— Tiens ferme, Tildy, je vais tirer, dit-elle en empoignant le bout de la canne.

— Je peux le faire toute seule! s'exclama l'enfant en se dégageant.

Comme Angie essayait d'intervenir, sa jupe frôla la poupée et la fit tomber dans l'eau. Elle fut immédiatement emportée par le courant.

Tildy fut la première à la remarquer.

— Gretchen est tombée à l'eau! cria-t-elle. Gretchen se noie!

Angie poussa l'enfant dans les bras de sa grande sœur avant qu'elle n'ait l'idée de se jeter au secours de sa poupée puis, remontant ses jupes, elle entra dans l'eau.

Le courant était beaucoup plus fort qu'elle ne l'aurait cru. L'eau était en outre très froide. Heureusement, la poupée s'accrocha à un rocher, mais la rivière semblait soudain beaucoup plus profonde; elle avait de l'eau au-dessus de la taille. Un pas de plus, elle en aurait à la poitrine.

Les cris hystériques de Tildy couvraient le grondement des flots. La jeune femme tendit le bras vers la poupée, hésita, fit un pas de plus... et l'eau se referma sur sa tête.

La bride sur le cou, le cheval de Jason avançait lentement entre les ornières. Le soleil était impitoyable. Un aigle pêcheur tournoyait au-dessus de la rivière et le riz sauvage ondulait sous la brise. Deux écureuils se poursuivaient sur les branches d'un arbre.

Jason laissa échapper un juron. Sa «petite conversation» avec Caleb l'avait mis de mauvaise humeur.

« Ce qu'il te faut, Savitch, c'est une femme », se dit-il.

L'ennui, c'est qu'il ne voulait pas n'importe quelle femme.

— Angie, marmonna-t-il entre ses dents, prie pour que nos chemins ne se croisent pas.

Dans son état présent, il la jetterait par terre et la prendrait, mariée ou pas, consentante ou pas.

Il était tellement agacé que les cris mirent un certain temps à pénétrer sa conscience. Un mouvement sur sa gauche capta son regard. Il tourna la tête en tirant sur les rênes. Un corps était emporté par le courant.

A cet instant, Mcg Parkes déboucha devant lui, une Tildy hurlante dans les bras. Elle disait quelque chose entre ses sanglots, dont Jason n'entendit qu'un mot qui le glaça.

Angie.

— Restez ici ! jeta-t-il en tournant bride.

S'il avait une chance d'arracher Angie au courant, il devait se placer en aval par rapport à elle. Dirigeant son cheval avec les jambes, il accrocha les rênes au pommeau et se débarrassa de son habit et de son chapeau.

Il avait maintenant dépassé Angie, mais le temps était compté. Lâchant les étriers, il sauta du cheval et atterrit sur le sol, genoux pliés pour amortir le choc, puis il entra dans la rivière et se mit à nager.

Il lui fallait l'attraper lorsqu'elle passerait près de lui. Pendant un instant, ses doigts ne palpèrent que le vide, puis ils s'emmêlèrent dans ses cheveux. Il faillit la perdre deux fois avant de la saisir à bras-le-corps.

Il la jeta, inerte et livide, sur la berge herbeuse

et se hissa à son tour, puis il appuya les doigts sur son cou... et ne sentit rien.

— Non! hurla-t-il, la secouant comme pour la ramener à la vie.

Il lui saisit alors le visage et pressa sa bouche sur ses lèvres bleues.

— Non! hurla-t-il de nouveau.

Ce n'était pas l'université qui avait appris au docteur Jason Savitch à ranimer un noyé. Il avait vu son père indien ramener à la vie un enfant tombé dans le lac près de leur village. Il fit à Angie ce qu'Assacumbuit avait fait à l'enfant.

Soudain sa tête bougea. Elle toussa une fois, puis une deuxième fois, et l'eau jaillit de sa bouche et de son nez.

Il lui releva la tête pour qu'elle ne s'étrangle pas et se remplisse plus facilement les poumons d'air. Une fois la suffocation passée, il la prit sur ses genoux et la berça, puis ferma les yeux et enfouit le visage dans ses cheveux.

— Angie... Vous m'avez fait tellement peur.

— Jason?

Elle s'accrocha à lui, puis sursauta soudain et essaya de se mettre sur ses pieds.

— Les filles! Où sont les filles?

— Elles vont bien, dit-il, la retenant.

— Mais, Jason...

— Elles sont en amont. Je leur ai dit de ne pas bouger. Angie, que s'est-il passé?

— Les f... filles... insista-t-elle en le repoussant. Elles doivent être... terrifiées.

Jason hésitait, craignant de la laisser, lorsqu'il aperçut Meg qui courait sur le chemin au-dessus d'eux, Tildy toujours dans les bras.

— Les voilà. Restez tranquille.

250

— Mais...

— Angie, pour l'amour du ciel, allez-vous pour une fois faire ce que je vous demande?

Il rejoignit les filles avant qu'elles ne commencent à descendre sur la berge. Meg le regardait avec de grands yeux terrorisés.

— Elle est... elle est...? fit-elle.

— Elle va bien. Que s'est-il passé?

— N... nous p... pê... pêchions et... commença Meg dans un sanglot.

— Ça ne fait rien. Conduis Tildy à la maison et mets de l'eau à chauffer. Je ramène Angie dans une minute. Elle va bien, mais il faut qu'elle retrouve son souffle.

Meg acquiesça, s'essuya le nez du revers de la main et continua docilement son chemin.

Lorsque Jason revint, Angie essayait de se lever.

— Restez assise, ordonna-t-il.

Il s'assit à côté d'elle et la contempla. Ses cheveux mouillés lui collaient au crâne et ses yeux fauve semblaient immenses dans son visage blanc. Ses vêtements mouillés faisaient ressortir ses courbes magnifiques. Les bouts de ses seins pointaient sous le fin tissu de son corsage. Même à demi noyée, elle était adorable.

Leurs regards se croisèrent et un sourire éclaira le visage de Angie.

— Vous m'avez encore sauvée de la noyade, Jason. Merci.

— Qui essayiez-vous d'embrasser, cette fois?

Elle rit, ce qui la fit tousser. Elle prit une profonde inspiration, renifla, puis s'essuya le nez comme l'avait fait Meg.

— C'est Gretchen qui est tombée à la rivière. J'ai essayé de la rattraper...

— Gretchen? s'exclama Jason en tournant vers l'eau un regard affolé.

— Ne vous inquiétez pas. Gretchen est une poupée. Oh, pauvre Tildy! gémit-elle. J'ai perdu sa poupée.

— Une poupée! Vous avez sauté dans la rivière pour sauver une poupée? fit-il en la secouant. Enfin, Angie, vous ne savez même pas nager!

— J'avais oublié…

— Malheureuse!

Il la serra si fort qu'elle poussa un grognement de douleur et se dégagea.

— Vous me faites mal.

— C'est une fessée que je devrais vous donner, dit-il entre ses dents. C'est tout ce que vous méritez.

Elle lui jeta un regard furieux, puis se mit à rire.

— Ce n'est pas drôle! hurla-t-il.

— Oh, mais si, Jason! Vous êtes si mignon quand vous êtes en colère.

— Mignon!

— Vous devriez vous voir. On dirait un taureau prêt à charger.

— Ce n'est pas la colère que vous voyez, Angie, c'est le désir.

Cette fois, ce fut lui qui eut envie de rire devant l'expression de Angie.

— Désir? couina-t-elle en se levant tant bien que mal.

Elle s'écarta de lui, les bras pressés contre sa poitrine telle une vierge effarouchée.

Il s'approcha lentement.

— Désir, répéta-t-il. Je te désire depuis si longtemps que je deviens fou. Sais-tu ce que fait un guerrier abenaki quand il veut une femme, Angie?

— Ô Seigneur...

— Il la prend.

— Mais, Jason, je suis... Vous ne pouvez pas !

— Je le peux. Et je vais le faire, Angie.

Elle voyait dans ses yeux qu'il était sérieux. Elle voulut s'enfuir mais il la retint, lui saisit la tête et plaqua sa bouche sur la sienne. Pendant un moment elle répondit à son baiser, puis soudain elle essaya de le repousser. En vain.

— Angie, mon amour, laisse-toi faire...

— Lâchez-moi...

Il l'embrassa de nouveau. Mais cette fois, haletante contre sa bouche ouverte, elle se débattit furieusement. Elle se mit à suffoquer.

Il la lâcha et elle recula en toussant. Comme il voulait l'aider, elle se déroba.

— Angie...

Enfin elle se tourna vers lui... Jamais il n'avait vu tant de douleur dans les yeux d'une femme. Il s'en détesta.

— Comment avez-vous pu, Jason ? Vous n'avez pas le droit de me traiter ainsi.

— Ah, Angie, vous vous trompez. Je ne...

Elle voulut s'enfuir, mais trébucha et tomba sur les genoux. Il la souleva dans ses bras.

— Que faites-vous ? sanglota-t-elle en lui frappant la poitrine. Posez-moi !

— Taisez-vous, Angie, dit-il d'une voix bourrue destinée à masquer son émotion. Je ne vous ferai pas violence.

Elle se tut, tandis qu'il gravissait la berge en la portant et prenait le chemin de la ferme.

— Je ne suis pas ce genre de fille, dit-elle enfin d'une voix mal assurée.

— Oui, Angie, je le sais. Je suis désolé...

Elle laissa échapper un petit soupir et se détendit. Au bout d'un moment, elle appuya la joue contre son torse. Comme c'était bon, songea-t-il, de la tenir ainsi dans ses bras !

Simplement la tenir.

20

La grange sentait le grain, la poussière et le fumier. Angie s'arrêta dans l'embrasure de la porte et regarda Nat battre le blé avec un fléau. Il venait de prendre une fourche pour mettre la paille de côté quand il leva la tête et la remarqua. Elle portait son mousquet sur l'épaule et son chapeau sur la tête.

S'appuyant sur la fourche, il reprit son souffle.

— On dirait que c'est vous, Angie, qui allez faire les manœuvres à ma place. Les autres sont déjà arrivés ?

Elle répondit par un salut militaire, ce qui le fit rire.

Il posa la fourche, ramassa son manteau et l'enfila.

— Ça ne vous ennuie pas de rester seule avec les filles ?

— Tout se passera bien. Ne vous inquiétez pas, Nat.

Elle l'aida à enfiler son manteau. Il était coupé dans un lainage bleu vif qui jurait avec le vert foncé de sa culotte d'uniforme. Sa femme le lui avait fait. Sa première femme.

— Quand votre Marie vivait, vous faisiez bien les manœuvres, et elle ne disait rien.

Lorsque Nat lui avait annoncé qu'il devait partir le lendemain avec les hommes de Merrymeeting aptes au service, Angie s'en était étonnée.

— On a cinq shillings d'amende si on n'y va pas, avait-il expliqué.

— Mais un homme qui a un pied en moins devrait en être dispensé !

— Je ne suis peut être pas capable de participer aux exercices, mais je peux rendre d'autres services. Je sers d'adjudant au colonel Bishop. Ma Marie et moi trouvions que je ne pouvais pas faire moins...

Angie retira le chapeau de sa tête brune et le posa sur celle de son mari. Elle en avait décoré le bord d'une brindille de pin et d'une cocarde. Elle lui tendit le mousquet et sortit à sa suite. Un groupe d'hommes attendait dans la cour. Ils semblaient tout aussi excités que des gamins à la perspective d'une excursion, songea Angie.

Pour les hommes de Merrymeeting, les manœuvres équivalaient à cinq jours de vacances. Un jour sur le sloop pour rejoindre Wells, trois jours sur place et un jour pour le retour.

Nat entra dire au revoir aux filles et prit le reste de son équipement — giberne, poire à poudre, tomahawk et gamelle en bois. Angie chercha parmi les hommes un visage anguleux sous une chevelure noire, mais seule une tignasse rousse capta son regard.

Elle se dirigea, les poings sur les hanches, vers le robuste forgeron.

— Que faites-vous ici, Sam Randolf ? Je croyais

que votre Hannah devait accoucher d'un jour à l'autre.

— Oh, madame Parkes... fit Sam en regardant ses pieds. Ne vous inquiétez pas pour Hannah. Elle m'a donné sept beaux garçons sans une plainte. Elle n'a pas besoin de moi. Je ne ferais que gêner. Et le docteur reste avec elle.

— Ah bon! Je suis étonnée qu'il n'aille pas avec vous.

— En général il y va, intervint Obadiah Kemble. Bien que les médecins ne soient pas obligés de participer à la milice.

Nat sortit de la maison, Tildy dans les bras et Meg à son côté. Tildy tenait sa nouvelle poupée à la main, une Indienne avec une robe en peau, un minuscule collier en coquillages et un bonnet en *wampum* — le coquillage qui servait de monnaie aux Abenakis.

Jason avait apporté la poupée le lendemain de la disparition de Gretchen, mais Angie ne l'avait pas vu, car elle était dans la maison à essayer en vain de manœuvrer le rouet de Marie. Quand Tildy lui avait fièrement montré la poupée, elle avait éclaté en sanglots et s'était réfugiée dans la chambre.

Lorsqu'elle en était ressortie, dans la soirée, Nat lui avait dit que Tildy l'avait baptisée Hildegarde.

— Où va-t-elle chercher ces noms? avait-il demandé avec un rire nerveux, la surveillant du coin de l'œil, de peur qu'elle ne se remette à pleurer.

Angie ne comprenait pas elle-même pourquoi la générosité de Jason avait eu cet effet. Chaque fois qu'elle regardait la poupée, elle avait envie de pleurer...

Mais en voyant Nat et les filles sortir de la maison, elle sourit. Il embrassa Tildy puis se baissa pour étreindre Meg.

— Comportez-vous bien, les filles, et veillez sur Angie.

Il mit son fusil sur l'épaule et se dirigea avec les hommes vers la baie, où le sloop attendait la marée du matin pour sortir de l'estuaire. En lisière de la forêt, il se retourna et agita la main. Angie et les filles lui répondirent.

— Au revoir, papa! cria Tildy.

Lorsque la silhouette de Nat eut disparu, Meg se tourna avec un sourire ironique vers la jeune femme.

— Comment se fait-il que vous ne pleuriez pas? Maman pleurait toujours quand papa allait à Wells pour les manœuvres.

— Vraiment? fit Angie, étonnée que Marie Parkes ait succombé à ce genre de faiblesse.

— Il ne vous a pas embrassée, insista Meg. Il embrassait toujours maman quand il partait.

Cet après-midi-là, Angie décida de fendre du bois.

La matinée avait commencé dans un épais brouillard. Mais au moment du départ de Nat, il s'était dissipé, laissant place à une brume légère. On était en septembre; les jours étaient plus courts et les arbres commençaient à se colorer. Le maïs était haut et serait bientôt mûr.

Les nuits devenaient plus fraîches. Il faudrait bientôt sortir du coffre des couvertures supplémentaires. Angie décida de faire une surprise à Nat en préparant un bon tas de bois de chauffage — du noyer, qui brûlait bien et chauffait plus.

257

Elle se mit au travail derrière la grange, empilant le bois fendu sur un traîneau qui serait ensuite tiré dans la remise. Le bruit mat de la hache mordant le bois résonnait dans la forêt.

Elle pensait à Jason. Toc! La hache fendit le bois et elle imagina que c'était sur sa tête qu'elle frappait.

Il était, en ce moment, auprès de Hannah. Angie fut tentée d'aller proposer son aide; elle pourrait, par exemple, apporter une marmite de haricots cuits ou du pain. Mais elle savait que ce ne serait qu'une excuse pour le voir.

Toc! Cette fois, c'était sa propre tête qu'elle attaquait.

Il y avait trois semaines que Jason l'avait sauvée de la noyade et, bien qu'elle ne l'eût pas revu depuis, elle ne cessait de penser à lui et à ce dernier baiser. Elle lui en voulait de s'être comporté de la sorte, et s'en voulait de l'aimer et de le désirer.

Toc! Elle se défoulait maintenant sur la tête de Nat. Nat, son soi-disant mari, qui ne dormait toujours pas avec elle et ne pouvait même pas lui donner un baiser sur la joue quand il partait pour cinq jours. S'il n'y avait pas d'amour entre eux, ils étaient tout de même mari et femme. Si Nat était réellement devenu son mari, peut-être aurait-elle pu chasser Jason Savitch de son cœur.

Toc! Toc! Toc!

La hache dont se servait Angie était d'un fer cassant qui se brisait souvent par temps froid. Elle était lourde et difficile à manier, branlant à l'approche de la cible. Angie ne remarqua pas que l'oscillation augmentait de plus en plus... jusqu'à ce que le fer quitte le manche.

Le fer traversa l'air, tailladant au passage le

jupon et la cuisse de Angie. D'abord insensible, elle regarda le manche, éberluée, puis une douleur violente lui arracha un cri.

Portant la main à sa cuisse, elle la retira dégoulinante de sang. Elle jeta le manche et s'appuya contre le billot. La douleur était si forte qu'elle obscurcissait sa vision. Serrant les dents, elle souleva sa jupe.

Ce qu'elle vit la fit chanceler. L'entaille était irrégulière et profonde, et il en jaillissait un sang épais, presque noir. Elle essaya en vain d'arrêter l'hémorragie avec la main.

Elle entendit une porte claquer, puis la voix haut perchée de Meg l'appeler. Elle ouvrit la bouche pour répondre, mais n'en trouva pas la force. Sa vision s'obscurcissait de plus en plus. Elle cligna des yeux et entraperçut le visage horrifié de Meg.

— Va chercher le docteur... Il est chez... Hannah Randolf...

L'obscurité se fit totale.

Quelques minutes ou quelques secondes plus tard, Angie sentit des lèvres humides sur sa joue. Ouvrant les yeux, elle reconnut le visage poupin pressé contre le sien.

— Vous vous êtes coupée avec la hache, Angie ? chuchotait Tildy. Vous allez avoir un pied en bois comme papa ?

Angie sourit, ou crut sourire. Le monde était de nouveau obscur.

En mettant un garrot autour de la cuisse de Angie, le docteur Jason Savitch s'efforçait de ne pas trembler. Un centimètre de plus, et la hache sectionnait une artère.

Pourquoi lui faisait-elle des coups pareils? Il avait pourtant essayé de se protéger, de prendre ses distances vis-à-vis d'elle. Sans résultat. Il n'arrivait pas à s'en détacher.

Malgré lui, il effleura son précieux visage, tordu de douleur. Il aurait donné sa propre jambe pour lui épargner ça. Il comprit soudain qu'elle lui était plus précieuse que la vie.

— Jason...?

Il se pencha et pressa les lèvres sur son front.

— Je suis ici, mon amour.

— La hache s'est... cassée. Elle m'a entaillé la jambe...

— Ça va aller. Je vais vous recoudre dans une minute. Je dois d'abord vous transporter dans la maison.

Il la souleva le plus délicatement possible dans ses bras.

— Je suis désolée de vous créer tous ces ennuis.

— Je commence à être habitué, dit-il en lui effleurant la joue.

Un faible sourire trembla sur les lèvres de Angie. Jason la posa sur le lit, puis se tourna vers Meg.

— Ton père a du rhum ou du cognac?

— Vous voulez dire, la grande bouteille de médicament?

— Oui. C'est probablement ça... Apporte aussi une tasse. Et mets de l'eau à bouillir.

Meg revint avec une bouteille de cognac et un petit verre.

— Va attendre avec Tildy dans la salle. Et ferme la porte.

Jason porta un verre de cognac aux lèvres de Angie.

— Je vais vous soûler, Angie, prévint-il.

260

— Vous n'essayez pas de profiter de la situation, Jason Savitch ?

Il ne put même pas sourire.

Malgré ses protestations, il la fit boire jusqu'à ce qu'elle soit au bord de l'évanouissement. Puis il nettoya parfaitement la plaie, avant de recoudre avec une aiguille en os et un morceau de boyau de mouton. Bien qu'encore consciente, elle ne gémit que faiblement pendant l'opération. Tout en travaillant, il lui disait qu'elle était la femme la plus courageuse qu'il ait jamais connue...

Avec l'aide de Meg, il trouva la réserve de tabac de Nat. Quelques feuilles ajoutées à de la vesse-de-loup qu'il avait dans sa sacoche feraient office d'astringent. Il appliqua le tout sur la cicatrice, puis enveloppa la cuisse d'un bandage coupé dans un vieux drap. Lorsqu'il eut terminé, il se redressa et la regarda, l'air sévère.

— Commencez pas à me crier dessus, bredouilla-t-elle.

— Nous parlerons plus tard de votre étourderie.

— Pas ma faute... Et Hannah ?

— Elle a eu son bébé il y a une heure. C'est une fille.

— Oh, c'est bien... J'aimerais avoir un bébé...

Il s'assit à côté d'elle sur le lit et l'appuya contre lui. Passant un bras autour de sa taille, il posa la main sur son ventre. Il la sentit soupirer. Elle lui prit la main, mariant ses doigts blancs et fins aux siens, longs et hâlés.

Elle gloussa.

— Vous avez des mains magiques, Jason. Dès le début, je m'en suis aperçue et je suis tombée amoureuse de vous, idiote que je suis.

Effrayé par ses paroles, Jason referma les doigts sur les siens. Il changea de sujet :

— Pendant quelques jours vous aurez très mal à la jambe. Vous devrez rester tranquille. Je vais peut-être envoyer quelqu'un chercher Nat...

— N... non, Jason. N'envoyez pas chercher Nat. S'il vous plaît...

Il la serra inconsciemment contre lui.

— Angie, pourquoi avez-vous peur de Nat ? Il vous bat ?

— Non, non... Nat ne me touche jamais. Il ne me touche pas du tout.

Plongeant le regard dans le sien, il eut le cœur transpercé par ses yeux fauves.

— Nat ne m'aime pas, Jason. Il aime toujours sa femme. Et vous ne m'aimez pas non plus. Personne ne m'aime. Pourquoi ne m'aimez-vous pas, Jason ?

Il tressaillit.

— Angie, je...

... *t'aime*.

Les mots restèrent bloqués dans sa gorge, mais résonnèrent dans son cœur.

Je t'aime.

Angie ouvrit la porte. Jason était là, menaçant, incroyablement beau et viril avec sa chemise de chasse à franges ouverte jusqu'à la taille, sa culotte moulante et ses bottes qui lui arrivaient aux genoux.

— Que diable faites-vous debout ? demanda-t-il.

— Je ne pouvais pas rester une minute de plus dans ce lit. Nat doit rentrer ce soir, et j'ai du travail par-dessus la tête.

Sans préavis, il la souleva dans ses bras et se dirigea vers la chambre. C'était si bon d'être tenue, touchée par lui. L'espace d'une seconde, elle appuya la joue contre sa poitrine. La toile rugueuse de sa chemise était tiède et imprégnée de son odeur.

— Jason, posez-moi !

— Dans une minute.

Il la déposa sur le lit et lui tâta le front.

— Vous avez de la fièvre, Angie.

— J'ai chaud parce qu'il fait lourd, répliqua-t-elle en se dressant sur ses coudes. Jason, j'ai mille choses...

Il l'obligea à s'allonger.

— Nat ne rentrera pas ce soir. Il va y avoir un gros orage. Le sloop ne prendra pas la mer par un temps pareil.

Angie jeta un regard par la fenêtre. Effectivement, de gros nuages noirs s'amoncelaient au-dessus d'eux. Des bourrasques de vent secouaient les arbres.

— Donnez-moi votre parole que vous ne bougerez pas aujourd'hui, dit-il.

— Mais...

Il mit les doigts sur ses lèvres, contact qui la troubla au point qu'elle faillit les embrasser.

— Votre parole, Angie.

Elle acquiesça. Il retira sa main.

— Maintenant, dites-moi ce que vous avez à faire et je le ferai.

— Vous feriez un travail de femme ?

— Pour vous, oui, répondit-il avec un sourire en biais. Seulement, ne le dites à personne...

Bercée par le bruit de sa voix parlant aux filles, elle resta à somnoler tandis qu'il s'activait. A un moment, il lui apporta une tasse de thé à la menthe. Il s'assit sur le lit et but avec elle en causant. De rien d'extraordinaire, mais Angie songea qu'elle n'avait jamais été aussi heureuse.

L'orage éclata avec violence en fin d'après-midi.

Il faisait sombre et le vent sifflait une mélodie funèbre. Soudain, la pluie se mit à tomber à verse.

Angie sortit du lit et boitilla pour aller fermer les volets. Ce faisant, elle vit Jason revenir en courant, après avoir rentré les chevaux dans la grange. La pluie transformait la clairière en bourbier. Elle pénétra dans la salle où des odeurs délicieuses émanaient de l'âtre et sourit aux filles qui mettaient la table.

Elle trouva Jason à la porte d'entrée, nettoyant ses bottes sur le racloir. La pluie avait collé sa chemise à son torse, soulignant les contours de ses muscles. De l'eau dégoulinait de ses cheveux trempés. Ses yeux bleus étincelaient comme de l'argent dans le clair-obscur.

— Enlevez cette chemise avant d'attraper froid, dit-elle d'une voix grondeuse pour masquer son trouble. Je vais la mettre à sécher près du feu pendant que nous dînerons. Vous restez dîner, n'est-ce pas ?

— Bien sûr. C'est moi qui ai préparé le repas.

Il retira sa chemise mouillée et entra dans la salle en chaussettes. Elle ne pouvait détacher les yeux de son large dos et de sa taille étroite.

Le souper était généralement le repas le plus léger de la journée, mais Jason et les filles avaient préparé un festin. Dinde rôtie, plat de fèves et de maïs, biscuits et tourte aux mûres. Il lui faisait face, une couverture drapée sur ses épaules. Les flammes allumaient des reflets dorés dans ses cheveux bruns.

Elle le regarda piquer un morceau de dinde avec la pointe de son couteau.

— Désolée, dit-elle, mais nous n'avons pas un de ces nouveaux instruments comme chez les Bishop.

— Vous n'aimez pas ma cuisine ? demanda-t-il, voyant qu'elle ne mangeait pas.

— Oh, si, c'est délicieux !

— J'ai fait les biscuits ! annonça Tildy.

— Non, répliqua Meg. C'est moi. Tu n'as fait que malaxer la pâte.

Angie goûta un biscuit enduit de mélasse.

— Miam-miam, fit-elle en roulant les yeux.

Les enfants rirent, imitées par Jason.

Elle était trop excitée pour manger. Elle avait si souvent rêvé de ce moment — assis l'un en face de l'autre, comme un couple normal.

— Vous savez que c'est officiel, Jason : Anne Bishop va être la maîtresse d'école de Merrymeeting.

— Grâce à vous. Ce que j'ai fait de plus malin, c'est vous amener ici à Merrymeeting.

Angie rougit de plaisir.

— Elle commencera les cours après la moisson, ajouta-t-elle. Dans sa bibliothèque.

— J'ai entendu dire que Sara Kemble a promis d'écrire aux autorités de Boston pour les informer que notre nouveau maître d'école est une *maîtresse*.

— Oh, non !

— Oh, si ! Sur quoi, Obadiah l'a menacée de lui faire tâter de sa cravache s'il la surprenait avec un papier et une plume !

Tous éclatèrent de rire, imaginant le minuscule Obadiah s'en prenant à l'énorme Mme Kemble...

Jason ne permit pas à Angie de débarrasser. Il l'installa sur le banc, sa jambe soutenue par un tabouret, et remit de l'ordre dans la pièce avec l'aide des filles. Puis tous les trois rejoignirent la jeune femme autour du feu.

Tildy se glissa sur les genoux de Jason.

— Racontez-nous une histoire de Goosecup.

— Goosecup ? demanda Angie.

— Gloosecap, corrigea Jason. C'est un géant qui est descendu du ciel dans un canoë de pierre.

— Allons ! se moqua Angie.

— Oh, mais c'est vrai, dit Jason, tout à fait sérieux. Il était une fois, avant que la lumière du soleil ne touche la Terre...

Sous prétexte d'écouter son histoire, Angie contemplait le visage de l'homme qu'elle aimait. Elle se laissa pénétrer par sa voix apaisante. « Quand il se mariera et aura des enfants, c'est ainsi qu'il sera », songea-t-elle. Comme elle enviait la femme qui connaîtrait cette joie...

— Et voilà, conclut-il d'une voix douce en la regardant dans les yeux. L'histoire est terminée.

— Il est tard, fit Angie. Vous devriez être au lit, les filles.

Jason se leva, mais elle l'arrêta.

— Non, je vais les coucher. Je suis restée assise toute la journée et j'ai besoin de bouger un peu.

Quand elle revint après les avoir bordées, elle s'arrêta dans l'embrasure de la porte. Ils n'avaient pas allumé la chandelle, de sorte que la pièce n'était éclairée que par le feu. Jason avait rejeté la couverture, offrant sa poitrine à la chaleur des flammes, et tiré une chope de bière qu'il avait posée sur son genou.

Une bûche roula dans une explosion d'étincelles. Il se tourna vers elle, les yeux brûlants.

— Elles se sont tout de suite endormies, annonça-t-elle d'une voix étrangement enrouée.

— C'est bien.

Il vida la chope et la posa sur la table. On entendait le tic-tac de la pendule et le bruit de la pluie dégouttant de l'avant-toit. Pour l'instant, le vent s'était calmé.

Elle entra dans la pièce, mais ne s'assit pas.

— Elles vont probablement se réveiller en pleine nuit, effrayées par des géants qui dévorent les petites filles.

— Gloosecap veillera sur elles, dit-il avec un délicieux sourire qui fit bondir le cœur de Angie.

Il étendit les jambes et joignit les mains derrière la tête. La pièce parut soudain trop petite. Ils ne s'étaient pas touchés de toute la soirée. Pourtant, jamais elle n'avait été plus consciente de sa présence.

— Jason, murmura-t-elle, oppressée. Je vous remercie pour tout ce que vous avez fait aujourd'hui. Mais il n'est pas bien... que vous restiez ici maintenant. Vous devriez partir.

— De quoi avez-vous peur ? répliqua-t-il en la considérant d'un regard ardent.

— De vous, chuchota-t-elle. Et de moi.

Laissant retomber les bras, il se redressa lentement et s'approcha d'elle. Il ne la toucha toujours pas, mais la déshabilla du regard.

— Je t'aime, dit-il.

L'espace d'un instant, elle fut envahie par une

joie immense. Puis la réalité reprit ses droits, et avec elle la colère.

Elle le gifla. Violemment. Puis elle frappa l'autre joue, plus fort encore. Voyant qu'il ne réagissait pas, elle s'arrêta.

— Je t'aime, répéta-t-il.

— Salaud. Salaud, salaud...

— Je t'aime, Angie. Je sais qu'il est trop tard, mais je... je voulais que tu le saches.

Saisissant sa chemise, il se dirigea vers la porte et s'arrêta pour l'enfiler, ainsi que ses bottes.

— Angie... ? fit-il, la main sur la poignée.

— Partez! cria-t-elle. Partez! Partez! Partez! Je vous déteste.

Il partit.

Mais dès que la porte fut fermée, elle se précipita à sa suite en trébuchant, essaya d'ouvrir le loquet, puis tomba à genoux en criant son nom.

21

Le vent du nord-est souffla pendant trois jours, apportant deux cadeaux de la mer.

La nouvelle se répandit dès le retour des miliciens. Des langoustes avaient été rejetées en si grand nombre sur le rivage qu'on pouvait en ramasser en quantités phénoménales. La marée avait également apporté un canon, provenant d'un navire français naufragé.

Tous les habitants de Merrymeeting se rassemblèrent sur le pré communal avec leurs charrettes et chariots. Au moment où ils allaient descendre sur la plage, Jason surgit à cheval de la forêt, l'air d'un sauvage avec sa culotte de peau, ses mocassins et son bonnet de renard. Angie l'observa mais, quand il pivota dans sa direction, elle détourna vivement les yeux.

«Il t'aime! chantait son cœur. Il t'aime!»

Trop tard. Trop tard, répondait une petite voix, lugubre.

— Vous avez déjà été à un pique-nique de fruits de mer, Angie? demanda Nat.

Assis à côté d'elle dans la charrette, il était pour une fois détendu et souriant.

Son mari.

— Non, jamais, Nat. Ça a l'air amusant.

Trop tard. Trop tard. Trop tard.

— Et bon. N'est-ce pas, les filles? dit-il en se tournant vers Meg et Tildy, assises à l'arrière, jambes ballantes.

Nat s'était adouci, ces derniers temps. Après l'accident avec la hache, Angie s'était attendue à se faire gronder, mais il s'était montré plus inquiet que furieux. Il avait réagi de la même façon quand elle avait failli se noyer.

— Il y a du bon en vous, Angie, lui avait-il dit un soir avant de se coucher. Je le vois avec les filles. Elles vous aiment. Même Meg.

Il avait souri, puis l'avait regardée comme s'il la voyait pour la première fois...

Des milliers de langoustes avaient été rejetées sur le rivage par la tempête. Elles jonchaient le sol, leurs carapaces étincelant au soleil. Beaucoup vivaient encore, et le sol semblait onduler.

Coincé entre deux rochers couverts de lichen, parmi les débris de l'épave, on avait trouvé le canon en fonte. Les hommes l'entouraient, surexcités : une telle arme découragerait toute une tribu d'Abenakis sur le sentier de la guerre.

— Avec un attelage de bœufs, nous pourrions le tirer jusqu'au fortin, dit le colonel Bishop. Il est percé. Pensez-vous pouvoir le remettre en état, Sam ?

Le forgeron caressa le fût du canon, presque amoureusement.

— Oui, mais nous n'avons pas de munitions. Dommage que le bateau français ne nous ait pas aussi donné les boulets.

— Il pourra toujours tirer à mitraille et ce sera tout aussi efficace, intervint Jason.

Levant les yeux, il vit que Angie le regardait. Elle lui lança un regard mauvais et détourna la tête.

— Il faut seulement une amorce et de la poudre, acheva-t-il en fronçant les sourcils.

Une fois leurs chariots chargés de crustacés, les habitants de Merrymeeting s'installèrent pour le pique-nique.

C'était un temps rêvé pour un tel événement. L'air était limpide, le soleil aveuglant, et des mouettes tournoyaient dans un ciel sans nuages.

Comme il leur fallait plusieurs feux, ils se répartirent en groupe. Nat conduisit Angie et les filles auprès de leurs voisins, les Sewall, et ils furent bientôt rejoints par Sam et Hannah Randolf et leur marmaille. Angie fut stupéfaite que Hannah fût déjà debout. Les femmes s'extasiaient au-dessus du panier où était couché le nouveau-né.

Convaincue que Jason se joindrait à eux, Angie essaya d'adopter le masque de l'indifférence, mais le docteur choisit le groupe des Bishop.

Chaque groupe mit des pierres en cercle. On y

posa du petit bois qu'on alluma, puis on ajouta des brassées de bois.

En attendant que les pierres chauffent, ils profitèrent de la marée basse pour ramasser des clams. Angie avait découvert un petit crabe vert et l'asticotait avec un bâton, lorsqu'elle entendit derrière elle une voix familière :

— Attention, Angie. Ils sont méchants comme la gale. Ils s'accrochent à votre orteil ou à votre doigt, et ne vous lâchent plus.

Elle se redressa et voulut s'éloigner, mais il posa la main sur son bras, l'obligeant à se retourner. Ce mouvement brusque tira sur la cicatrice de sa cuisse, et elle serra les dents de douleur.

— Allez-vous passer la journée à me lancer des regards mauvais ou à m'ignorer ? fit-il.

— Vous vous flattez, docteur Savitch. Jusqu'à présent, je n'avais pas remarqué votre présence.

Il serra les dents.

— Il faut que nous parlions.

— Je ne vois pas ce que nous pourrions nous dire. A moins que vous ne vouliez me présenter votre facture pour m'avoir recousu la jambe. J'en parlerai à mon mari. Nous sommes un peu à court de liquide en ce moment ; une couple de poulets, cela ferait-il l'affaire ? Ou un cochon de lait ?

— Ça suffit, Angie...

— Excusez-moi, docteur, mais je crois que mon mari me cherche.

Passant devant lui, elle se hâta vers Nat. Occupé à ôter une étoile de mer des cheveux de Tildy, celui-ci ne regardait même pas dans sa direction.

Une fois les seaux remplis, les clams furent versés sur les pierres brûlantes. Puis on posa les langoustes sur les clams et on recouvrit le tout d'algues, afin de retenir la vapeur.

Après le délicieux repas, arrosé de cidre et de bière, les pique-niqueurs rassemblèrent enfants et matériel.

Jason était en grande conversation avec le colonel Bishop et Sam Randolf. Sûre qu'il ne la suivrait pas, Angie descendit sur la plage, après en avoir informé Nat. Depuis le début de l'après-midi, quelque chose l'intriguait.

C'était un énorme tas de coquilles d'huître plus large et plus haut qu'une bâtisse. Du guano recouvrait le monticule tel un épais manteau de neige, et des pervenches poussaient dans les interstices. A quoi pouvait-il servir ? Peut-être était-il là depuis des années, des siècles...

Elle sentit sa présence avant de le voir. Elle se tourna lentement vers lui. L'homme le plus beau qu'elle ait jamais vu. L'homme qu'elle aimait. L'homme qui avait dit — trop tard — qu'il l'aimait.

— Angie...

— Je vous interdis de me dire que vous m'aimez. Je ne veux pas l'entendre...

— Je vous aime !

Il avait pratiquement crié, et Angie jeta un regard affolé vers les autres, craignant qu'ils n'aient entendu, puis elle pivota et se dirigea vers un autre monticule de coquillages. Il la suivit.

— Qu'est-ce que c'est ? demanda-t-elle.

— Personne ne sait. Ils ont été édifiés par des gens qui vivaient ici, il y a des milliers d'années. Les Abenakis les appellent les hommes des coquilles d'huître, mais personne ne sait ce qu'ils faisaient avec toutes ces huîtres, s'ils les mangeaient ou s'en servaient comme engrais ou...

272

— Depuis combien de temps ?

— Personne ne sait...

— Depuis combien de temps m'aimez-vous ?

— Je l'ignore. Peut-être depuis que je vous ai surprise pêchant avec ce vieil Indien. Peut-être depuis que je vous ai découverte vautrée sur mon lit...

— Sale type ! Pourquoi avez-vous attendu si longtemps pour me le dire ? Vous ne cessiez de me crier en pleine figure que vous ne m'aimiez pas, et vous m'avez laissée en épouser un autre. Eh bien, j'espère que vous êtes bien malheureux. J'espère que vous souffrez.

— Je souffre, Angie.

Il en avait l'air. Il avait les yeux cernés et injectés de sang.

— Je souffre, Angie, répéta-t-il.

— Tant mieux !

Tournant les talons, elle poursuivit son chemin entre les tas d'algues brunes et trébucha. Il la rattrapa par l'épaule, mais elle se dégagea.

— Pourquoi me suivez-vous ? Vous voulez que tout Merrymeeting sache que vous convoitez la femme de votre voisin ?

En fait, ils étaient cachés à la vue des autres par les monticules de coquilles d'huître.

— Je ne vous convoite pas.

— Tu parles !

Elle retira son bonnet et secoua la tête ; le vent fit ondoyer ses cheveux autour de son visage. Elle se tenait devant lui, consciente de sa beauté — le soleil allumait des reflets rouges dans ses cheveux, le vent rosissait ses joues.

— D'accord, je vous désire, dit-il. Mais, Angie,

il n'y a pas que ça. Je vous aime. Je veux vivre avec vous, vous épouser.

— Je suis mariée avec Nat.

— Vous ne l'aimez pas !

— Ce que j'éprouve pour mon mari ne vous regarde pas.

Avant qu'elle ait le temps de dire ouf, il l'attira à lui et s'empara de sa bouche. Elle ne fit même pas mine de résister. Elle répondit à son baiser avec passion, jusqu'à en perdre le souffle.

— Angie, mon amour, ma vie. Pars avec moi…

— Je ne peux pas ! s'écria-t-elle, le visage déformé par le chagrin.

— Alors, dis-moi que tu ne m'aimes pas, répliqua-t-il en la regardant dans les yeux.

— Je… je suis mariée. Je…

Il abaissa de nouveau la bouche, mais cette fois elle tourna la tête. Avec une lenteur insupportable, il promena le pouce le long de sa gorge.

— Lâche-moi, supplia-t-elle.

— Et si je ne te lâche pas ? Si je t'enlève maintenant ? Pour t'emmener où personne ne nous trouvera jamais ?

Le sang battait à ses oreilles, plus fort que les vagues derrière eux.

— Tu ne le ferais pas…

— Tu crois ?

Son pouce continuait à aller et venir. Sa bouche était de plus en plus proche. Angie crut défaillir.

— Au diable les lois et la moralité des Yengis ! Je suis à demi sauvage, ne l'oublie pas. S'agissant de toi, je le suis peut-être entièrement. En plus, à la façon dont tu m'as embrassé, je dirais que c'est ce que tu souhaites, Angie.

274

— Je résisterai, dit-elle, s'arrachant à lui. Je me battrai et je me sauverai.

Voyant son visage se crisper de douleur, la jeune femme en eut les larmes aux yeux et lui saisit les mains.

— Oh, Jason, pourquoi est-ce que je te résiste ? Cela me détruit…

— Alors, viens avec moi.

Se détournant, elle réprima un sanglot.

— Je t'en supplie, ne me le demande pas. Je ne peux pas.

Il la ramena face à lui et essuya son visage baigné de larmes.

— Mon amour, mon amour… ne pleure pas.

— Je ne peux pas les laisser, Jason. J'ai donné ma parole à Nat et à ses filles. Devant Dieu. Tu crois peut-être que je n'ai pas d'honneur ?

— Je croyais que tu m'aimais.

— Je t'aime. Mais il y a Nat. Il m'a épousée de bonne foi. Il m'a confié ses enfants. Et les filles m'aiment bien, maintenant. Il serait cruel de les abandonner si peu de temps après la mort de leur maman. Comment, les sachant malheureux, pourrions-nous être heureux ? Si je les trahissais de la sorte, je ne pourrais plus me regarder en face. Et comment espérer vivre avec toi si je ne peux pas me regarder en face ?

— Angie, ma merveilleuse Angie, dit-il en prenant son visage dans ses paumes. Ton honneur, ta dignité, ta force — c'est pour toutes ces raisons que je t'aime.

— Alors, tu comprends…

— Je comprends. Mais sans toi, je… J'ai besoin de toi, Angie.

Incapable d'en supporter davantage, elle s'enfuit le long de la plage. Il se tourna vers la mer et ferma les yeux. Lorsqu'il les rouvrit, l'océan était toujours là, vaste, bleu. Vide.

— La réponse est non et n'en parlons plus !

Angie jeta un regard par-dessus son épaule aux filles réfugiées dans la salle et suivit Nat, refermant la porte derrière elle. Assis sur le porche, il enfilait ses bottes.

— Nat, ce ne sera que pour quelques heures, chaque matin.

Il se leva et frappa le sol de ses talons.

— Non.

— Mais tous les autres enfants de Merrymeeting iront à la nouvelle école ! Elles se sentiront écartées.

Il retira son chapeau, passa la main dans ses cheveux, puis le replaça sur sa tête.

— Ce ne sont que des filles. A quoi cela leur servirait d'étudier ? En plus, j'ai besoin d'elles. Il y a trop de travail ici. Peut-être que si vous...

Il n'acheva pas, mais la jeune femme savait ce qu'il voulait dire : « Si vous étiez capable d'assumer vos tâches, peut-être... »

Nat prit sa hache et s'engagea dans la clairière. Sa haute silhouette se détachait sur le feuillage d'automne.

Elle lui courut après.

— Rappelez-vous ce qu'a dit le révérend : c'est un devoir moral pour des chrétiens d'apprendre à leurs enfants à lire les Ecritures.

— Vous n'avez qu'à leur apprendre, Angie, dit-il en se retournant. Si vous avez appris quelque

276

chose pendant toutes ces heures passées chez les Bishop...

Il repartit, les pans de son manteau lui battant les cuisses.

— Je les emmène, Nat! cria-t-elle. Avec ou sans votre permission!

Il pivota, le poing levé.

— Sacrée femme! En dix ans, ma Marie ne m'a jamais irrité comme ça. Si seulement je...

Il s'interrompit et tourna les talons, reprenant pour la troisième fois sa route.

De nouveau, elle lui courut après et dut le saisir par la manche de son manteau bleu pour qu'il se retourne.

— Vous souhaiteriez ne m'avoir jamais épousée, n'est-ce pas?

Pour la parole donnée à cet homme, elle avait renoncé à son amour et à tout espoir de bonheur.

— Mais le fait est que nous sommes mariés, Nat, ajouta-t-elle. Et plus tôt vous accepterez que je ne suis pas votre Marie, mieux cela ira pour nous deux.

— Marie est...

— Morte! lança-t-elle en le secouant. Elle est morte, Nat. Mais moi, je suis vivante, je suis votre femme et j'ai besoin de vous... Nous avons besoin l'un de l'autre.

Il se dégagea brusquement.

— Emmenez les filles à l'école. Faites ce que vous voulez. Vous le ferez de toute façon, ajouta-t-il avec un petit rire. Maintenant, laissez-moi. Je dois monter au camp.

En ce matin d'octobre, l'air était frais dans le camp forestier. Le paysage était un arc-en-ciel de couleurs. Le vert citron et l'or des trembles et des bouleaux, le pourpre des frênes et le rouge des érables ressortaient sur le vert profond des conifères.

Mais Nat Parkes ne faisait guère attention à la beauté de la nature. Il la voyait comme un champ à défricher, un arbre à abattre. Devant les pins majestueux qui se dressaient devant lui, il ne voyait que dur labeur.

Ce jour-là, les hommes de Merrymeeting se joignaient aux équipes de deux autres villages pour ouvrir une voie dans la forêt, en vue de la saison forestière. Ils y travailleraient pendant deux semaines. Puis, pendant les mois d'hiver, les grands mâts de pin seraient abattus et transportés par traîneaux sur cette piste enneigée jusqu'à la rivière où ils attendraient le printemps. A la fonte des glaces, vers la fin mars, les mâts descendraient la rivière et seraient embarqués pour l'Angleterre. L'exploitation du bois permettait aux fermiers du Maine de faire vivre leurs familles entre la moisson d'octobre et les semailles d'avril.

Les hommes, sous la direction du colonel Bishop, étaient divisés en équipes. Nat se trouva attaché au groupe du village de Topsham, à qui il manquait un homme, lequel était tombé d'une meule et s'était cassé la jambe. Il choisit comme coéquipier un jeune homme qui avait les mêmes cheveux couleur paille que lui.

— Vous vous êtes fait mal à la jambe ? demanda le garçon, remarquant sa claudication.

— Ouais, répondit Nat sans autre explication.

Le garçon frissonnait sous sa fine chemise de lin.

— Tu aurais dû mettre un manteau, dit Nat en grimpant vers le groupe d'arbres qui leur avait été attribué.

— Je ne pensais pas qu'il ferait si froid en haut, répliqua le garçon. Votre manteau a l'air bien chaud.

— C'est ma femme qui l'a fait. Elle est habile au rouet et au métier à tisser.

Il portait ce manteau non pas tant pour avoir chaud, que pour sa couleur bleu vif qui ressortait sur les bois. Rien de plus facile que de se faire tuer dans un camp forestier. Un arbre tombant dans la mauvaise direction ; une branche morte se détachant ; des troncs roulant hors du traîneau. Oh, il y avait mille façons de mourir dans le Maine…

Nat choisit un arbre en l'entaillant. Les muscles bandés, il brandit sa hache et porta le premier coup. Il fut rejoint par le garçon qui s'attaqua au côté opposé.

Le bruit de la hache résonnait dans l'air. Le fer faisait jaillir des tronçons de pin gros comme des tourtes. Les mouvements des hommes étaient rapides et réguliers. Lorsque l'arbre fut sur le point de tomber, le garçon recula pour laisser Nat le terminer. L'arbre trembla, puis s'affaissa dans un grand craquement.

La poussière retomba et le silence fut brisé par le long hurlement d'un loup. Le garçon frissonna.

— Je t'avais dit que tu aurais dû mettre un manteau, dit Nat, lui-même en nage.

Le loup fit de nouveau entendre son hurlement, plus proche cette fois, et Nat fronça les sourcils.

Il serra le manche de sa hache et s'attaqua à un autre arbre.

Elisabeth et Angie marchaient côte à côte le long des ornières de la piste menant à la ferme. Les tiges de maïs bruissaient sous la brise. Le maïs avait été moissonné la semaine précédente, et les épis pendaient en tresses le long des chevrons de la cuisine de Angie, longues rangées or et brun. Ils avaient fait une veillée pour l'épluchage mais, bien qu'invité, Jason ne s'était pas montré.

Elle regarda son amie. Elisabeth était enceinte de cinq mois et elle resplendissait. Elle n'arrêtait pas de se masser le ventre comme pour s'assurer que le bébé était toujours là, ce qui faisait sourire Angie. La grossesse semblait avoir contribué à réconcilier la jeune femme avec la vie dans ces contrées perdues.

— C'est gentil à vous, Elisabeth, de venir jusqu'ici pour m'apprendre à me servir de ce fichu rouet.

— Oh, ça ne me dérange pas. Chaque rouet a ses particularités. C'est pourquoi il vaut mieux que je vous montre sur le vôtre.

— C'est le rouet de Marie.

— Maintenant, il est à vous.

«Nat ne serait pas d'accord», songea Angie, mais elle n'en dit rien. Passant devant le verger, elle remarqua que le vent de la nuit passée avait fait tomber beaucoup de pommes. Elle prit Elisabeth par la main.

— Ramassons quelques pommes et nous les ferons cuire pendant que nous filons. Ça fera plaisir aux filles quand elles reviendront de leur premier jour d'école.

— Vous êtes bonne pour elles. J'imagine que vous avez hâte d'avoir un enfant à vous ?

Angie se détourna, pour cacher ses yeux soudain embués de larmes. Elle n'aurait jamais de bébé, tant que Nat ne dormirait pas avec elle. De toute façon, elle n'en voulait pas. C'est de Jason qu'elle voulait un bébé...

Elle releva le bas de sa courte robe et elles commencèrent à remplir de pommes le pan de tissu.

Un vol de canards passa dans le ciel, si dense qu'il cacha un instant le soleil d'automne. Elles entendirent au loin le hurlement d'un loup.

Elisabeth frissonna et entoura son ventre d'un geste protecteur.

— Il y a quelque chose qui cloche... murmura Angie.

Instinctivement, elle se tourna vers la maison...

Et poussa un cri.

Nat planta sa hache dans une souche et s'accroupit devant le feu, réchauffant ses mains couvertes d'ampoules autour d'un verre de cidre chaud. C'était la pause du matin.

Autour de lui, les conversations et les rires allaient bon train. Mais il était trop occupé par ce que Angie lui avait dit tout à l'heure, ou plutôt crié — que Marie était morte et qu'il avait une nouvelle femme — pour s'intéresser aux propos des hommes de Topsham.

Angie.

Il ne savait qu'en penser. Parfois, elle l'exaspérait. Mais il devait admettre qu'elle était merveilleuse avec les filles. Douce et aimante. Elle était jolie, aussi.

Il songea aux fils qu'ils pourraient avoir ensemble. Il saurait les employer à la ferme. Il avait été déçu que Marie ne lui ait donné que des filles. Malgré ses hanches étroites, Angie saurait mettre au monde des garçons...

C'est alors qu'il aperçut le colonel Bishop arrivant du camp de Merrymeeting, à cinq kilomètres à l'est, de l'autre côté de la colline. L'inspecteur des mâts marchait vite en balançant les épaules, un fusil à la main. Nat n'avait pas apporté le sien, mais il le regrettait. Il n'aurait su dire pourquoi. Peut-être à cause du loup, dont le hurlement déchirait de nouveau le silence.

Soudain il y eut un sifflement. Le colonel Bishop leva les mains en l'air, arqua le dos et tomba la face contre terre. Pendant quelques secondes, ce fut la stupeur... puis la forêt éclata en cris de guerre et en hurlements de terreur.

Nus et peinturlurés, brandissant des tomahawks et des massues, les guerriers abenakis sortirent de la forêt. Voyant un guerrier se pencher sur le colonel Bishop pour prendre son scalp, Nat se figea. Mais lorsque l'Indien se redressa, stupéfait, la perruque frisée à la main, il fut pris d'un rire hystérique, qui s'arrêta quand un homme de Topsham s'effondra à ses pieds, la tête pratiquement tranchée par un tomahawk.

« Mon Dieu, pensa-t-il, horrifié, je vais mourir. » Il se jeta sur sa hache, plantée à quelques mètres.

Trop tard. Un Indien bondit dessus, l'arracha avec un hurlement de triomphe et l'abattit sur un homme qui passait en courant. Le crépitement du feu se mêlait aux cris de guerre. Derrière lui, Nat entendit son coéquipier pousser un cri d'horreur.

Il se mit à courir.

Aveuglé par la terreur, Nat piqua vers le couvert d'un groupe d'arbres, celui où il travaillait quelques minutes plus tôt. Il entendit des pas derrière lui. *Je vais mourir.* Il essaya de courir plus vite. En même temps que son pied de bois se tordait sous lui, il sentit une douleur violente derrière la tête. Il pivota, puis tomba en arrière et sombra dans le vide et la nuit.

Les flammes crépitaient, léchant le toit, des nuages de fumée tourbillonnaient au-dessus de la clairière. Un hennissement affolé s'acheva en hurlement. C'était la jument baie, le cadeau de mariage de Jason, à qui ils venaient de trancher la gorge.

Les deux femmes avaient essayé de s'enfuir, mais n'avaient même pas pu sortir du verger. Les Indiens les encerclaient en poussant des cris de guerre.

Un bras pressé sur son ventre, Elisabeth s'accrocha à Angie.

— Mon bébé, gémit-elle. Ô mon Dieu, qu'ils ne fassent pas de mal à mon bébé...

Les pommes toujours serrées dans sa jupe, Angie glissa un bras autour de sa taille et l'attira contre elle.

Les guerriers étaient nus, sans même un pagne pour cacher leur sexe. Des têtes de loup étaient peintes en rouge sur leurs poitrines. Leurs visages étaient également peints, tous différemment. L'un avait des traits vermillon sur les joues. Un autre ressemblait à une chouette, le visage barbouillé de jaune et les yeux entourés de blanc.

Couvrant le crépitement des flammes, Angie entendit retentir l'alarme du fortin. Un homme s'avança soudain vers elle. Il était grand, avec d'énormes épaules, et portait un collier en perles étranges qui enserrait son cou épais. Ses lèvres se retroussèrent en un rictus révélant des dents blanches et régulières. Il prononça une phrase brève et menaçante.

— Je... je ne comprends pas. Je ne p... parle pas abenaki, balbutia Angie.

Levant la main, il pressa la lame de son couteau contre sa gorge, assez profond pour entamer la chair. Elle sentit le sang couler sur son cou, mais s'obligea à regarder l'Indien en face sans montrer sa peur. Il avait un nez en bec d'aigle et des yeux durs et noirs comme l'obsidienne.

Le bras soutenant les pommes tomba le long de son corps, et les fruits roulèrent sur le sol. L'Indien recula, embrocha en riant une pomme avec la pointe de son couteau et mordit dedans. Ses dents blanches étincelèrent au soleil.

Un deuxième Abenaki apparut et saisit les cheveux d'Elisabeth. Il dit quelque chose dans sa langue gutturale qui fit rire les autres.

La jeune femme émit un geignement et ses yeux roulèrent dans leurs orbites. Angie enfonça les ongles dans son bras.

— Ne vous évanouissez pas. Sinon, ils vous scalperont.

Des scalps tout frais pendaient de leurs carquois et des manches de leurs tomahawks.

Un glapissement monta de la rivière. Ce devait être un signal, car le jeu, si c'en était un, s'arrêta. Les femmes eurent les poignets liés devant elles par des lanières de cuir attachées à de courtes laisses, et elles furent entraînées à vive allure dans la forêt.

Elles coururent longtemps. Angie avait un point de côté et les poumons en feu.

En abordant les collines, ils ralentirent. Comprenant qu'ils se dirigeaient vers les camps forestiers, Angie reprit espoir.

Mais lorsqu'ils débouchèrent, quelques instants plus tard, dans une clairière jonchée de cadavres, cet espoir s'évanouit. L'air sentait le sang et la poudre. D'autres Indiens, nus, huilés et peints, gambadaient autour du camp tels des démons surgis de l'enfer. Un autre groupe déboucha des bois, traînant au bout d'une laisse une prisonnière haletante : Sara Kemble.

Quand elle aperçut Angie et Elisabeth, elle leur cria :

— Ils ont tué les Sewall. Ces sauv...

Sara reçut un coup de poing dans les reins qui lui coupa le souffle. Angie voulut la rejoindre, mais fut arrêtée par l'homme qui la tenait en laisse. Elisabeth continuait à regarder droit devant elle, sans ciller, absente.

Un Indien se mit à danser devant Angie en agitant son tomahawk et en glapissant comme un chien. Elle recula et poussa un cri, car l'homme avait sur la tête la perruque du colonel Bishop. Les yeux écarquillés d'horreur, elle regarda plus attentivement les corps éparpillés autour du camp. Elle remarqua le colonel à son crâne lisse. Il était étendu sur la piste, une flèche dans le dos.

Elle allait se détourner, horrifiée par ce spectacle, quand elle vit frémir les paupières du colonel. Elle se garda de manifester la moindre réaction, car si les Indiens découvraient qu'il était encore en vie, ils le massacreraient aussitôt.

Le colonel ouvrit lentement les yeux et les fixa sur elle. Il essayait de lui envoyer un message. Message d'espoir ou avertissement ? Elle n'aurait su le dire. Puis les yeux du colonel s'arrêtèrent sur quelque chose derrière elle et s'agrandirent. Angie se retourna.

Le grand Indien qui lui avait entaillé le cou était penché sur un corps en bordure de la clairière. Le visage ensanglanté de la victime était méconnaissable. A la vue du manteau bleu de son mari, Angie crut suffoquer d'horreur. L'Indien se releva. Il poussa un long hurlement de triomphe et brandit le poing. De ce poing pendait un scalp de cheveux couleur paille.

22

— Doucement, doucement, disait Jason en retirant la flèche de l'épaule du colonel Bishop. Voilà.

La flèche sortit avec un bruit de succion, laissant un trou d'où le sang jaillit. Le docteur appliqua un tampon sur la blessure.

— Je vivrai ? haleta Giles Bishop, tandis que Jason l'aidait à s'asseoir.

— A Noël, vous danserez avec Anne.

Il appuya le blessé contre le tronc d'un arbre et porta un verre d'eau à ses lèvres.

— Je vois que vous avez perdu vos cheveux, ajouta-t-il.

Le colonel leva la main vers sa calvitie et grimaça de douleur. Il semblait effaré.

— Que faites-vous ici, Jason ?

— J'étais à Topsham pour une jambe cassée. J'ai entendu des coups de feu et j'ai vu de la fumée.

Jason embrassa du regard le carnage laissé par les Abenakis. Depuis tout ce temps, il aurait dû être habitué à la mort, mais ce spectacle lui était insupportable.

Il nota avec un soulagement coupable que ce devait être l'équipe de Topsham, car il ne reconnut aucun homme de Merrymeeting. Puis il aperçut un manteau bleu vif.

— Nat Parkes, confirma le colonel Bishop en suivant son regard.

Se rappelant soudain quelque chose, il écarquilla les yeux et ajouta :

— Et ils ont aussi...

Une branche craqua non loin. Saisissant son fusil qui était armé et prêt à tirer, Jason le pointa vers les bois. L'homme faisait trop de bruit pour que ce fût un Indien.

— Ne tirez pas, Jason ! C'est moi.

Sam Randolf sortit de la forêt, suivi de deux autres hommes de Merrymeeting.

— Nous avons entendu des coups de feu et... Seigneur ! s'exclama-t-il à la vue du massacre.

Jason sentit une main sur son bras et tourna les yeux vers le visage blême du colonel Bishop.

— Je disais... ils ont sa femme.

— La femme de Sam ?

— Non, la femme de Nat. Angie. Les Indiens ont Angie et Mme Hooker. Et Sara. Sara Kemble.

Jason fut parcouru d'un frisson. Ses oreilles se mirent à bourdonner.

— Comment étaient-ils peints ?

— En loup... soupira Bishop avant de sombrer dans l'inconscience.

Jason regarda vers le nord-est, vers les collines couvertes d'épicéas. Le loup était le totem de la tribu des Norridgewocks...

Angie avait les pieds en sang. Elle avait tellement soif que sa bouche était comme du parchemin. Chaque respiration était une souffrance.

Ils suivaient une piste de cerfs, et le soleil qui filtrait à travers les feuillages des arbres commençait à baisser. Ils couraient depuis leur départ du camp forestier, allure habituelle aux Indiens, mais exténuante pour les femmes. Quand elles trébuchaient, elles recevaient des coups de fouet sur les cuisses et les mollets.

On leur avait délié les mains et Angie avait passé un bras autour de sa compagne, la portant à demi. Elisabeth s'était retranchée en elle-même ; elle était au-delà de la douleur, au-delà de la conscience. Les coups de fouet ne provoquaient chez elle aucune réaction, pas même une plainte. Angie craignait que la jeune femme ne se laisse tomber et ne regarde le tomahawk s'abattre sur elle sans ciller.

Car si elles ne suivaient pas, les Indiens les tueraient. Sara Kemble avait failli y passer ; ils avaient parcouru à peine plus d'un kilomètre lorsque la grosse femme avait trébuché sur une racine, et dans sa chute sa charlotte lui était tombée sur les yeux. Elle était restée à quatre pattes, la respiration sifflante, sanglotant et jurant. Un des Indiens, un homme à l'horrible visage vérolé, avait levé sa massue au-dessus d'elle.

— Non ! s'était écriée Angie en se jetant sur le bras de l'homme, lui faisant perdre l'équilibre.

Terrible erreur, car il s'était retourné vers elle en brandissant la massue avec un sourire féroce.

Soudain, un autre Indien s'était interposé. Plus grand et plus large que les autres, ce devait être leur chef, car en un mot il avait arrêté la massue.

Puis il avait saisi Angie par les cheveux et l'avait invectivée. Il l'avait serrée avec une telle force qu'elle en avait crié.

— *Lusifee!* avait-il dit, provoquant les rires des autres.

Des gouttes de sueur perlaient sur sa peau huilée. C'était l'homme à l'étrange collier qui avait mordu dans une pomme. Celui qui avait scalpé Nat. *Nat...*

Ils ne firent ensuite qu'une brève pause, le temps de déterrer des pagnes et des jambières dont ils revêtirent leur nudité, avant de repartir au petit trot. Il était évident qu'ils craignaient d'être poursuivis et voulaient mettre le plus de distance possible entre eux et Merrymeeting.

Durant cette interminable journée, les Indiens n'avaient cessé de diminuer en nombre, jusqu'à ce qu'il n'en restât que trois.

Lorsqu'ils s'arrêtèrent, la nuit était presque entièrement tombée. Ils campèrent dans une petite clairière traversée par un ruisseau. Les femmes s'y précipitèrent et tombèrent à genoux. Jamais Angie n'avait goûté quelque chose de plus délicieux que cette eau glacée. Mais elle n'eut que le temps de s'humecter la bouche, avant d'être agrippée par les cheveux. Les captives eurent de nouveau les poignets liés, et cette fois elles furent attachées chacune à un Indien, comme si elles avaient été allouées comme esclaves à leur maître. Angie fut attachée au grand avec le collier.

Ils allumèrent un petit feu. L'un des Indiens sortit des morceaux de viande de bison séchée et du maïs d'une sacoche en peau d'ours. Puis ils firent une chose bizarre : ils se signèrent avant de manger, comme les catholiques.

Les hommes grignotèrent la viande, le maïs séché, en se moquant des femmes qui les regardaient avidement. Sauf Elisabeth qui avait les yeux dans le vide.

— S'il vous plaît, dit enfin Sara Kemble d'une toute petite voix enrouée. Vous n'allez pas nous donner quelque chose à manger ?

Les Indiens l'ignorèrent.

Angie étudia l'homme à qui elle était attachée. Pommettes saillantes, large nez, yeux obliques, paupières tombantes. Cheveux noirs et raides sans parure. A la façon dont les autres le traitaient, elle devinait qu'il était le chef. Alors que les autres riaient et grimaçaient, son visage ne changeait jamais d'expression. Il était dur et coupant comme la lame de son tomahawk. Bien qu'il lui ait sauvé la vie, Angie ne doutait pas qu'il pouvait la tuer sur un caprice.

De la massue qu'il portait en bandoulière, attachée à une courroie de cuir, pendait un scalp de cheveux couleur paille. Le scalp de Nat.

Surprenant le regard de Angie, l'Abenaki souleva le scalp et passa les doigts dans les cheveux tachés de sang avec un sourire mauvais.

— Ordure, assassin, souffla-t-elle, sachant qu'il ne comprenait pas sa langue.

Pourtant, ses yeux se rétrécirent et il pinça les lèvres.

Angie le dévisagea sans cacher sa haine ; pour l'instant elle était comme Elisabeth, indifférente à ce qu'il pourrait lui faire. Pour la première fois depuis qu'elle avait quitté le camp forestier jonché de cadavres, elle n'avait plus à concentrer toute sa volonté à mettre un pied devant l'autre. A présent, la mort de Nat lui transperçait le cœur, d'autant

290

que leurs derniers mots avaient été acerbes. Elle pensait à Tildy et à Meg, qui venaient de perdre leur père quelques mois après avoir enterré leur mère.

Au moins, les filles étaient en lieu sûr, se consolat-elle. Aucun scalp d'enfant n'était pendu à leurs armes.

Lorsqu'ils eurent fini de manger, les hommes se passèrent une pipe et fumèrent en silence. En regardant son ravisseur, Angie songea à Jason. Il ne faisait aucun doute pour elle qu'il avait survécu et viendrait à son secours. C'était seulement une question de temps, et elle devait tout faire pour qu'elle et les autres restent en vie jusqu'à ce qu'il les trouve.

Le tabac les assoupit. La nuit se fit plus sombre et plus froide. Angie jeta un regard à Elisabeth, espérant qu'elle s'était endormie, mais la jeune femme avait toujours les yeux perdus dans le vague.

Soudain, Sara Kemble se mit à se balancer d'avant en arrière en geignant.

— Je ne devrais pas être là, disait-elle. C'est la faute d'Obadiah. Il m'a envoyée livrer cette chaise à Mme Sewall. Je ne voulais pas y aller...

Le ravisseur de Sara lui jeta un regard oblique et referma la main sur sa massue. Mais elle continua de gémir :

— Je n'ai jamais aimé Nancy Sewall. Je suis contente qu'elle ait été scalpée. Contente, vous entendez ? Mais je ne devrais pas être ici. C'est la faute...

— Taisez-vous ! siffla Angie. Vous voulez recevoir un coup de tomahawk sur le crâne ?

Sara la fixa de ses petits yeux.

— Ils ont tué votre Nat. Tué et scalpé. Il n'avait

qu'à ne pas vous épouser. Je lui avais dit que vous n'étiez rien qu'une catin. Mais il ne m'a pas écoutée. Je parie qu'il le regrette, maintenant.

Angie serra les dents pour ne pas hurler de rage et détourna les yeux.

Le ravisseur vérolé de Sara se mit à entonner un chant monotone. Bondissant sur ses pieds, il mima le raid du matin et fit signe aux autres de se joindre à lui. Mais, tout en ponctuant son chant de cris de triomphe, ceux-ci restèrent paresseusement étendus devant le feu.

Il acheva la danse en frappant l'air de sa massue. Puis il mit ses mains en porte-voix et émit un long hurlement de loup.

Il tua Sara Kemble, le lendemain matin.

Ils étaient repartis juste avant l'aube en direction de la rivière Kennebec. Arrivés sur le rivage, les Indiens découvrirent un grand canoë en écorce de bouleau qu'ils avaient caché dans les broussailles.

Sara se laissa tomber sur un rocher au bord de l'eau et refusa d'entrer dans le canoë.

— Je n'y vais pas, merci, dit-elle. Ça pourrait chavirer. Je pourrais me noyer.

Furieux, son ravisseur la fouetta du bout de sa laisse, mais ce fut sans effet.

— Non, non, insista-t-elle en secouant la tête comme une enfant têtue. Je ne veux pas et vous ne pouvez pas me forcer.

Voyant la rage assombrir le visage de l'Indien, Angie voulut sortir du canoë pour faire entendre raison à Sara. Trop tard : la grosse femme reçut un coup de massue.

Elisabeth poussa un cri qui fit s'envoler une couple de canards. Angie appliqua la main sur sa bouche pour la faire taire.

— Chut, Lizzie, ce n'est rien, chuchota-t-elle, l'obligeant à détourner la tête de l'affreux spectacle qui se déroulait sur la rive. Ne criez pas. Ça va, maintenant.

L'Indien vérolé entra dans le canoë avec la charlotte tachée de sang de Sara et ses cheveux poivre et sel.

Le ravisseur de Angie la tira par les cheveux, l'écartant d'Elisabeth dont les sanglots redoublèrent.

— Ne la tuez pas! cria-t-elle.

Convaincue que, si elle n'empêchait pas Elisabeth de pleurer, son ravisseur la tuerait, elle se démena à coups de pied et de poing.

Elle laboura de ses ongles la joue de l'Indien, qui lui donna en retour un violent coup dans la figure. Pendant un moment le monde devint gris, mais Elisabeth avait enfin fait cesser ses sanglots en s'enfonçant le poing dans la bouche.

Angie foudroya du regard l'homme qui l'avait frappée. Jamais elle n'avait éprouvé une telle haine.

— Espèce de sale bâtard, de sauvage assassin, espèce de...

Il la prit par la gorge et approcha son visage du sien. Ses griffures saignaient.

— Comprends bien ceci, dit-il dans un anglais parfait. Je suis peut-être un sauvage, mais pas un bâtard. Quand je suis né, mes parents étaient mariés. Mon peuple m'appelle le Rêveur, mais tu m'appelleras «maître».

Angie aurait voulu répliquer, mais la pression sur sa gorge augmentait, lui coupant la respiration.

Il la dévisagea longuement, puis il la lâcha et, saisissant une pagaie, poussa le canoë dans le courant.

— Allons, *Lusifee*, dit-il tandis que Angie retrouvait son souffle. On verra si tu montres le même caractère quand tu devras franchir le couloir.

Le couloir.

— Je m'appelle Angie, dit-elle avec un sourire, espérant masquer sa terreur.

Le sourire n'eut aucun effet sur ce visage impassible.

— Tu n'as plus qu'un nom : *awakon*, répliqua-t-il. Esclave.

— Alors, que veut dire *lusifee* ?

Mais il continua de la dévisager de ses yeux glacés, sans répondre.

D'abord les bruits — cris de triomphe, battements de tambours, aboiements de chiens. Ensuite l'odeur — de poisson pourri. Enfin la vue — une clairière bordée de majestueux épicéas près d'un grand lac.

A l'intérieur de la clairière, se pressaient des cabanes et des wigwams entourés d'une palissade de troncs d'arbre de deux mètres cinquante de haut. Autour du village, s'étendaient des champs de maïs, dont les feuilles sèches craquaient dans la brise du soir. Des tas de poissons — engrais pour les champs — pourrissaient à l'extérieur de la palissade.

Le canoë glissa sur une rive en pente douce. Sur ordre du Rêveur, Angie descendit avec peine, à cause de ses jambes ankylosées, sur une plage de galets. Ignorant le regard mauvais de l'Indien, elle se tourna pour aider Elisabeth, dont le corps était traversé de faibles tremblements. Angie voulut la réconforter, mais les paroles lui restèrent dans la gorge.

Elle avait vu le couloir.

Les portes du retranchement étaient ouvertes. De l'entrée et jusqu'à une estrade de bois au milieu du village, s'étiraient deux lignes parallèles d'hommes, de femmes et d'enfants. Armés de bêches, de massues et de branches épineuses, ils scandaient « *aïe, aïe, aïe !* » au rythme du tambour.

Le Rêveur s'arrêta si brutalement que Angie, qui était attachée à son poignet par une lanière, faillit le heurter. Un jésuite en soutane noire franchit les portes, balançant un encensoir qui répandait son parfum. Il s'arrêta devant le Rêveur. A la surprise de Angie, le grand guerrier s'agenouilla devant le prêtre et inclina la tête pour recevoir sa bénédiction.

Le jésuite fixa sur les prisonnières un regard fanatique. C'était un homme extrêmement maigre et blême. Ses lèvres étaient deux traits sous un nez en bec d'aigle.

Le Rêveur tira si violemment sur la laisse que, pour ne pas tomber, Angie dut se rattraper à lui de ses mains liées. Sa chair était huileuse et dure comme du marbre. Elle s'accrocha à son bras en vacillant, avant qu'il ne la repousse.

Elle était au bord de l'évanouissement. Elle n'avait pas mangé depuis quatre jours, sauf quelques racines et des noix qu'elle avait trouvées en chemin et partagées avec Elisabeth. Il lui était souvent arrivé d'avoir faim, mais jamais à ce point.

Le Rêveur glapit un ordre en abenaki. Elle le dévisagea, essayant de ne pas montrer sa peur.

— Déshabille-toi! ajouta-t-il, en anglais cette fois.

Angie mesura du regard la longue ligne d'Abenakis prêts à abattre leurs massues et leurs bêches sur sa chair nue. Les hurlements des hommes et les cris stridents des femmes et des enfants avaient atteint un crescendo. Les femmes et les fillettes avaient des bracelets en griffes d'ours aux chevilles et aux genoux, et elles tapaient du pied au rythme des tambours. Quelques garçons jouaient de la flûte, tandis que les autres faisaient tourner de longues cordes de coquillages au-dessus de leurs têtes, produisant un crissement étrange.

Dans les tavernes, Angie avait entendu des histoires de captifs obligés de se dénuder et de franchir le couloir. Les femmes en étaient généralement dispensées. Mais parfois...

Le visage du Rêveur apparut soudain devant elle.

— Déshabille-toi, *Lusifee*. Tout de suite.

Une fine main veinée de bleu s'abattit sur le bras de Angie.

— Je vous conseille d'obéir, dit le jésuite avec un fort accent français, sinon il vous les enlèvera à coups de couteau. Et sans douceur.

«Seigneur, protège-moi», pria Angie. De ses doigts tremblants, elle délaça son corsage. Jusqu'à ce qu'elle se dresse nue devant les yeux froids du Rêveur et de la foule hurlante, elle n'avait jamais songé à l'armure que constituent des vêtements, fussent-ils réduits à l'état de haillons par quatre jours de marche forcée.

— Toi! grogna le Rêveur en pointant un doigt sur Elisabeth. Déshabille-toi.

Pétrifiée, Elisabeth resta impassible. Le Rêveur fit un pas en avant; la lame de son couteau brilla.

— Non! s'exclama Angie en lui saisissant le bras.

A la vue du couteau, Elisabeth tourna de l'œil et s'effondra.

— Vous ne pouvez pas l'obliger! s'écria Angie. Vous ne voyez donc pas qu'elle est enceinte? Ça la tuerait.

— Elle va courir, insista-t-il. A moins que tu ne veuilles prendre sa place!

Les jambes de Angie se mirent à trembler, mais elle hocha la tête.

— Oui, dit-elle. Je le ferai à sa place.

Il la considéra avec attention, puis prononça, presque tristement:

— *Lusifee*... tu n'y survivras pas deux fois.

Angie mesura la double rangée d'Abenakis assoiffés de sang, qui brandissaient des massues, et releva la tête.

— J'ai survécu à bon nombre de rossées, rétorqua-t-elle pour ranimer son courage. Ce n'est pas un tas de sauvages ignorants qui abattront Angie McQuaid.

Le Rêveur la saisit par le bras et la jeta en avant.

— Cours! Cours vite!

Elle courut. Elle fit marcher ses jambes et ses bras à une telle vitesse que les premiers coups ne firent que ricocher sur son dos. Mais au milieu du couloir, les Abenakis étaient moins serrés et avaient plus de place pour lancer leurs massues. Elle se retrouva sous une pluie de bâtons et de gourdins.

Levant les bras pour se protéger le visage, elle accéléra. L'estrade se dressait devant elle et elle savait qu'elle l'atteindrait.

C'est alors qu'un enfant de l'âge de Tildy lui lança un bâton dans les jambes.

La jeune femme s'écroula comme un arbre abattu, sans même pouvoir jeter les mains en avant pour atténuer sa chute. Elle se mordit la langue et du sang, chaud et salé, lui emplit la bouche. Ses oreilles carillonnaient. Les Indiens s'abattirent sur elle, la frappant sans merci.

Elle se releva tant bien que mal. Du sang lui coulait dans les yeux. L'enfant qui l'avait fait tomber voulut lui lancer le bâton en pleine figure, mais elle le lui arracha des mains et en flanqua un grand coup dans les mollets les plus proches. Bondissant en arrière, la femme émit un hurlement de surprise et de douleur et lâcha sa massue.

Angie la ramassa et, poussant un rugissement féroce, se rua sur les autres.

Elle n'était plus Angie Parkes, la respectable femme du fermier. Elle était Angie McQuaid, la fille du port. Elle frappait son père ivrogne, les imbéciles qui la pelotaient au Lion-Agile, Tom Mullins qui lui avait volé des baisers. Et Jason. Jason qui lui avait volé son cœur...

Les Indiens, stupéfaits, reculèrent pour éviter la massue... mais une poigne terrible la lui arracha des mains.

Chassant ses cheveux de ses yeux, elle pivota, haletante, et se prépara au coup mortel qu'allait lui porter le Rêveur.

Mais ce n'était pas le Rêveur.

Plus grand et plus large, l'homme avait au moins trente ans de plus. Ses longs cheveux noirs grisonnaient, et des rides marquaient son visage buriné. Il portait une chemise en daim frangée et une longue jupe décorée de piquants de porc-épic, de plumes et de coquillages. Autour de son cou pendait un gorgerin français et, sur la tête, il arborait un magnifique chapeau de castor avec une plume blanche. Angie reconnut en lui le véritable chef.

Son regard la glaça ; il était sur le point d'ordonner sa mort, elle en était sûre. Mais, se tournant vers ceux qui avaient formé le couloir, il leur posa une question en montrant Angie. Les femmes se lancèrent immédiatement dans un discours passionné, en levant le poing dans sa direction.

Soudain le Rêveur jaillit de la foule. Il dit quelque chose d'une voix coupante qui fit cesser tous les cris. Puis il jeta un regard de défi à son chef.

Le prêtre apparut au côté de Angie.

— Normalement, ce sont les femmes qui décident du sort d'un prisonnier, expliqua-t-il d'une voix sèche. Et elles disent que vous devriez mourir sur le bûcher. Elles disent que vous avez le courage d'un guerrier et que vous avez donc droit à une mort de guerrier. Vous devriez être flattée.

Angie n'était pas du tout flattée : elle était terrifiée ! Elle regarda le grand Indien qui l'avait appelée « esclave ».

— Et le Rêveur ? Que dit-il ? demanda-t-elle.

— Il vous réclame pour seconde épouse.

C'était le chef qui avait parlé, en anglais.

Angie était partagée entre le soulagement et l'horreur.

— Et si je... commença-t-elle avec un pauvre sourire. C'est que, je suis très honorée, mais je...

« Imbécile. Tais-toi avant d'être rôtie comme une oie ! »

— Je te prends pour femme, *Lusifee*, lança le Rêveur avec défi.

Mais une autre voix, plus profonde et plus dure, se fit entendre :

— Non ! Cette femme est à moi !

23

Jason Savitch franchit sans arme les portes du village.

Le visage du Rêveur passa de la stupéfaction à la jubilation.

— Es-tu venu ici pour mourir, Yengi ?

— Je viens chercher ma femme, répondit-il en abenaki à l'adresse d'Assacumbuit, son beau-père.

Une vive émotion traversa fugitivement les yeux du grand sachem. Puis son regard se durcit. Un guerrier abenaki ne trahit jamais ses sentiments. Jason essaya d'en faire autant, mais avec moins de succès. Il y avait dix ans qu'il n'avait pas revu cet homme. Un homme qu'enfant il adorait.

— C'est ta femme ? demanda le sachem en désignant Angie.

— Je compte en faire ma femme, acquiesça Jason sans la regarder.

— Je l'ai prise, intervint le Rêveur, le visage empourpré de colère. Elle est à moi, maintenant.

Jason fixa le Rêveur. La haine que se vouaient les deux hommes était tangible.

— Je la reprendrai, dit Jason.

— Alors je te tuerai.

— Tu peux essayer...

— Suffit ! jeta Assacumbuit. Vous n'avez pas changé, tous les deux. Si vous êtes assez bêtes pour vous battre pour une femme, je le permets. Mais cette fois, ce ne sera pas un combat de gamins. Ce sera une lutte à mort. Etes-vous sûrs que cette femme en vaut la peine ?

Les deux adversaires échangèrent des regards de mépris. Elle était nue et son pauvre corps était couvert d'estafilades et de bleus. Mais elle s'était défendue. Jamais il n'oublierait ce spectacle : Angie balançant cette massue en braillant des jurons. Il était fier d'elle. Sans se soucier de ceux qui le regardaient, il s'approcha et effleura du doigt sa joue meurtrie. Puis il délaça sa chemise, la retira et la lui passa par la tête, ses mains s'attardant sur ses épaules.

— Oh, Jason, que se passe-t-il ? Pourquoi ne parles-tu pas en anglais pour que je comprenne ce qui se passe ?

— Pour te récupérer, je dois me battre contre le Rêveur.

— Mais... il te tuera !

— Merci pour ta confiance, répliqua Jason, piqué dans sa vanité de mâle.

— Il est tellement... commença-t-elle, les yeux pleins de larmes. Il a le scalp de Nat.

— Je l'ai vu, dit-il sèchement. Occupe-toi d'Elisabeth.

Tournant les talons, il s'éloigna.

On le conduisit à un petit wigwam où il se prépara pour le combat.

Il se dévêtit entièrement, s'enduisit la peau de graisse d'ours et se peignit le visage de manière à représenter le ciel au lever du soleil, symbole de la vie nouvelle qu'il aurait avec Angie. Il croyait autrefois à la magie des peintures rituelles ; peut-être une part de lui-même y croyait-elle encore...

Il toucha le sac pendu à son cou qui contenait un fragment symbolique de l'Esprit du Tonnerre, son manitou personnel, auquel il avait emprunté son nom indien, Bedagi. Rejetant la tête en arrière, il entonna son chant de mort, une prière qui, s'il devait mourir, lui permettrait de garder courage et dignité. C'était un chant qu'il avait répété toute sa jeunesse, mais qui n'avait pas franchi ses lèvres depuis dix ans. Il entonna avec cœur cette plainte gutturale. S'ils l'avaient entendue, les habitants de Merrymeeting en auraient été pétrifiés.

Les dernières notes s'éteignirent. Jason baissa la tête et réfléchit, non comme un Abenaki mettant sa foi dans les rêves, les esprits et le destin, mais comme un Anglais croyant à la logique.

Il pensa à son ennemi.

Autrefois, il appelait le Rêveur son frère. Ils avaient chassé, dansé, festoyé ensemble, ils s'étaient battus ensemble. Ils avaient appelé le même homme « père ».

Pourtant, ils avaient toujours été en compétition. Bien qu'il n'eût qu'un ou deux ans de plus que Jason, le Rêveur avait toujours été plus grand et plus fort. Mais dans cette longue marche vers le Québec, hanté par l'image du corps supplicié de son père, Jason avait appris l'endurance. S'il était plus petit que le Rêveur, il était aussi plus résistant et plus tenace.

La haine entre Bedagi et le Rêveur ne s'expliquait pas uniquement par une rivalité d'enfants. Quand il avait ramené les esclaves yengis du Québec, Assacumbuit était marié à la mère du Rêveur. Mais il était lui-même devenu esclave de la petite femme aux cheveux d'argent. Il avait divorcé de sa première femme et pris la mère de Jason comme unique épouse. Le Rêveur ne s'était jamais remis de cette honte. La femme était morte, mais son fils vivait, et tant qu'il vivrait, la honte et la peur rongeraient le cœur du Rêveur.

Celui-ci se battrait pour bien plus que le droit de posséder une femme et serait impitoyable, Jason n'en doutait pas. Mais peut-être réussirait-il à le mettre en colère en piquant son honneur. Or, la colère pouvait rendre un homme imprudent et le pousser à l'erreur.

Le rabat de daim du wigwam s'écarta et un garçon entra, portant le bouclier et l'arme dont Jason allait se servir.

L'arme était un casse-tête garni de silex et de dents d'animaux. Une touffe de plumes de faucon pendait du manche. Jason avait tué un guerrier iroquois avec une telle arme, et jamais il n'oublierait la vision de la tête de l'homme se fendant comme un melon.

Le bouclier était enveloppé dans des peaux, car il possédait des propriétés magiques et devait rester couvert lorsqu'il ne servait pas. Il était en cuir peint, garni de fétiches et décoré de plumes.

Comme le garçon découvrait le bouclier avec respect, Jason eut la surprise et le plaisir de reconnaître celui de son père, Assacumbuit. Il était en effet magique, car il pouvait faire beaucoup plus que détourner les coups du Rêveur. En voyant le bouclier de leur père dans les mains de son rival, celui-ci saurait lequel de ses fils Assacumbuit préférait. Il connaîtrait de nouveau la honte, la peur et la jalousie. Il serait alors vulnérable…

Des torches sifflaient autour de l'estrade de torture. Le poteau central où les prisonniers étaient attachés pour subir le feu ou le couteau avait été retiré. Mais, accrochés aux quatre mâts soutenant l'estrade, les scalps des derniers raids se balançaient dans l'air enfumé.

Angie fut amenée à côté du grand sachem, devant l'estrade où les deux hommes allaient se battre à mort. Le guerrier aux cheveux gris lui jeta un regard impénétrable.

Une des femmes indiennes avait réveillé Elisabeth en la giflant cruellement. Les deux Blanches avaient ensuite été conduites à travers le village par deux vieilles aux visages de pierre. La taille du village avait étonné Angie. Il était composé de vraies rues, bordées de wigwams coniques et de maisons en bois à toits de chaume.

Elles avaient été introduites dans une de ces maisons, où on leur avait donné à manger un ragoût de potiron. Puis Elisabeth, qui semblait plus que jamais enfermée dans sa peur, avait été portée sur un lit de fourrures, où elle avait sombré dans un profond sommeil. Pendant ce temps, Angie avait été baignée et vêtue d'une simple robe et de jambières en peau souple. Ses cheveux avaient été brossés et nattés de lanières.

A présent, debout à côté du chef abenaki, elle se demandait comment Jason Savitch, le médecin aux mains magiques, pourrait battre le brutal guerrier indien.

— Si Jason meurt, je tuerai votre Rêveur, déclara-t-elle. De mes mains. Vous verrez !

Le grand sachem la considéra, étonné.

— Je comprends pourquoi mon fils vous appelle *Lusifee*.

— Votre fils ? Le Rêveur est votre fils ?

— Ils sont tous les deux mes fils.

— Vous êtes le père indien de Jason ?

L'homme ne répondit pas.

— Si vous êtes le père de Jason, insista Angie, comment pouvez-vous supporter de le voir mourir ?

— C'est pour vous qu'il le fait.

— J'irai de mon plein gré avec le Rêveur, supplia-t-elle en saisissant son bras. Si vous empêchez ce combat, je me donnerai à votre fils abenaki.

— Vous êtes une femme, renifla-t-il. Vous n'avez pas votre mot à dire.

Au bout d'un moment, il la fixa de nouveau de ses yeux impénétrables.

— Pourquoi pensez-vous que c'est Bedagi qui perdra ? Peut-être ne le connaissez-vous pas aussi bien que vous le croyez...

Les tambours qui battaient doucement s'enflèrent soudain en un roulement puissant. Une grande acclamation jaillit de la foule des spectateurs. Deux hommes sautèrent sur l'estrade. Angie eut un choc.

Si elle n'avait pas su que c'était lui, elle n'aurait jamais reconnu Jason dans le guerrier nu, huilé et peint qui semblait aussi cruel et sauvage que l'homme qui lui faisait face. Mais le Rêveur était beaucoup plus grand. L'Abenaki était un véritable géant.

Les deux adversaires se tournaient autour, à demi accroupis. Chacun avait une massue meurtrière dans une main et un bouclier dans l'autre. Ils firent quelques tentatives pour s'éprouver mutuellement. Puis Jason agita son bouclier et dit quelque chose au Rêveur d'une voix basse et coupante. L'Abenaki tourna vers son père un regard blessé. Jason en profita pour frapper.

Le Rêveur se reprit juste à temps ; il reçut le coup sur le bord supérieur de son bouclier et trébucha en arrière. Jason s'adressa de nouveau à lui de ce même ton sarcastique. Enragé, le Rêveur balança sa massue et attaqua.

L'un de ses coups passa sous le bouclier de Jason et le frappa à la cuisse, déclenchant les hourras de la foule et lui laissant une horrible entaille dans la chair. Jason répondit par une autre injure qui produisit chez son adversaire un mugissement de rage et un nouveau coup qu'il arrêta avec son arme. Puis il rit.

— Que dit-il ? Pourquoi fait-il ça ? demanda Angie au sachem, qui bien évidemment ne répondit pas.

Pourquoi provoquait-il le Rêveur, le rendant plus furieux et plus dangereux ?

La chance sourit alors au Rêveur. Un des silex de sa massue accrocha une aspérité du bouclier de Jason, le lui arrachant des mains et l'envoyant voler comme une assiette au-dessus de la foule hurlante.

Un sourire de triomphe éclaira le visage de l'Abenaki, sourire qui s'évanouit quand il vit que Jason ne reculait pas comme prévu. Au contraire, il poussa un cri de guerre terrible et attaqua, de sorte que le coup de l'Indien qui devait être un coup mortel tomba dans le vide. Le Rêveur leva son bouclier, mais Jason l'écarta d'un coup de pied, suivi d'un coup de poing dans le plexus solaire.

Suffoquant, l'Indien lâcha le bouclier. Enragé, il se jeta sur son adversaire en brandissant sa massue, mais celui-ci s'esquiva, et donna un grand coup de talon derrière le genou de l'Abenaki.

Le Rêveur trébucha en avant, mais Jason l'arrêta dans sa chute. Le saisissant par les cheveux, il le tira en arrière, lui donna un coup de genou dans le dos et appuya la massue sur sa gorge, jusqu'à ce que son visage devienne violet. La foule se taisait. Tout le monde savait que, d'une simple flexion du bras, Jason pouvait lui briser le cou.

— La femme est à moi, dit-il en regardant Assacumbuit droit dans les yeux.

Pendant un long moment, le visage du sachem resta impassible. Puis il hocha la tête.

— La femme est à toi, décréta-t-il. De même que la vie du Rêveur.

— Je prends la femme, dit Jason en relâchant sa pression. La vie de celui-ci ne m'intéresse pas.

Le Rêveur glissa en suffoquant sur le plancher. Un murmure d'indignation parcourut la foule. Assacumbuit ne dit rien. Il tourna les talons et s'éloigna.

Jason jeta sa massue et sauta de l'estrade. Angie attendait, soulagée, qu'il vînt à elle. Il s'arrêta devant elle. Mais quand elle croisa ses yeux, elle n'y vit que vide.

— Jason...

Il leva la main comme pour lui toucher le visage, puis la laissa retomber et suivit Assacumbuit.

Jason rabattit la porte de la tente et s'arrêta, le temps que ses yeux s'habituent à la pénombre de la hutte. Assis avec une grâce royale sur les nattes de roseau, Assacumbuit contemplait le feu. Il portait drapée autour de ses épaules la marque de son rang — la couverture en plumes d'aigle.

Jason s'avança avec raideur, affaibli par le combat.

— Tu m'as fait appeler, père, dit-il quand il fut devant le grand sachem.

— Je ne suis pas ton père, corrigea le chef en le fixant de ses yeux impénétrables.

— Tu m'as renvoyé chez les Yengis et, en fils soumis, j'ai obéi. Mais, avant cela, je t'ai appelé père pendant dix ans. On ne peut pas changer le passé.

— Le passé est révolu.

Jason rejeta la tête en arrière en jurant et fixa le trou par lequel sortait la fumée.

— Assieds-toi et fume avec moi, ordonna Assacumbuit. Et cesse de bouder comme une femme. Tu ne peux pas faire que les choses soient ce qu'elles n'ont jamais été.

Jason rougit, puis rit. En dix ans, jamais le vieux renard n'avait levé la main sur lui, mais ses paroles pouvaient être cinglantes.

Pendant qu'il s'installait, Assacumbuit prépara le calumet, la pipe sacrée avec son fourneau sculpté et son tuyau en roseau décoré de plumes.

Le chef fuma le premier. Il envoya une bouffée vers le ciel, offrande au manitou *gitche*, puis passa la pipe à Jason qui répéta le rituel et la lui rendit. D'autres bouffées furent offertes, à la Terre, au Soleil, à l'Eau et aux quatre points cardinaux.

Ils fumaient un mélange de tabac et d'autres plantes, appelé *kinnikinnik*, qui avait un pouvoir hallucinogène. Jason se sentait euphorique.

Ils fumèrent longtemps en silence. Jason attendait, car c'était au grand sachem de prendre la parole le premier.

— Tu t'es bien battu, dit enfin Assacumbuit.

— J'ai eu un bon maître.

— Ce coup derrière le genou... je ne te l'ai pas appris.

— Les universités yengis sont des endroits dangereux.

Le vieux guerrier sourit.

— Mais tu as fait une erreur, dit-il en lui passant la pipe.

Jason aspira profondément, inhalant la fumée, ce qui avait un effet merveilleux sur la douleur. Il était engourdi et le monde commençait à s'estomper.

— Ah bon? Quelle erreur?

Une lueur d'amusement dans le regard, Assacumbuit montra un paquet enveloppé de peaux dans un coin de la hutte.

— Ce n'est pas mon bouclier que je t'ai envoyé. C'était celui d'un guerrier qui était un grand lâche.

Jason éclata de rire, soulagé qu'Assacumbuit ne l'ait pas favorisé au détriment de son vrai fils.

Le vieil Indien ferma les paupières.

— Mon fils a une faiblesse que tu as sagement exploitée. Mais vous avez la même faiblesse. Vous devez tous les deux apprendre à tirer votre pouvoir et votre fierté de vous-mêmes.

— Pourquoi avez-vous pris la hache de guerre contre mon peuple?

— Alors tu admets enfin que les Yengis sont ton peuple.

— Je vis parmi eux. A cause de toi.

— Autrefois, tu vivais parmi les Abenakis.

Jason serra les dents et essaya de rassembler ses pensées. Discuter avec Assacumbuit, c'était comme se battre contre un fantôme.

— Que fait ici le jésuite?

— Les Yengis sont aussi nombreux que le sable. Nous avons à peine la place d'étendre nos couvertures.

— Quel rapport avec le jésuite, lequel, je te ferai remarquer, est également un Yengi ?

— Ton frère et ceux qui le suivent ont adopté le dieu français.

— Ah, fit Jason qui, malgré son cerveau embrumé, commençait à comprendre la raison du raid.

Un sachem abenaki était élu par les femmes de la tribu, mais son pouvoir n'était pas absolu. Si la décision de faire la guerre était prise en conseil, tout guerrier le souhaitant pouvait organiser un raid.

L'attaque de Merrymeeting était l'idée du Rêveur, idée certainement encouragée par le prêtre français. Mais il jouait à un jeu dangereux, qui pouvait conduire à une guerre totale entre Abenakis et colons anglais.

— Tu veux épouser la femme yengi ? demanda Assacumbuit.

A cette pensée, Jason sourit.

— Oui, dit-il. Je veux l'épouser.

Songeant qu'il l'obtenait au prix de la mort de Nat, il fut envahi de remords, mais il était en même temps reconnaissant au destin de la lui avoir rendue.

Le vieil Indien secoua la tête d'un air entendu.

— Elle réjouit les yeux, dit-il.

— Et le cœur, ajouta Jason.

— Moi aussi, j'aimais la femme yengi qui était ta mère.

Plus touché qu'il ne l'aurait cru par cette étonnante déclaration, Jason trouva le courage de demander :

— Pourquoi m'as-tu renvoyé ? Ils ne savaient même pas que j'étais en vie.

310

— Parce que je savais que ton cœur serait toujours yengi.

— Mon grand-père yengi m'accuse d'avoir le cœur abenaki. Qui a raison? Ai-je deux cœurs? Ou pas de cœur du tout? Qui suis-je?

— Tu joues avec toi-même. Tu sais qui tu es.

— Je suis médecin. Et bientôt je serai le mari de Angie, dit Jason, étonné par le sentiment de paix que lui procurait cette idée.

— Tu es un chaman yengi? Vraiment?

Jason rit de l'étonnement du vieux guerrier, qui haussa les épaules et posa la pipe.

— Va, maintenant. Ta femme t'attend.

— Les Yengis sont en effet aussi nombreux que les grains de sable sur la plage, conclut Jason en se levant. Dis-le à ton fils. Les Abenakis doivent essayer de vivre en paix avec les Yengis, car vous ne pouvez pas espérer les vaincre.

— *Les* vaincre?

— *Nous* vaincre. Vous ne pouvez pas espérer *nous* vaincre.

Le grand sachem secoua tristement la tête.

— Mon fils, mon fils, dit-il, nous devons essayer, nous n'avons pas le choix. Plutôt mourir que de laisser nos cœurs s'amollir.

Angie attendait, seule dans un wigwam.

Un groupe de femmes de son âge l'y avait amenée. Elles l'avaient revêtue d'une longue robe en peau de caribou ornée de piquants de porc-épic et brodée de poils d'élan teints et de perles. Autour de sa taille, elles avaient drapé une ceinture agrémentée de coquillages qui s'entrechoquaient à chacun de ses mouvements.

Soulevant avec respect une lourde cape faite d'une seule panthère, la plus jeune, une fille d'environ quatorze ans, l'avait laissé tomber sur les épaules de Angie. Puis on lui avait brossé les cheveux jusqu'à ce qu'ils s'étalent sur la cape en vagues chatoyantes, et on avait posé sur sa tête une petite coiffure de plumes de cygne.

Les femmes l'avaient regardée en gloussant. Comment croire que, deux heures plus tôt, celles-ci avaient demandé à ce qu'elle fût brûlée vive?

On avait ensuite apporté un énorme saumon, des épis de maïs, un ragoût de haricots, du potiron et de la viande d'écureuil dans un plat en écorce, et un cuissot d'élan.

Les odeurs succulentes avaient rappelé à Angie sa faim mais, quand elle avait demandé si elle pouvait goûter un morceau de poisson, on lui avait répondu qu'elle devait d'abord servir son homme et le regarder manger à satiété.

Angie avait manifesté son indignation et, une fois les femmes parties, elle ne se priva pas de chaparder quelques bouchées.

— Alors, fillette, on ne m'attend pas pour manger?

Le cœur de Angie bondit dans sa poitrine et elle pivota.

— Oh, Jason! s'écria-t-elle, se jetant dans ses bras et lui couvrant le visage de baisers.

Il prit sa tête entre ses paumes pour l'embrasser. Leurs cœurs battaient à l'unisson, plus fort que les tambours abenakis. De ses mains, il parcourait tout son corps, comme s'il voulait la toucher partout à la fois.

Elle s'écarta.

— Il faut, paraît-il, que je te donne à manger, chuchota-t-elle.

— Alors fais-le, dit-il en riant.

Il se laissa gracieusement tomber sur le sol à côté du feu ct s'assit jambes croisées à la manière indienne.

Il y avait des assiettes et des bols en écorce qu'elle remplit de nourriture avant de lui passer à mesure, comme le lui avait recommandé l'Indienne. Il mangeait avec ses doigts, sans la lâcher des yeux.

Elle contemplait sa beauté virile. Lui aussi était vêtu de peau brodée de perles — chemise, pagne et jambières. La ceinture de coquillages qu'il portait était identique à la sienne. Avec ses cheveux noirs, son visage anguleux et ses yeux bleus assombris par l'obscurité, il avait l'air d'un vrai sauvage. Elle le revit sur l'estrade, nu et peint, poussant son cri de guerre et balançant la massue. Et soudain, elle eut peur...

Puis il lui sourit, de ce sourire qui ne manquait pas de la troubler. Elle détourna les yeux pour ne pas lui montrer l'effet qu'il lui faisait.

Il fit soudain très chaud dans le wigwam, et Angie retira la cape de panthère, la posa à côté d'elle et en caressa la fourrure noire.

— *Lusifee*, dit Jason.

— Il m'appelait comme ça, fit-elle, levant la tête, étonnée.

— Qui?

— Le Rêveur.

— Ah bon. Comme c'est intéressant! Et comment l'appelais-tu?

— Il m'a dit que je devais l'appeler «maître»...

313

répondit Angie avec une grimace. Que veut dire *lusifee* ?

— C'est un terme abenaki de grand respect. Je ne l'ai jamais entendu appliqué à une femme. Mais s'il est une femme à qui il va, c'est bien à toi. Ça veut dire « chat sauvage ».

— Moi qui croyais que ça voulait dire « tête de bois ».

Ils rirent de concert.

Une petite bouilloire pleine d'eau et d'aiguilles de sapin se mit à bouillir. Elle emplit une louche, y ajouta un peu de sucre, mais quand elle lui tendit la louche au-dessus du feu, il secoua la tête.

— Apporte-la-moi.

Elle lui apporta la boisson. Il prit la louche et la posa par terre. Puis il lui saisit le poignet, et elle se retrouva assise sur ses genoux, un bras autour de la taille.

Elle gigota et au contact de son sexe dur contre ses fesses, elle s'immobilisa.

— Tricheur ! protesta-t-elle, hors d'haleine.

Il l'attira et l'embrassa sur la bouche, baiser lent et délicieux.

— Angie... je ne peux plus attendre. Je te veux maintenant.

— Non...

Il la caressa... taille, hanches, cuisses, puis trouva ses seins à travers la peau de sa robe.

Elle essaya de se défendre, mais n'en avait pas la force.

— Arrête, Jason... s'il te plaît...

— Je t'aime, Angie, murmura-t-il en lui couvrant le cou de baisers. Et tu m'aimes. Nous sommes ensemble, enfin. Libres. Laisse-moi t'aimer, Angie.

314

Je me suis battu pour toi. Tu es ma femme maintenant, ma...

— Non !

Elle s'arracha à lui et croisa les bras.

— Non, ça suffit. Tu ne me séduiras plus, Jason
Savitch. Si tu me veux, tu devras d'abord m'épouser.

Il se leva lentement et avança sur elle, le regard
brûlant.

— Je peux te séduire, Angie.

— Nooon !

— Si, dit-il en l'écrasant contre lui.

Elle enfonça les ongles dans ses épaules et rejeta
la tête en arrière. Elle vit des étoiles à travers le
trou de fumée. Elles tournaient, tourbillonnaient.

— Non, répéta-t-elle faiblement.

— Je crois pouvoir facilement te séduire, chuchota-t-il contre son cou.

— Non...

— Si, insista-t-il en effleurant ses lèvres. Mais
je n'aurai pas à le faire, Angie, mon amour, Angie,
ma femme... car nous sommes déjà mariés.

24

Elle ouvrit de grands yeux.

— Mariés ? Mais nous n'avons jamais...

Jason en avait assez de discuter et d'attendre. Il
écrasa sa bouche sous la sienne.

Elle écarta les lèvres et s'abandonna à lui. Il voulut la porter jusqu'au lit sans lâcher sa bouche, mais
ils trébuchèrent et roulèrent sur le tas de fourrures.

Relevant sa robe, il lui caressa l'intérieur des

cuisses puis, comme il glissait les doigts dans les tendres plis de sa féminité, elle gémit.

— Oh, Jason, balbutia-t-elle.

Les yeux noirs de désir, la bouche gonflée de ses baisers, elle glissa la main dans son pagne et la referma sur son sexe dur. Jason serra les dents et posa la tête contre son épaule.

— Angie... ça fait si longtemps...

La ceinture de coquillages tomba facilement, mais il eut du mal avec le cordon de son pagne. Il le jeta enfin à l'autre bout de la tente et lui écarta les jambes avec ses genoux. Prenant appui sur ses bras, il contempla son visage pendant qu'il s'enfonçait en elle.

Elle fit une grimace et ferma les yeux, car elle était étroite, comme une vierge. Choqué, il se souleva, puis la pénétra de nouveau, plus lentement cette fois. Elle arqua alors le dos et l'enserra entre ses cuisses.

Incapable de se contrôler, il plongea sauvagement en elle, et elle répondit avec férocité. Elle lui laboura le dos de ses ongles et lui mordit l'épaule. Cet élan passionné le surprit et l'enchanta. Il arqua le cou et ouvrit la bouche en un cri de plaisir silencieux.

Il resta longtemps en elle. Jusqu'à ce que son cœur cesse de tambouriner dans sa poitrine. Il était couché sur elle, la tête enfouie dans son cou. Elle sentait la forêt de pins, les fourrures musquées, et ce parfum sensuel qui lui était propre.

Roulant de côté, il se souleva sur un coude pour la regarder. Sa peau était moite, sa bouche enflée.

Ses yeux débordaient d'amour. Le feu déposait dans ses cheveux des lueurs rubis.

Elle leva une main langoureuse et passa le doigt sur sa lèvre inférieure.

— Jason...

Il avait la gorge nouée par l'émotion. Baissant la tête, il lui couvrit la bouche de la sienne.

Et ils s'embrassèrent à en perdre le souffle.

Il n'y avait pas de doute, il la désirait de nouveau.

Abandonnant sa bouche, il lui taquina le cou avec son nez, ses lèvres, sa langue. Elle glissa les mains sous sa chemise et caressa son dos et ses fesses.

Délaçant le devant de sa robe, il lui découvrit les seins, en prit un dans ses mains et le porta à ses lèvres.

Soudain, sans prévenir, elle le repoussa violemment.

— Jason Savitch, tu es un sale type !

— Qu'est-ce que j'ai encore fait ? demanda-t-il, éberlué.

— Comment peux-tu me mentir comme ça ? Comment peux-tu dire que nous sommes mariés ? Je t'ai de nouveau laissé me séduire. Je te déteste ! Je me déteste, ajouta-t-elle, essayant d'enfouir son visage dans les fourrures.

Il esquissa un sourire.

— Ah, Angie, mon épouse incrédule, dit-il en léchant les larmes sur sa joue. Crois-tu que je te mentirais sur quelque chose d'aussi important ?

— Mais c'est que... Quand avons-nous été mariés ?

— Ce soir. Dans les mariages abenakis, les mariés revêtent des vêtements spéciaux...

— Ces vêtements ?

— Hmm hmm. Puis l'homme envoie de la nourriture au wigwam de sa future femme pour montrer qu'il peut pourvoir à ses besoins.

— C'est toi qui as envoyé tout ça ? demanda-t-elle en montrant les reliefs du repas.

— Hmm hmm. Ensuite, la femme prépare et sert le repas à son homme, pour lui montrer son intention de s'occuper de lui. Et puis, ils font l'amour sur un lit de fourrures.

— On aurait dû me prévenir, grommela-t-elle, un sourire aux lèvres.

— Si on t'avait prévenue, aurais-tu accepté ?

— Qu'est-ce que tu crois, Jason Savitch ? gloussa-t-elle. Au premier regard, j'ai souhaité que tu m'épouses. C'est juste que...

— Juste que quoi ?

— J'aurais voulu que tu me fasses la cour. Comme à une vraie dame.

Il glissa une main entre ses cuisses.

— C'est comme ça qu'on fait la cour à une dame ? demanda-t-il, la bouche sur son sein.

— Je... ne crois pas, haleta-t-elle.

S'arrachant à son étreinte, il se leva. Elle parut tellement déçue qu'il éclata de rire.

— Je ne m'en vais pas, petite insatiable. Je veux seulement enlever ces maudits habits de noces.

Quelques secondes plus tard, il se dressait, devant elle, grand, fort et nu. Elle avait sa robe relevée autour de la taille. Ses longues jambes fines étaient dorées par le feu. Le noir triangle entre ses cuisses cachait des mystères qu'il ne se lasserait jamais d'explorer. Sa robe délacée laissait voir ses seins parfaits.

— Tu es beau, murmura Angie.

— C'est ce que je m'apprêtais à te dire.

Se baissant, il lui saisit les poignets et la mit debout, puis il dénoua sa ceinture qu'il laissa choir par terre et retira sa robe de caribou.

— Que faites-vous, Jason Savitch? lança-t-elle d'une voix rauque.

— Je me prépare à consommer mon mariage.

Elle gloussa et pressa son corps nu contre le sien.

— Je croyais que c'était déjà fait.

— Ce n'était que l'ouverture. Nous en arrivons à la vraie «consommation».

Accrochés l'un à l'autre, ils se laissèrent tomber au milieu des fourrures. Il la couvrit de son corps.

Il la sentait incroyablement petite sous lui et craignait de l'écraser.

— Tu as intérêt à te mettre à l'aise, Angie, parce que cette «consommation» va prendre beaucoup de temps.

Il commença par explorer sa bouche, lui disant entre deux baisers que la sève d'érable n'était pas aussi douce que ses lèvres, ce qui la fit rire.

Il passa la langue sur son menton, qui se dressait de façon si provocante quand elle était contrariée ou effrayée.

— Je t'aime, Angie. Tu n'as à t'inquiéter de rien, parce que je t'aime.

Elle emmêla les doigts dans ses cheveux et attira sa tête contre ses seins.

— Suce-moi, dit-elle.

Il accepta l'invitation, s'en repaissant longuement, puis glissa les mains sous ses fesses et la souleva vers sa bouche avide. Quand sa langue fouilla les plis de sa chair, il la sentit se crisper.

— Jason! haleta-t-elle. Qu'est-ce que tu fais?

— Je t'aime?

— Mais c'est...

Balançant la tête d'avant en arrière, elle émit de faibles gémissements.

— Je t'aime! s'écria-t-il avant de la pénétrer.

Il imprima à son bassin un mouvement de va-et-vient, se retenant, se retenant... jusqu'à en mourir. Puis, serrant les dents, il se jeta en elle. Le sang tonnait dans ses oreilles; leurs respirations sifflaient. Leurs corps enflammés par la passion furent submergés par une même explosion de plaisir.

Il n'avait jamais connu un tel ravissement.

Le feu n'était plus qu'un tas de charbon. Il faisait froid et Jason couvrit leurs corps nus de fourrures.

Angie se blottit en soupirant contre son large torse.

— Je t'aime, Jason Savitch.

Refermant les bras sur elle, il pressa les lèvres contre son oreille et fredonna une chanson d'amour en abenaki, avant de la lui traduire:

— «Dors, dors, ma bien-aimée. N'aie pas peur du noir... Dors, dors, ce soir nos cœurs battent à l'unisson. Ce soir, nous sommes un...»

Elle dormit, mais pas lui. Appuyé sur un coude, la tête dans la main, il la contemplait. Il ne pouvait croire qu'elle était bien à lui.

Des heures plus tard, Angie ouvrit les yeux.

— Qu'est-ce que tu regardes, Jason Savitch?

— Ma femme.

Elle rit et se pelotonna contre lui.

— Angie? Tu es bien réveillée?

— Tu veux recommencer? demanda-t-elle e
remuant de façon évocatrice.

— Oui, dit-il en riant. Si incroyable que cela
paraisse. Mais on va faire quelque chose d'abord.

— Manger?

— Ça aussi. Après.

Elle grogna quand il rejeta les fourrures, exposant leurs corps nus à la morsure du froid. Il l'aida
à s'habiller, puis passa sa chemise, attacha ses
jambières et enfila ses mocassins. Empoignant une
fourrure, il l'entraîna dehors.

L'air était glacé et leurs respirations formaient
des nuages de vapeur. Le ciel était si clair que les
étoiles semblaient à portée de main. Deux loups
échangeaient des hurlements, dont les échos
rebondissaient sur le lac.

Jason tourna Angie vers le nord. Elle en eut le
souffle coupé. Des rais de lumière montaient de
l'horizon et se déployaient dans le ciel dans une
débauche de couleurs.

— Oh, Jason! s'exclama-t-elle. C'est magnifique.
Mais qu'est-ce que c'est?

— L'Esprit de la Nuit a revêtu son habit de feu.
En fait, je ne sais pas comment cela se produit.
Mais, à cette époque de l'année, c'est toujours spec-
taculaire.

Ils contemplèrent longuement en silence ce spectacle éblouissant.

— J'avais tellement peur, Angie, reprit-il enfin.

— De quoi?

-- De t'aimer et de te perdre. Comme j'ai perdu
mon père et ma mère, ensuite Assacumbuit et la
vie que j'avais ici. Depuis le début, j'ai eu peur de
tomber amoureux de toi — je me suis débattu
comme un beau diable.

Se retournant, elle posa les mains sur sa chemise de peau et leva la tête. A travers ses paumes, elle sentait battre son cœur.

— Et tu n'as plus peur ?

— Si. Je suis toujours terrorisé à l'idée de te perdre...

— Tu ne me perdras jamais...

— Chut, fit-il, posant un doigt sur sa bouche. Ne le dis pas. Tu ne connais pas l'avenir... Aussi affreux que l'idée de te perdre, il y avait le fait de savoir que tu ne serais jamais à moi. Ces derniers mois, en te voyant mariée à Nat... jamais je n'ai autant souffert.

— Maintenant, je suis à toi, Jason.

— Oui, Angie. Tu es ma femme, ma maîtresse.

— Cela semble irréel... que nous soyons mariés.

— C'est bien réel. Mais, pour te rassurer, nous nous marierons à la manière yengi, dès notre retour à Merrymeeting. Ensuite, je te ferai une douzaine de bébés. Un à la fois, bien sûr...

— Une douzaine ! Jason Savitch, vous me voulez enceinte jusqu'à la fin de mes jours !

— Oui, dit-il en l'étreignant. C'est à peu près ça...

Un grand cri jaillit soudain d'une des maisons derrière eux. Il y eut des bruits de course. Les chiens se mirent à aboyer.

Jason leva la tête et se raidit.

— Jason ? Que se passe-t-il ?

Rejetant la fourrure, il lui saisit la main et se précipita vers la maison.

— C'est Elisabeth Hooker !

Elisabeth gisait sur un tas de fourrures imprégnées de sang, sa peau diaphane tendue sur les os

de son visage. Elle s'étreignait le ventre en p
sant des cris déchirants.

Pendant un moment, Jason resta immobir
frappé de stupeur.

— Oh, Jason, elle va mourir?

— Non, dit-il en se penchant pour l'examiner.
Elle ne va pas mourir, et elle ne va pas non plus
perdre son bébé.

Soudain la porte s'ouvrit et le diable apparut
dans un nuage de fumée. Le cœur de Angie manqua un battement.

Puis Jason dit quelque chose en abenaki, et elle
comprit que l'apparition était une espèce de guérisseur au visage peint en noir, balançant un bol
perforé d'où sortait une fumée puante. Il s'agenouilla à côté de Jason en marmonnant une incan-
tation.

Elisabeth souleva ses paupières veinées de bleu,
aperçut le guérisseur et poussa un hurlement.

— Jason, fais-le partir, dit Angie en prenant
la main tremblante de la jeune femme. Il lui fait
peur.

— Non. J'ai besoin de lui. Il a plus de connaissances que je ne pourrai en acquérir dans toute
une vie. Mon amour, ajouta-t-il, je suis désolé,
mais c'est toi qui dois partir. Si tu veux être utile,
approvisionne-nous en eau chaude.

Le reste de la nuit et le jour suivant, le docteur
Savitch et le chaman abenaki s'employèrent à sauver la vie d'Elisabeth.

Le soleil allait de nouveau se coucher quand
Jason, tremblant de fatigue, apparut devant Angie
et la prit dans ses bras.

— Elle va s'en sortir, soupira-t-il dans ses cheveux.

— Et le bébé?

— Ce petit est formidable. C'est incroyable comme il s'accroche à la vie. Mais, Angie... dit-il en s'écartant pour la regarder. Pour que ce bébé ait une chance, il doit rester encore au moins trois mois dans le ventre de sa mère, et ce ne sera pas facile de l'y maintenir.

— Nous ne pouvons donc pas rentrer à la maison?

— Pas avant le printemps.

25

Le chasseur étudia les empreintes laissées par sa proie. Elles étaient fraîches. Il sourit — la chasse serait bientôt finie et il avait hâte de rentrer à la maison.

Il reprit sa marche, glissant sur la neige avec ses raquettes. Remarquant que les traces contournaient deux bouleaux, il en conclut que l'élan était un gros mâle, ses bois étant trop larges pour passer entre les deux arbres.

Arrivé au bord du lac gelé, l'homme se cacha dans un épais bosquet couvert de neige. De loin, il ressemblait à sa proie, avec son épais manteau de peau d'élan et, sur la tête, des bois. Approchant de ses lèvres un instrument en écorce de bouleau, il reproduisit le meuglement de l'animal, puis attendit.

A présent qu'il ne bougeait plus, il sentait le froid. Et, malgré ses mocassins, ses pieds furent bientôt engourdis. De longues bandes de nuages

flottaient dans le ciel; il ne tarderait pas à r[...]
de nouveau.

Un arbre qui ne pouvait plus supporter le p[...]
de la glace se cassa avec un craquement qui [...]
répercuta comme un coup de fusil. Un lapin apeur[é]
bondit sur le lac glacé. Mais le chasseur ne bougea
pas. Il entendait l'élan approcher.

Quand l'animal fut à découvert, il leva son
énorme tête et renifla l'air. Le chasseur souleva
son arc, plaça une flèche. L'élan tourna la tête.
Homme et animal se regardèrent.

Jason Savitch tira sur la corde et laissa partir la
flèche. Garnie de plumes d'aigle, elle alla s'enfoncer dans le cou de l'élan. Le sang de la veine jugu-
laire gicla. Le grand cervidé chancela, tomba sur
les genoux et mourut en silence. Le chasseur rejeta
la tête en arrière et chanta, pour remercier les
esprits de leur don.

Jason découpa l'animal sur place, puis trans-
porta la viande sur trois kilomètres jusqu'à sa luge
dans des sacs en peau de bison.

Une fois la viande sur la luge, la marche dans la
neige fut plus aisée. Jason n'avait pas vu sa femme
de toute la journée, et il avait hâte de la retrouver.

Des serpentins de fumée montaient vers le ciel,
répandant une odeur de sapin brûlé. L'arrivée de
Jason fut annoncée par des aboiements de chiens,
et des femmes sortirent des wigwams pour déchar-
ger la viande qui serait apportée dans le fumoir
afin d'y être salée et fumée.

— Angie! s'écria-t-il joyeusement en détachant
ses raquettes et les battant contre un poteau pour
en ôter la neige.

Il écarta le rabat du wigwam et se baissa pour
entrer.

Où es-tu ? J'ai froid, je suis fatigué et je veux baiser...

Voyant que le wigwam était vide, il n'acheva pas la phrase et son sourire s'éteignit. Elle devait être à côté, dans la maison d'Assacumbuit avec Elisabeth et le bébé. Il était déçu qu'elle n'ait pas été là pour l'accueillir. Il la désirait comme un fou.

Quand ne la désirait-il pas ? se demanda-t-il en riant.

A l'intérieur, il faisait bon et cela sentait la bougie de cirier et la bouillie de maïs qui mijotait sur le feu.

Se laissant tomber sur les nattes à côté du foyer pour enlever ses mocassins, il prit une louche de bouillie et la porta à sa bouche. Il n'avait rien mangé de toute la journée, sauf un petit morceau de *quitcheraw* — gâteau de maïs grillé, avec du sucre d'érable —, et il avait bien parcouru trente kilomètres, dont une grande partie en traînant la luge chargée.

Voyant que Angie avait laissé un seau de neige fondue près du feu, de façon qu'il ait de l'eau chaude pour se laver à son retour, il sourit. Dieu, qu'il l'aimait !

Pour la centième fois, il remercia son esprit tutélaire Bedagi, le manitou *gitche*, et le dieu chrétien de lui avoir donné cette ravissante et unique femme comme épouse...

Le ventre plein et les pieds au chaud, Jason arpenta le wigwam avec impatience. Où était-elle ? Une des femmes avait dû lui dire qu'il était rentré. Marmonnant un juron, il enfila ses mocassins maintenant secs, remit son manteau de peau d'élan, prit un sac de viande fraîche et se dirigea vers la porte.

En entrant dans la maison commune, il vrit un spectacle étonnant. Assacumbuit, ce g et fier guerrier, dansait autour du feu en fai. sauter le bébé d'Elisabeth Hooker dans ses br. et en chantant une chanson où il était questio d'un beau bébé qui deviendrait un guerrier et un chasseur, un grand sachem de son peuple. Le bébé souriait comme un ange, tandis que la belle-fille d'Assacumbuit, Fleur d'Argent, gardait la tête baissée pour cacher son amusement.

Jason posa le sac près de la porte et entra sans bruit.

Rectangulaire, l'habitation avait quinze mètres de long et était divisée en compartiments. Les poutres étaient noircies par de nombreux feux. Même pour les Abenakis, plutôt sédentaires et dont les habitations étaient plus fixes que celles de la plupart des autres tribus, cette cabane était relativement vieille. Jason et le Rêveur y avaient vécu enfants.

La danse d'Assacumbuit s'acheva dans une gigue. Il pivota sur la pointe des pieds... et se figea à la vue de Jason. Pour la première fois de sa vie, le puissant guerrier semblait gêné. Il rougit !

— Le gosse avait besoin de faire un rot, dit-il d'un ton bourru.

— Ah, je vois, murmura Jason.

— Tiens, femme, prends-le, ajouta le grand sachem en affectant de renifler avec dégoût.

Fleur d'Argent remit le bébé dans son berceau suspendu.

— Alors, reprit Assacumbuit, on raconte dans le village que le Yengi a tué d'une flèche un élan avec des bois qui tiendraient à peine dans un wigwam ?

— Oui, reconnut modestement Jason. Il y a un
à la porte.

— Regarde, beau-père, s'exclama Fleur d'Argent en déballant la viande, il nous a apporté le
mufle! Mais tu dois le reprendre, ajouta-t-elle en
se tournant vers Jason. C'est la part du chasseur.

— Cependant, nous acceptons ton généreux
présent, s'empressa de dire Assacumbuit.

Jason dissimula un sourire et agita un chapelet d'os peints devant le bébé. Chaque fois qu'il
regardait cet enfant, il s'émerveillait du miracle
de la vie. Cinq mois plus tôt, quand il avait découvert Elisabeth hurlant au milieu des fourrures
trempées de sang, il avait revu sa mère mourante.
Sans la présence de Angie, il aurait peut-être cédé
à la peur. Mais il ne pouvait supporter l'idée de la
décevoir, aussi s'était-il battu pour Elisabeth et
son bébé.

Pendant les trois mois qui avaient suivi, jusqu'à
sa naissance prématurée en janvier, le bébé avait
survécu. Il avait été impossible à Elisabeth de
quitter sa couche, et donc de retourner à Merrymeeting. Ils devraient maintenant attendre le printemps, que la mère et l'enfant soient assez forts
pour voyager.

Jason avait mis deux semaines à débusquer le
vieux trappeur Increase Spoon, pour qu'il aille à
Merrymeeting prévenir Caleb et les autres que les
deux femmes étaient vivantes, mais qu'elles ne
reviendraient pas avant le printemps. Angie s'inquiétait pour les filles de Nat. Heureusement, Anne
Bishop s'occuperait d'elles jusqu'à leur retour.

Jason lança le chapelet d'os en l'air, le rattrapant d'une main, puis il se laissa tomber à côté de

son père près du foyer. Un intestin d'élan, fa‿
viande, pendait au-dessus du feu.

Négligeant son travail, Fleur d'Argent, la fem‿
enceinte du Rêveur, observait Jason. Elle éta‿
occupée à tanner une peau de daim en la frottan‿
avec un mélange de cervelle, d'écorce d'orme et de
foie écrasés. Assise à côté d'elle, sa mère, aveugle
et voûtée par l'âge, moulait du maïs. Agé de cinq
ans, Molsemis, le petit-fils d'Assacumbuit, jouait
avec un arc et une flèche miniatures. Aucun signe
de Angie ni d'Elisabeth.

— Où sont mes femmes ? demanda Jason.

— Elles pêchent dans la glace, répondit le
vieillard.

— Elisabeth aussi ?

— *Ai. Lusifee* a dit que l'air frais lui ferait du
bien.

Le bébé gazouilla dans son berceau au-dessus
de leurs têtes.

— C'est un beau garçon, ajouta le sachem.
Tu devrais prendre l'*awakon* Elisabeth comme
deuxième femme.

Jason avait acheté Elisabeth à son ravisseur
pour cinq peaux de castor, si bien qu'Assacumbuit
la considérait comme l'esclave de son fils adoptif.

— Nous en avons déjà parlé, répliqua Jason.
Elisabeth a un très bon mari. Et si je songeais à
prendre une seconde femme, Angie m'attacherait
au poteau de torture.

Fleur d'Argent gloussa, mais quand Jason la
regarda, elle avait la tête baissée. Le milieu de ses
cheveux noirs était teint en vermillon, et elle portait une jolie robe décorée de perles rouges et
bleues. Elle s'habillait ainsi depuis cinq mois pour
le retour de son mari, le Rêveur.

nteux d'avoir perdu le combat, le Rêveur avait té le village la nuit même. Personne ne l'avait vu. Les Norridgewocks le soupçonnaient d'être arti pour la montagne sacrée, Katahdin, pour y chanter, danser et jeûner jusqu'à entrer dans le monde des rêves.

Le vent se leva, ébranlant les bardeaux de la maison. Jason s'agitait.

— Garde encore un peu ta verge dans ton pagne, dit Assacumbuit, lisant dans ses pensées. Un homme ne devrait pas devenir l'esclave de ses appétits. Surtout pour une femme en particulier.

Jason esquissa une grimace.

— Je crois que je vais juste... dit-il en se levant.

— Détends-toi, mon fils, insista Assacumbuit en le retenant par le bras. Elles sont parties pour une heure, et j'ai envoyé le frère de Fleur d'Argent les surveiller.

Jason se rassit à contrecœur.

Enfonçant les mains dans son manchon d'ours, Elisabeth Hooker scruta le trou qu'elles avaient fait dans la glace.

— Je ne vois rien, dit-elle.

— Vous ne pouvez pas les voir. Elles se cachent dans la vase, expliqua Angie, fière de ses nouvelles connaissances.

Elle remua la vase avec un harpon. Le jeune guerrier Pulwaugh observait la scène d'un œil critique en mâchant une boulette de gomme d'épicéa, mais ne faisait rien pour les aider.

— Jason m'a montré comment faire, ajouta Angie.

330

Soudain elle donna un coup sec et remonta deux anguilles qui se tortillaient sur les dents de silex du harpon.

— Deux ! s'exclama-t-elle.

— Pouah ! fit Elisabeth en reculant. C'est horrible !

Riant de sa répulsion, Angie enfila les anguilles sur un bâton pointu.

Un rire démoniaque troubla soudain le silence.

Se protégeant les yeux de la lumière, Angie vit un plongeon blanc qui décrivait des cercles au-dessus de leurs têtes.

— Le messager de Gloosecap, dit-elle avec un sourire. Il annonce la tempête.

— Il commence justement à neiger, fit Elisabeth. Ne devrions-nous pas rentrer ?

Angie allait acquiescer, lorsque sa compagne blêmit et poussa un cri, pointant le doigt vers les bois.

Pulwaugh se retourna et poussa à son tour un cri perçant.

— C'est un fantôme ! s'exclama-t-il en portant une main tremblante à son tomahawk.

— Mais non ! se moqua Angie. Ce n'est qu'un homme.

Bien que grand et large d'épaules, l'homme était comme une ombre. Ses vêtements étaient des haillons flottant au vent, et ses longs cheveux noirs lui fouettaient le visage comme un drapeau déchiré.

— C'est le Rêveur, dit Angie. Peut-être devrions-nous lui parler ? Il semble gelé et affamé.

Pulwaugh secoua la tête, rassembla leurs affaires en hâte et les poussa vers le village. Angie obéit sans discuter. A la vérité, elle avait peur du Rêveur.

Elle se retourna vers le lac. Le Rêveur n'avait pas bougé ; il les regardait. Il ressemblait à un corbeau géant et la jeune femme réprima un frisson...

Ne dit-on pas que les corbeaux sont les messagers de la mort ?

Le vent traversait ses vêtements en lambeaux et des flocons tourbillonnaient autour de sa tête. Mais le Rêveur était insensible au froid. Il suivait des yeux les trois silhouettes qui disparurent derrière le rideau de neige. Enveloppées dans des fourrures, il n'avait pas pu discerner leurs visages, mais il n'en avait cure. Etourdi par la faim et la fièvre, il était perdu dans le monde des rêves.

Peut-être était-il devenu un esprit, mais il n'en était pas sûr. Il avait vécu parmi les esprits sur le Katahdin, la plus haute montagne.

Le Katahdin était sacré. C'était la demeure de Pamola, l'Esprit de la Tempête, créature à ailes et serres d'aigle, bras et torse d'homme, tête et bois d'élan. Pamola, dans sa fureur, déchaînait ses vents, ses éclairs et ses tempêtes de neige sur les malheureux humains.

Le Rêveur avait pourtant grimpé au sommet du Katahdin et là, il avait été visité par des visions. Des visions étranges, qu'il ne comprenait pas encore. Il les comprendrait plus tard et agirait en conséquence. Car, en bon Abenaki, il savait qu'un homme doit suivre la voie indiquée, au risque de s'attirer la vengeance des dieux.

Songeant à la puissance des visions, le Rêveur rejeta la tête en arrière et éclata de rire. Un rire dément comme celui du plongeon, qui se répercuta sur le lac gelé. Sortant une bouteille des plis de son manteau d'élan, il en arracha le bouchon avec ses dents et fit couler le liquide brun dans sa gorge.

L'effet fut presque immédiat. Les visions apparurent.

Assacumbuit lui avait dit un jour que les visions qui venaient de l'alcool des Yengis n'étaient pas de vraies visions.

Mais il y avait de la *keskamzit* dans l'alcool, de la magie, et il en but encore. Cette fois, la vision fut plus précise que les autres. Il voyait des centaines de Yengis envahissant la terre. Et à leur tête *Lusifee*, le chat sauvage. Un grand loup surgissait soudain de la forêt, tuant le félin d'un coup de croc, et les Yengis refluaient dans l'océan et étaient emportés par la marée.

La vision s'évanouit, laissant le Rêveur abasourdi... et euphorique. Rejetant la tête en arrière, il lança son cri de guerre. Enfin, les dieux lui avaient montré son destin.

Le vent soufflait par rafales, et Angie essaya de se protéger le visage. Elle suivait aveuglément Pulwaugh car, dans cet univers blanc, elle avait depuis longtemps perdu tout repère.

Elisabeth trébucha et le jeune homme la prit dans ses bras. Voyant la palissade du village se profiler devant eux, Angie poussa un soupir de soulagement, qui se changea en cri de joie quand une silhouette apparut.

— Jason! s'exclama-t-elle en se jetant dans ses bras.

— J'avais peur que vous ne vous perdiez dans cette tempête, dit-il en la serrant contre lui.

Pulwaugh porta Elisabeth vers la maison du grand sachem ; Angie voulut les suivre, mais son mari la conduisit vers leur wigwam.

— Mais, Jason, je voulais apporter les anguilles à ton père, protesta-t-elle une fois à l'intérieur.

— Plus tard, dit-il en lui retirant son capuchon de fourrure. En plus, il a été assez gâté pour aujourd'hui. A ton tour de me gâter.

Elle adorait le gâter. Elle lui effleura la bouche de ses lèvres. Leur baiser fut passionné. Rejetant la tête en arrière, elle ferma les yeux, tandis qu'il lui caressait la gorge...

C'est alors que l'image du Rêveur lui revint ; Elle frissonna.

— Tu as froid ? demanda-t-il. Allons au lit. Je vais te réchauffer...

— Jason, dit-elle en s'écartant de lui, nous avons vu le Rêveur. Près du lac.

— Tu es sûre ? demanda-t-il, les sourcils froncés.

— Cet imbécile de Pulwaugh a cru que c'était un fantôme. Pourquoi me regardes-tu comme ça ?

— Je suis jaloux. J'aimerais que tu sois moins impressionnée par lui.

— Je ne suis pas impressionnée. Il me fait peur.

— Oublie-le. Pense à moi, dit-il en l'attirant à lui. Tu sais depuis combien de temps...

— Dix heures.

— C'est comme dix siècles. Je n'en peux plus, Angie.

— Alors, pourquoi restes-tu là à discuter ?

La soulevant dans ses bras, il la porta jusqu'au lit.

26

Jason jeta une louche d'eau sur les pierres brûlantes. Le minuscule wigwam s'emplit d'une vapeur étouffante.

— C'est trop chaud, Jason, protesta Angie, toute nue.

Il entrouvrit le rabat d'entrée et prit une brosse faite dans une queue de porc-épic.

— Viens ici, dit-il.

Elle alla se placer entre ses jambes. C'était devenu un rituel quasi quotidien. Le bain de vapeur, le brossage des cheveux, la conversation... et l'amour.

Quand Bedagi avait construit son bain de vapeur privé pour le partager avec sa femme, les Norridgewocks avaient cru à une manie yengi.

— Tu crois que ta cabane a été brûlée pendant le raid ? lui demanda-t-elle. Je ne peux pas supporter l'idée que tu aies perdu toutes tes belles choses.

— Ce n'étaient que des objets.

Il posa la brosse et l'attira contre lui.

— Mais les mocassins de ta mère, Jason. Et tous tes livres et...

Il la fit taire d'un baiser.

— C'est sans importance, dit-il en posant le menton sur son épaule. De toute façon, j'aurais dû construire une autre cabane. L'ancienne était trop petite pour accueillir mes douze bébés.

— Et accueillir les trois femmes qu'il te faudra

pour te donner ces douze bébés, rétorqua-t-elle d'un ton acerbe.

L'idée d'avoir une maison pleine d'enfants ne lui déplaisait pourtant pas. Les leurs... et les filles de Nat.

— Je ne cesse de penser aux filles, ajouta-t-elle. Surtout à Meg. Pauvre Meg. Elle a tellement mal supporté la mort de sa maman. Et maintenant son papa...

— Elles t'ont, toi.

— Mais je ne suis pas là. Quand pourrons-nous...

— Bientôt, amour de ma vie. Aux premiers signes du printemps.

Il s'écarta pour jeter encore de l'eau sur les pierres. Un nuage de vapeur les enveloppa. Il s'allongea sur le côté et elle admira son corps nu, superbe. Elle voulait qu'il lui fît l'amour.

Non, elle voulait lui faire l'amour.

S'appuyant sur un coude, elle bomba la poitrine. Ses seins fermes et pleins pointèrent vers le ciel. Ses yeux se voilèrent et elle écarta les genoux.

— Est-ce que par hasard tu essaierais de me séduire, fille impudique ?

— Vous prenez vos désirs pour des réalités, Jason Savitch.

Ils roulèrent ensemble sur la natte de roseau et elle se retrouva au-dessus de lui, à cheval sur ses cuisses. Elle le prit dans sa main, l'admirant, puis pressa les lèvres sur son extrémité gonflée.

Jason retint son souffle.

Elle le prit dans sa bouche, le caressant de ses lèvres, de ses dents, de sa langue.

— Assez ! s'écria-t-il, incapable d'en supporter davantage.

336

Il la tira par les cheveux. Se soulevant, elle s'empala sur lui. Leurs corps se fondirent, leurs respirations se firent haletantes.

Et ils ne furent plus qu'un...

Encore toute frémissante, elle ouvrit les yeux.

— Angie, c'était...

Mais il ne put achever. Il était brisé. Il prit une profonde inspiration.

— Je crois que je vais survivre, plaisanta-t-il. Allons prendre un bain de neige.

Il souleva les hanches.

— Non ! s'écria-t-elle en se débattant.

Il la porta néanmoins dehors. Ciel, soleil, neige, tout était d'un blanc éclatant. De minuscules cristaux flottaient dans l'air.

Une grosse congère se dressait devant eux, semblable à du duvet d'oie. Angie ferma les yeux. La neige était si sèche qu'elle craquait, et si froide qu'elle bloqua le cri dans sa gorge. Alanguis par la chaleur, ses muscles se tendirent. Le froid était coupant comme une lame affilée dont elle ne sentit pas tout de suite la morsure. Puis ce fut comme l'eau sur les pierres chauffées à blanc. Elle grésilla, bouillonna.

Le visage de Jason était au-dessus d'elle. De minuscules éclats de diamant saupoudraient ses sourcils. Ses pommettes étaient colorées et ses yeux d'un bleu éclatant brûlaient d'amour.

— Oh, Jason, dit-elle soudain. Regarde...

Une tache de terre apparaissait à travers la neige, et il en sortait une minuscule fleur bleue en forme d'étoile. Angie la caressa du bout du doigt.

— Le printemps ! s'exclamèrent-ils en chœur.

Le printemps était bruyant.

La neige tombait des branches par paquets. Sur les lacs et les rivières, la glace craquait et gémissait. Les stalactites dégouttaient des arbres et des toits. Partout le bruit de l'eau, coulant, courant, gargouillant. Après des mois de silence, le vacarme était assourdissant.

Un jour, le vent changea de direction et devint chaud et humide. La sève monta dans les érables, de jeunes fougères et des fleurs sortirent de la neige fondue. Les premières feuilles des bouleaux et des hêtres se déployèrent. La nature chantait.

C'était le printemps.

Les habitants de Merrymeeting avaient attendu la fin de l'hiver avec résignation, impatience ou espoir. Les morts furent pleurés et enterrés, mais la vie reprit son cours.

Les fermiers qui avaient été attaqués lors du raid s'installèrent à l'intérieur du retranchement, dans des appentis dont les toits servaient de plates-formes de tir. Les familles dormaient dans ces appentis et passaient la journée dans le fortin où l'on faisait la cuisine. Durant cet hiver, la plupart des hommes avaient continué à abattre les grands pins, mais ils se déplaçaient en bandes, lourdement armés. Ils avaient construit une maison fortifiée au centre du camp forestier, et ceux qui étaient sans femme étaient restés dans les collines après les premières grosses chutes de neige.

La deuxième semaine de mars, la glace se rompit sur la rivière dans un fracas de tonnerre.

Sam Randolf avait réparé le canon. Ils le pointèrent vers l'amont de la rivière, défiant les Abenakis de revenir se battre.

— Cette fois, disait-il, nous les recevrons, ces sauvages.

Manquant de munitions, ils n'avaient toutefois pas essayé le canon.

Malgré la peur des Indiens, les fermiers se préparèrent à labourer et à semer. Quand le colonel Bishop se plaignit auprès de sa femme des dangers qu'il y avait à travailler les champs isolés, Anne répliqua :

— Que vaut-il mieux ? Mourir de faim ou mourir de peur ?

Sans réponse, le colonel se gratta la tête. N'ayant plus de perruque, il se laissait pousser les cheveux, ce qui lui provoquait de terribles démangeaisons...

Obadiah Kemble avait passé l'hiver à faire la fête. Il avait ramené de Cap Elisabeth une squaw pour réchauffer son lit. Il disait à qui voulait l'entendre qu'il ne s'était jamais autant amusé de sa vie. Les femmes trouvaient cela scandaleux. Les hommes esquissaient un sourire bienveillant...

Un matin, Daniel Randolf surprit Meg Parkes seule sur la véranda du manoir des Bishop et l'embrassa sur la bouche. Elle lui donna un si violent coup de poing qu'il saigna du nez et tomba sur les fesses. Le jeune Daniel jura de renoncer définitivement aux filles.

Chaque soir, après avoir dit ses prières, la petite Tildy Parkes demandait à Anne Bishop quand sa nouvelle maman reviendrait. Anne répondait toujours :

— Au printemps.

Et chaque matin, en se réveillant, Tildy demandait :

— C'est déjà le printemps ?

Elles avaient donc fait un bonhomme de neige

devant la porte du retranchement. A la place des yeux étaient posés les boutons d'un vieil habit du colonel, et pour le nez, un épi de maïs ; Obadiah Kemble lui avait en outre sculpté un fusil en bois pour faire peur aux Abenakis.

— Quand il commencera à fondre, avait dit Anne, tu sauras que c'est le printemps.

Le premier jour d'avril, le soleil fut si chaud que le bonhomme de neige perdit un bras et son visage.

Accompagnée des filles Parkes, Anne Bishop prit des paniers pour ramasser de la verdure en bordure de la forêt. Après avoir vécu de porc salé et de maïs concassé, les colons se jetaient avec avidité sur les premiers pissenlits et les pousses de fougère.

— Quand ma nouvelle maman... ? commença Tildy.

— Bientôt, dit Anne en caressant la tête de la petite fille. Angie sera bientôt ici. Il faut lui laisser le temps d'arriver.

— Elle ment ! lança Meg en donnant un coup de pied dans son panier. Vous mentez... mentez... ajouta-t-elle en se tournant vers Anne, le visage rouge de fureur, avant d'éclater en sanglots.

Anne s'agenouilla devant elle.

— Meg ? Pourquoi pleures-tu ?

— Vous croyez que je n... ne sais pas qu'elle est m... morte ? Les Indiens l'ont t... tuée et scalpée comme les autres. Elle ne reviendra jamais. Vous mentez...

Anne la prit par les épaules et la regarda dans les yeux.

— Meg, écoute-moi. J'étais dans mon salon et j'ai entendu Increase Spoon dire que le docteur Jason avait trouvé ta maman et qu'elle était en vie. Mme Hooker — tu te rappelles qu'elle attendait un bébé? Eh bien, Mme Hooker a eu des ennuis à cause du bébé, si bien qu'ils n'ont pas pu revenir tout de suite. Mais le bébé est né, et elles sont peut-être déjà en route. Ta maman sera bientôt de retour.

— Angie n'est pas ma maman, répliqua Meg en pointant le menton. Mais… je v… veux qu'elle revienne à la maison. Je v… veux qu'elle revienne avec nous. Je v… veux que ce soit comme a… avant…

— Oh, chérie, elle reviendra. Je le promets…

— Madame Bishop, pourquoi il court, cet homme?

Anne tourna la tête dans la direction que montrait Tildy. Au même instant, l'homme les vit et se dirigea vers elles. Anne reconnut l'un des éclaireurs envoyés par son mari.

— Je les ai vus! s'écria-t-il. A moins de dix kilomètres en amont. Ils devraient être là dans la soirée.

Les Abenakis! pensa Anne, le cœur bondissant dans sa poitrine.

Puis elle remarqua le visage illuminé de l'homme.

— Hank Littlefield, vous m'avez fait une peur mortelle. Qu'est-ce que vous racontez?

— Le docteur Jason et les femmes, voyons! Et le bébé! Mme Hooker a un petit garçon!

Anne se leva et prit les filles par la main.

— Tildy, Meg, votre maman est revenue!

Ils arrivèrent juste au moment où le soleil sombrait dans la baie. Tout Merrymeeting se rassembla pour les accueillir. Un grand feu de joie flambait au milieu du pré communal, et une chandelle brûlait à chaque fenêtre.

Caleb Hooker se tenait devant, tremblant d'émotion. Jason Savitch émergea de la forêt, tirant un brancard vide qu'encadraient deux Indiennes. Caleb hésita, puis vit un éclat de cheveux blonds dans les bras d'une des femmes et se mit à courir.

Il faillit écraser la mère et l'enfant dans ses bras. Dévorant son épouse des yeux, il remarqua son visage éclatant de santé, ses yeux gris, clairs et brillants.

— Elisabeth... Ô mon Dieu ! Elisabeth...

Avec un sourire timide, elle écarta la couverture de fourrure.

— Révérend Hooker, je vous présente votre fils Ezéchiel.

Caleb caressa du bout d'un doigt la joue du bébé. Ezéchiel se mit à vagir. Horrifié, le père retira vivement sa main.

— Je crois qu'il a faim, expliqua Elisabeth en riant.

Un bras autour de la taille de Angie, Jason l'entraîna vers la foule. Dès qu'elle eut repéré Meg et Tildy, elle courut vers elles.

Tildy se précipita à sa rencontre.

— C'est le printemps, Angie ! C'est le printemps ! s'écria-t-elle.

Angie prit la petite fille dans ses bras et lui déposa un gros baiser sur la joue, puis, se tournant vers Jason, ils échangèrent un sourire plein d'amour et de promesses.

— Bonjour, Angie.

La jeune femme pivota. Les bras croisés, Meg s'avançait vers elle avec raideur.

— Meg Parkes ! s'exclama Angie. Tu as poussé

comme une tige. Je ne serais pas étonnée que tu deviennes aussi grande que le docteur Jason.

Meg fit encore deux pas et, après un instant d'hésitation, glissa sa main dans celle de Angie. Celle-ci regarda Jason et des larmes de joie embuèrent ses yeux.

— Je croyais que les Indiens vous avaient tuée, dit Meg d'une toute petite voix.

— Oh, Meg, j'ai tellement d'histoires à te raconter. Le docteur Jason s'est battu contre un énorme géant abenaki pour me récupérer.

— Mince alors ! s'exclama Tildy. Vous vous êtes vraiment battu contre un géant, docteur Jason ?

— Ce n'était pas un géant, dit-il en ébouriffant sa petite tête blonde. Juste un homme.

— Ne faites pas le modeste, Jason Savitch, intervint Anne Bishop qui approchait. En tout cas, vous avez pris votre temps pour revenir, ajouta-t-elle en lui administrant une tape sur le bras.

— Anne ! s'exclama Angie.

— Angie McQuaid. Je parie que vous n'avez pas lu une ligne de tout l'hiver, dit Anne d'une voix aigre.

Puis son visage se contracta, elle étouffa un sanglot et se jeta dans les bras de Angie.

On les entoura. Tout le monde parlait en même temps. Jason essayait de répondre aux questions qu'on lui posait sur les Abenakis et l'éventualité d'un nouveau raid.

Au bout d'un moment, Angie se rendit compte qu'Anne Bishop lui parlait :

— … Il a passé tout l'hiver dans le camp forestier. Mais dès que vous avez été repérés, Giles a envoyé un homme le chercher.

— Anne, qu'est-ce que vous racontez?... commença Angie.

Mais quand elle vit Jason, le regard fixé sur un point derrière elle, la question mourut dans sa gorge. Il semblait soudain vidé de son sang, pétrifié.

— Qu'est-ce que je vous disais? fit Anne Bishop. Le voilà.

— Mais ce n'est... Non...

Angie se retourna.

Il se dirigeait vers elle en boitant. Il avait laissé repousser ses cheveux. Les plis de ses joues se creusèrent en un large sourire. Le plus large qu'elle lui eût jamais vu.

— Angie! s'écria-t-il.

— Nat?

27

— Angie!

Nat Parkes fondit sur elle avec un tel élan qu'elle recula d'un pas, serrant Tildy sur sa poitrine comme un bouclier.

— On dirait que vous voyez un fantôme, dit-il en riant.

— Les Indiens ont frappé papa à la tête! s'exclama Tildy.

— Mais, Nat, j'ai vu... commença Angie après ce qui parut une éternité. Vous étiez mort. Le Rêveur vous a scalpé...

Nat rit de nouveau et passa la main dans ses cheveux.

— Tout le monde l'a d'abord cru. Mais c'est le garçon de Topsham que vous avez vu. Il avait froid et je lui ai prêté mon manteau. Quand les Abenakis ont attaqué, j'ai couru. Un Indien m'a frappé sur le côté de la tête avec une massue, et je suis tombé en arrière dans un ravin. Le sauvage ne s'est pas donné la peine d'aller prendre mon scalp. Je suis resté là inconscient pendant six bonnes heures. Quand on m'a retrouvé, le docteur était déjà parti à votre recherche. Nous avons chargé Increase Spoon d'un message pour vous. Vous n'avez pas dû l'avoir...

Jason ne disait rien. Il était immobile. Angie avait peur de le regarder, mais ce fut plus fort qu'elle. Elle tourna lentement la tête.

Son visage exprimait la plus profonde horreur. Il lui lança un regard de défi. Que voulait-il d'elle ? S'attendait-il qu'elle avoue à Nat leur amour, maintenant, devant les filles et tout Merrymeeting ?

Elle lui adressa un regard suppliant et secoua faiblement la tête, puis sentit son cœur se serrer à la vue de son sourire amer, méprisant.

Il tourna les talons et se dirigea vers la forêt. Elle regarda sa silhouette s'éloigner dans l'ombre des arbres. « Jason ! Ne me laisse pas affronter cela seule, songea-t-elle. J'ai besoin de toi. Tu es mon mari... »

Elle porta la main à sa bouche, et se retourna pour croiser des yeux gris bordés de cils blonds. Une expression solennelle avait remplacé le sourire radieux.

— Angie ? dit Nat.

Nat. Son mari.

Angie remonta les couvertures sous le menton de Tildy.

— Il va faire froid, cette nuit, dit-elle en l'embrassant.

— Mais le bonhomme de neige a perdu son bras.

— Pauvre bonhomme de neige! Je suis désolée. Dois-je ordonner au soleil de rester caché demain?

— Non! C'est le printemps. Mme Bishop a dit que, quand le printemps viendrait, le bonhomme de neige fondrait et que ma nouvelle maman rentrerait à la maison. Vous êtes à la maison, maintenant, Angie?

— Oui, chérie, murmura la jeune femme, la gorge serrée.

— Vous ne partirez plus? Promis?

— Oh, Tildy, je ne suis pas sûre que je...

— Promettez, Angie. Promettez que vous ne repartirez pas. Quand vous n'étiez pas là, c'était pas bien. Papa est monté au camp et Meg pleurait beaucoup. Hein, Meg?

— Tais-toi, Tildy! gronda l'aînée.

— Ne vous disputez pas, les filles. Maintenant, dormez. Demain matin, je serai là. Je le promets.

Elle embrassa de nouveau Tildy, et la petite fille sortit sa poupée indienne de sous les couvertures.

— Dites aussi bonsoir à Hildegarde.

Angie embrassa docilement le visage de la poupée, puis borda les couvertures.

Depuis décembre et le départ de Nat pour le camp forestier, les filles Parkes vivaient avec Anne Bishop dans le manoir. Mais, ce soir, Nat avait insisté pour que sa famille passât la nuit dans l'appentis qui lui avait été alloué contre la palissade.

L'appentis en question ne disposait que d'une pièce, séparée en deux par un drap. A présent, Angie s'éternisait auprès des filles, pour retarder le moment d'affronter Nat de l'autre côté.

La situation était impossible. Nathanael Parkes était vivant et elle était mariée avec lui, pas avec Jason. Jason, l'homme à qui appartenait son cœur. Jason, l'homme qu'elle aimait plus que sa vie, plus que tout.

Elle se redressa en soupirant. Mais comme elle se retournait pour partir, Meg l'appela :

— Angie ? Vous pouvez... J'ai quelque chose à vous dire.

La jeune femme s'assit sur le bord de la paillasse de Meg. Comprenant que la fillette était en manque d'amour maternel, elle se pencha et l'embrassa sur la joue.

— Bonsoir, Meg.

A la surprise de Angie, l'enfant l'embrassa à son tour.

— J'ai prié, après que les Indiens vous ont prise.

— Merci, Meg. Je suis sûre que c'est ce qui m'a sauvée.

— J'ai promis à Dieu que, si vous reveniez, je ne serais jamais plus méchante avec vous.

— Voilà une promesse pour le moins téméraire, dit Angie en riant.

— Peut-être... gloussa Meg. J'ai aussi promis, ajouta-t-elle en tirant nerveusement sur les couvertures, que je vous appellerais « maman ».

— Meg... murmura Angie, pressant les mains de la fillette. Je t'ai dit, dès le premier jour, que je n'avais pas l'intention de prendre la place de ta maman. Ta maman t'aimait et tu l'aimais, tu dois garder cet amour vivant dans ton cœur. J'espère seulement qu'un jour tu m'aimeras un peu.

Angie attendit, mais Meg resta silencieuse. Au bout d'un moment, la jeune femme se leva.

— Bonsoir... maman, dit la fillette d'une petite voix craintive.

— Dors bien, Meg. Je t'aime.

En se retournant, Angie fut stupéfaite de voir Nat, qui retenait le rideau d'une main. Après un moment d'hésitation, pendant lequel ils se regardèrent, elle se dirigea vers lui. Il s'écarta et laissa retomber le rideau derrière eux.

— Vous leur avez manqué, dit-il.

Angie était incapable de répondre.

Le mobilier de cette partie de la pièce consistait en une table et deux tabourets. Nat avait apporté une théière et deux tasses de la cuisine commune. Elle servit le thé et s'assit sur l'un des tabourets en prenant la tasse entre ses mains. Elles étaient froides. Comme tout son être.

Inspirant à fond, elle leva la tête. La pièce était éclairée par une unique bougie protégée par un globe. Celle-ci projetait des ombres sur le visage de Nat, accentuant les plis sur son front et autour de sa bouche. Les épaules voûtées, les pouces dans sa ceinture, il fixait le parquet.

Lentement, il se redressa et croisa le regard de la jeune femme.

— Vous m'avez manqué aussi, Angie, dit-il, si bas qu'elle l'entendit à peine.

Elle parut tellement sidérée qu'il ajouta :

— Je sais, pendant que vous étiez ici, on n'aurait pas dit que je vous appréciais...

— Je faisais tout de travers, Nat.

— Non, ce n'est pas vrai. Vous faisiez beaucoup

de choses bien. Mais j'étais trop enfermé dans mon malheur pour le voir.

Il se planta de l'autre côté de la table étroite. En proie à des émotions contradictoires, elle sentait ses yeux sur elle.

— Qu'y a-t-il, Angie ? Vous êtes fâchée que je ne sois pas allé à votre recherche ?

Elle poussa un profond soupir.

— Non, bien sûr que non. Jason... le docteur Savitch avait plus de chances de nous retrouver. Et de nous ramener.

— C'est ce que j'ai pensé, fit Nat, soulagé. Il faut avouer que je ne peux pas marcher beaucoup sur mon pied de bois. Je n'aurais réussi qu'à me faire tuer, et Meg et Tildy... elles n'ont que moi. Non, ce n'est pas tout à fait vrai maintenant, n'est-ce pas ? Elles vous ont.

— Mais vous êtes leur père...

— Et vous leur mère.

Se laissant tomber sur le tabouret, il appuya les coudes sur la table et la fixa de ses yeux gris.

— Elles vous aiment, Angie. Nous l'avons vu ce soir. Et vous les aimez.

— Je les aime, Nat. Elles sont merveilleuses.

Avec un sourire timide, il posa une tasse devant lui, passa un doigt sur le bord, leva les yeux, puis s'absorba de nouveau dans la contemplation de la tasse.

— Mais vous ne m'aimez pas, hein ?

— Nat, je...

— Ça ne fait rien, dit-il, repoussant la tasse si violemment que le thé déborda. Vous n'avez pas d'explication à donner. Je ne vous ai pas donné de raisons de m'aimer.

— Vous êtes un homme merveilleux, Nat. Un père merveilleux, et...

— Un mauvais mari. En tout cas vis-à-vis de vous. L'hiver a été long et j'ai eu le temps de réfléchir, là-haut, au camp. Je sais que j'ai été injuste envers vous, attendant de vous que vous soyez comme Marie, alors que vous êtes... vous-même. J'ai souvent repensé au jour de notre mariage, aux vœux que nous avons faits de nous aimer pour le meilleur et pour le pire. Pourtant je me suis accroché à Marie, comme si...

— Nat, murmura-t-elle, au supplice. Il y a quelque chose. Le docteur Savitch et moi...

Un coup violent frappé à la porte la fit sursauter. Le tabouret racla bruyamment le sol ; Nat se leva et alla ouvrir la porte.

— Oh, bonsoir, docteur Jason.

Angie porta la main à sa gorge.

— Nat, dit-il d'une voix plate. Je voudrais parler à ma... à Angie.

— Bien sûr. Entrez.

— En privé, précisa Jason sans bouger. Je voudrais lui parler en privé.

La jeune femme se leva lentement.

— Je ne serai pas longue, dit-elle à l'adresse de Nat.

— Bon... fit-il, intrigué. Je vais prendre une autre tasse de thé en attendant.

Jason disparut dans la nuit sans se retourner.

Angie le suivit.

Elisabeth ouvrit sa courte robe et mit le bébé au sein. Ezéchiel s'y accrocha goulûment.

Assis face à sa femme, le révérend Hooker regardait la scène. Il était à la fois fasciné et un peu gêné. Le sein d'Elisabeth était petit, mais rond comme une pomme, et doré par la lumière de l'âtre. Jamais il ne l'avait aussi bien vu. Elle s'habillait et se déshabillait toujours en lui tournant le dos. Et quand ils faisaient l'amour — ce qui avait lieu rapidement, et dans le noir —, elle gardait sa chemise de nuit.

Caleb rougit au souvenir de la conversation qu'il avait eue avec Jason Savitch, quelques mois plus tôt. Le docteur lui avait parlé d'hommes tétant les seins de leurs femmes. Il en avait été consterné.

Quand il vit qu'Elisabeth le regardait avec tendresse, il rougit de plus belle.

— Tu ne m'as pas dit ce que tu pensais de ton fils, murmura-t-elle.

— Il est superbe, répondit Caleb, émerveillé. Cela me semble tellement bizarre qu'il soit à moi. Je n'arrive pas à le croire. Mon fils. Pour dire la vérité, j'ai un peu peur.

— Moi aussi, j'avais peur au début...

Caleb avait du mal à reconnaître, dans cette femme sereine, celle qu'il avait épousée à Boston.

— Lizzie ? fit-il, baissant les yeux. Est-ce qu'ils... t'ont bien traitée ?

— Au début, c'était...

Elle frissonna, dérangeant Ezéchiel qui émit un grognement indigné, et lui donna l'autre sein.

— Je ne me rappelle pas bien cette période, acheva-t-elle. Sauf la nuit, parfois, j'ai des cauchemars.

— Elisabeth... reprit Caleb, la gorge serrée. Pourras-tu jamais me pardonner ?

— Caleb, tu n'y es pour rien, dit-elle en se penchant pour lui caresser les mains.

— C'est moi qui t'ai amenée ici. Cela ne serait jamais arrivé à Boston... Demain, je dirai au colonel Bishop de chercher quelqu'un d'autre. Ma chérie, je te ramène à la maison.

— Je suis à la maison. Ton ministère est ici, Caleb.

— Mais la menace indienne existe toujours !

— Je n'ai plus peur. Peut-être parce que ce dont j'avais peur est arrivé. Et j'ai survécu.

— Quand je t'imagine aux mains de ces sauvages...

Ezéchiel lâcha le sein, et Elisabeth alla le coucher dans le berceau qu'Obadiah Kemble leur avait fabriqué durant l'hiver ; la tête et les pieds étaient sculptés de fleurs.

— Les Abenakis ne sont pas des sauvages, répliqua Elisabeth. Oh, ils peuvent être cruels avec leurs ennemis. Mais nous aussi. C'est nous qui avons inventé le scalp. Nous, et nos guerres stupides pour un pays qui ne nous appartient pas. N'importe qui à Merrymeeting te dira que les Abenakis doivent être anéantis pour que nous puissions exploiter en paix le Sagadahoc. Pourtant, bien avant notre arrivée, ils pêchaient et chassaient sur cette terre que nous considérons comme nôtre. Et dans une harmonie que nous ne connaîtrons jamais.

Caleb était estomaqué.

— Après ce qu'ils t'ont fait, tu les défends ? Ce sont des païens, Elisabeth. Ils ne croient pas en Dieu le Père !

— Le Grand Esprit est leur père et la Terre est leur mère...

Se plaçant derrière lui, elle posa une main sur

l'épaule de son mari et plongea le regard dans les flammes.

— Une Abenaki me l'a dit. Elle s'appelle Fleur d'Argent. C'est la personne la plus gentille et la plus généreuse que j'aie jamais rencontrée. Elle est devenue mon amie, bien qu'ils m'aient tous prise pour l'*awakon* du docteur Jason, acheva-t-elle en riant.

— La quoi ? fit Caleb, horrifié d'entendre un mot indien dans la bouche de sa femme.

— Son esclave. Ils me prenaient pour l'esclave de Jason.

— Une esclave !

— Il m'a achetée à mon ravisseur contre cinq peaux de castor. Fleur d'Argent m'expliquait sans arrêt la conduite à suivre pour inciter Jason à me prendre comme seconde femme.

— *Seconde* femme ? Elisabeth, veux-tu dire...

— Il faut que tu comprennes, Caleb. Nous croyions que Nat avait été tué. Ce scalp de cheveux blonds pendait au poteau à côté de l'estrade de torture. On le voyait tous les jours.

— Tu veux dire que Jason et Angie vivaient comme mari et femme dans ce village indien ?

— Jason a sauvé ma vie et celle de notre bébé.

— Ça n'atténue pas le péché.

— Péché ? Pour qu'il y ait péché, il faut qu'il y ait intention. Ils croyaient M. Parkes mort. Et ils ont été mariés au cours d'une cérémonie abenaki. Oh, Caleb, ils s'aiment tellement !

Elle détourna la tête.

— A les regarder, poursuivit-elle, on voit... la passion qui les anime. Parfois... je me demande l'effet que cela ferait de vivre une telle passion.

Caleb déglutit. Depuis qu'il avait appris que sa

femme était enceinte, il n'avait pas osé la toucher, mais avait souvent réfléchi à tout ce que lui avait dit Jason Savitch. Il avait alors cru qu'Elisabeth serait horrifiée et dégoûtée par les actes que Jason lui avait décrits. Mais, à présent, il se demandait…

Et s'il l'entraînait dans la chambre et la déshabillait lentement, comme Jason l'avait suggéré ? S'il l'embrassait et la touchait dans ces endroits… tous ces endroits… ?

Mais ce fut Elisabeth qui fixa sur lui des yeux embués et lui sourit. Et ce fut Elisabeth qui demanda :

— Tu veux faire l'amour avec moi, Caleb ?

Angie gravit les derniers barreaux de l'échelle et se hissa sur le chemin de ronde. Jason était appuyé contre les piquets de la palissade, dans une pose nonchalante qui cachait mal sa colère.

Tous les deux mètres, brûlaient des torches fichées dans des supports. Elles éclairaient le visage de Jason, faisant ressortir sa barbe d'un jour et sa mâchoire crispée.

La jeune femme avait envie de se jeter contre sa poitrine. Elle avait besoin du réconfort de ses bras, mais elle était déçue et blessée par sa réaction.

— Nous ne devrions pas nous rencontrer comme ça, dit-elle, à son tour irritée. Nat pourrait soupçonner…

— Soupçonner ! s'exclama-t-il en se redressant. Il ne le sait pas encore ? Quand vas-tu lui dire ?

— Je le lui dirai en temps voulu.

— En fait, tu songes à rester avec lui.

— Oh, Jason... murmura-t-elle, lui tournant le dos. Je suis mariée.

Il la saisit par les épaules, l'obligeant à se retourner.

— C'est à moi que tu es mariée !

— Notre mariage n'était pas un vrai mariage.

— Sacrebleu, Angie ! s'écria-t-il en la secouant. Pour moi, il était vrai !

La torche à côté d'eux se mit à siffler et à flamboyer, faisant briller les yeux de Jason ; elle comprit que sa colère n'était qu'une façade, qu'il souffrait autant qu'elle. Elle lui toucha la joue, mais il écarta vivement la tête.

Au-dessous d'eux, la porte du retranchement s'ouvrit dans un grincement et un éclaireur entra, les sabots de son cheval résonnant sur le sol dur. La porte se referma. La lune brillait à travers les pieux de la palissade.

Jason relâcha son emprise et lui caressa les bras.

— Angie, dit-il d'une voix douce, implorante, il faut que tu parles à Nat. Explique-lui ce qui est arrivé, qu'il doit te laisser partir.

Elle s'écarta en secouant la tête.

— Dis-lui, Angie, insista-t-il. Ce soir. Sinon, je le ferai.

— Je te l'interdis ! Je ne veux pas blesser Nat sans raison.

— Le blesser ! Sans raison ! C'est le comble ! Et moi là-dedans ? Crois-tu que je vais laisser un autre homme coucher avec ma femme ?

— Il ne fera pas... ça.

— Il le fera. Il est sans femme depuis cinq mois. Tu ne peux pas laisser croire à Nat que tu es sa femme, dit-il en l'attirant de nouveau à lui.

— Jason, essaie de comprendre. Nous avons prononcé nos vœux devant Dieu, Nat et moi. Il m'a sortie du ruisseau, d'un débit de boissons puant.

— C'est moi qui t'ai sauvée de cela.

— Ah bon ? fit-elle, les yeux soudain pleins de fureur. Si je me souviens bien, Jason Savitch, vous m'avez pris ma vertu un après-midi dans les bois de Falmouth, et puis vous m'avez donnée le lendemain à Nat, en lui disant que, si je ne lui convenais pas, il pourrait toujours me renvoyer à Boston !

Il se mordit la lèvre.

— Vas-tu me punir pour t'avoir séduite et t'avoir ensuite rejetée ? Je le mérite peut-être, mais vraiment, Angie...

— Non, non, non... fit-elle, la poitrine soulevée de sanglots étouffés. Nat ne mérite pas d'être abandonné, c'est tout ce que je veux dire. Bien que, pour toi, je serais capable de le faire. Mais les enfants, Jason... Elles sont terrifiées à l'idée d'être de nouveau abandonnées. J'ai tout fait pour qu'elles m'aiment, et je crois y être parvenue. Imagine leur peine si je disparaissais de leurs vies.

— Et moi, alors ? dit-il en lui caressant le dos. Et les promesses que tu m'as faites ? Tu es ma femme.

— Mais j'ai d'abord épousé Nat et...

— Je t'aime. Tu m'aimes. Nous nous aimons. Quelle est, dis-moi, la place de Nat et de ses filles dans cette petite équation ?

Il avait raison. Elle ferma les yeux.

— Oh, Jason... qu'allons-nous faire ?

— Enfuis-toi avec moi, murmura-t-il. Tout de suite. Ce soir.

Elle rouvrit les yeux pour lui dire que c'était

impossible, mais la vue de son visage strié de larmes lui brisa le cœur.

— Ne leur donne pas la préférence, Angie, sanglota-t-il. Je t'en supplie. Pars avec moi... Sois ma femme.

Elle faillit lui répondre oui. Face à un tel amour, qu'importait son honneur ?

Mais alors, elle entendit la voix apeurée de Tildy lui demandant de promettre de ne jamais plus la quitter. Elle revit Meg l'embrassant sur la joue, l'appelant maman.

Elle ne pouvait pas.

— Jason, j'ai besoin de plus de temps pour réfléchir...

Avant qu'elle ne comprît ce qu'il faisait, il était à l'échelle.

— Jason ! s'écria-t-elle, le rattrapant par la manche. Non... Où vas-tu ?

— Je te laisse réfléchir, dit-il sans se retourner. Décider si tu m'aimes ou pas.

— Tu sais bien que je t'aime !

— Vraiment ?

Il pivota et la transperça d'un regard douloureux.

— Vraiment ? répéta-t-il, s'arrachant à son emprise.

Et il la planta là.

28

— Holà...

Nat Parkes fit stopper l'attelage de bœufs. Sans détacher les yeux des restes noircis de la maison, Angie descendit du traîneau.

— J'ai tout fouillé, l'automne dernier, dit Nat. Je n'ai pu sauver que quelques marmites.

— Hildegarde a été sauvée! s'exclama Tildy en sautant du traîneau, la poupée serrée contre sa poitrine.

— Parce que tu l'as emportée à l'école le jour du raid, dit Meg. J'aurais dû penser à prendre ma toupie.

— Ton papa t'en fera une nouvelle, dit Angie. N'est-ce pas, Nat?

Celui-ci grommela. Son visage tiré exprimait le désespoir le plus profond. Angie songea aux affaires de Marie disparues à jamais — la pendule, le rouet —, tout ce qui restait de leurs dix années de vie commune.

— Je suis désolée, Nat, dit-elle en posant la main sur son bras.

— Maintenant que le printemps est là, on va reconstruire. Le colonel Bishop réunira les voisins la semaine prochaine, pour nous aider. En attendant, ajouta-t-il, déchargeant un lourd chaudron en fer, il y a du travail. Les filles, je vais vous mettre à faire le sucre. Meg, apporte les seaux de sève et les dégorgeoirs. Moi, je vais travailler aux champs. La terre est pleine de pierres.

Les gelées d'hiver faisaient toujours remonter

des pierres à la surface et, avant de songer à semer quoi que ce soit, il fallait enlever les plus grosses.

L'époque de l'épierrage coïncidait avec celle de la fabrication du sucre. Lorsqu'il gelait encore la nuit mais qu'il faisait assez chaud le jour pour que la neige fonde, on incisait les grands érables.

— Je vais vous faire un feu dans la clairière, dit Nat. Quand les seaux seront pleins, vous pourrez les tirer sur la luge et les vider dans le chaudron. Je serai là-bas, si vous avez besoin de moi.

Nat et Angie restèrent à se regarder en hochant la tête, puis elle tourna les talons.

Depuis la rencontre de la veille avec Jason, elle était mal à l'aise en sa présence. En rentrant, ce soir-là, elle avait prétexté sa fatigue pour se retirer sur une petite paillasse dans un coin de l'appentis, mais elle savait que ses yeux rougis et son visage gonflé de larmes n'avaient pas échappé à son mari. Il s'était toutefois gardé de poser des questions. Quelque chose en elle était mort. Qu'elle décide de rester avec Nat et ses filles, comme l'exigeait sa conscience, ou de disparaître avec Jason comme son cœur le souhaitait, le malheur serait son lot.

Elle ne pouvait imaginer vivre sans Jason. Elle avait cru un moment qu'il lui suffirait de se réveiller chaque matin avec l'espoir d'apercevoir son visage. Mais c'était avant ces mois merveilleux dans le village indien. Un rêve était devenu réalité : Jason l'aimait et avait fait d'elle sa femme. Comment renoncer à ce rêve ?

— Ça coule, Angie ! s'écria soudain Tildy, qui guettait la première goutte de sève. On peut avoir un bonbon d'érable.

— Patience, mon chou. Le bonbon, ce n'est pas pour tout de suite.

Elle croisa le regard de Meg et elles échangèrent un sourire.

La fillette avait les joues rouges et ses yeux bruns brillaient comme deux châtaignes. Jamais Angie ne l'avait vue si heureuse, si sereine.

Elle n'avait pas le droit de faire souffrir ces enfants.

Elle regarda en amont, vers la clairière de Jason. Il devait fouiller les ruines de sa cabane. Tout n'était que ruines. Leurs maisons, leurs vies. Leur amour.

«Oh, Jason, mon amour, ma vie… criait son cœur. Qu'allons-nous faire?»

Angie se trompait.

Jason était à quinze kilomètres des ruines calcinées de sa cabane. Il avançait à travers la forêt, emportant ce qui lui restait au monde — son fusil, son sac de balles et sa poire à poudre, un tomahawk et un couteau de chasse. Dans une petite musette jetée sur son épaule, il avait de la nourriture et des vêtements de rechange.

Et dans son cœur, il emportait des souvenirs.

Voyant Angie déchirée entre son amour pour lui et son affection pour les enfants de Nat, il avait compris qu'il pouvait lui faire un cadeau digne de l'amour qu'elle lui inspirait: lui épargner un choix impossible en le faisant pour elle.

Il la quittait.

Il se dirigeait vers le nord-est en suivant la rivière. Il suivrait celle-ci un moment encore, puis piquerait vers l'ouest. Assacumbuit lui avait dit un jour que le pays que les Yengis appelaient Amérique s'étendait vers l'ouest jusqu'au bout du monde, jusqu'à un autre océan où le soleil se couchait. Il pensait marcher jusqu'à ce rivage. Il y serait seul avec ses pensées, ses rêves... et ses souvenirs.

Bien qu'il ne fût pas du tout fatigué, il s'arrêta. Il s'assit sur un rocher, son fusil sur les genoux. Le soleil caressait son visage. Une forte brise ridait la surface de l'eau et jouait dans les branchages. Elle apportait une odeur de graisse et de peaux grossièrement traitées. Quelqu'un venait.

Deux personnes faisant peu de bruit. Mais des guerriers abenakis n'auraient pas fait de bruit du tout. Ce devait être des trappeurs. Restait à savoir s'ils étaient anglais et donc amis, ou français et sûrement moins amicaux.

Avec lenteur, Jason amorça et chargea son fusil. Il le posa sur ses genoux, le doigt sur la détente, et attendit.

Ils surgirent cinq minutes plus tard, d'un coude de la rivière — Increase Spoon et sa squaw. Elle était pratiquement pliée en deux sous une montagne de peaux. Increase ne portait rien, sauf son fusil. A la vue de Jason, il sourit de sa bouche édentée.

— Vous chassez loin de chez vous, doc ? s'écria-t-il.

Jason attendit que le vieux trappeur fût à sa hauteur.

— On dirait que l'hiver a été bon, Increase, dit-il en montrant la pile de fourrures de castor.

— On va au comptoir de Mme Suzanne à Falmouth. Vous savez qu'elle s'est fait mettre le grappin dessus ?

— Non. Qui épouse-t-elle ?

— Un type de Wells. Un tonnelier. Je devais vous remettre un message, ajouta-t-il, l'air perplexe. Qu'est-ce que c'était donc ? Ah oui, je me rappelle maintenant. Nat Parkes n'a pas été tué et scalpé. C'était un autre.

— J'ai eu le message. Merci quand même, Increase.

Le trappeur remarqua que Jason regardait sa squaw.

— Nesoowa va très bien depuis que vous l'avez examinée à Falmouth Neck, doc.

Il adressa un sourire affectueux à la jeune Indienne qui rééquilibra son lourd fardeau en regardant timidement Jason.

— Tu ne pourrais pas aider ta femme à porter les fourrures ? demanda celui-ci.

— Pour quoi faire ?

Jason poussa un soupir sans répondre.

— Vous n'auriez pas un peu de maïs ? reprit Increase.

— Non, désolé.

Jason retira la pipe du ruban de son chapeau de renard, prit sa blague à tabac en peau d'écureuil dans le sac à ses pieds, et en emplit le fourneau de feuilles aromatiques.

— Je t'offre une pipe.

— *Kinnikinnik ?*

— Non. Du simple tabac.

Increase parut déçu, mais il prit la pipe. Le trappeur avait du feu — à la mode indienne —, sous forme de brandon, enfermé dans deux coquilles de clam enveloppées dans un sac de daim, le tout pendu à une courroie. Il prit de l'amadou pour allumer la pipe.

— Avec tous ces messages que je porte dans

362

tous les sens, j'ai l'impression d'être un courrier, dit-il, le tuyau entre les dents. Vous et le colonel Bishop, et maintenant un type de Penobscot.

— De quel message es-tu chargé ? demanda Jason pour dire quelque chose.

— Boston a envoyé une canonnière à Penobscot Bay, il y a deux semaines. Elle a rasé la mission de Castine avec son canon et tué le vieux prêtre, Sébastien Râle. Maintenant, les Abenakis scalpent à tout-va. A la suite d'une grande assemblée de toutes les tribus, ils ont déterré la hache de guerre et se sont fabriqué des échelles, si bien que même les forts ne seront plus sûrs.

— Tu sais où ils comptent frapper en premier ?

— Vous savez bien que les Abenakis sont imprévisibles. Mais si je devais parier, je dirais Merrymeeting, parce qu'un Indien fou a parlé à l'assemblée d'une vision qu'il a eue et... Eh là !

Increase Spoon fixa, stupéfait, le rocher vide où, une seconde plus tôt, le docteur Jason Savitch était paresseusement assis. Le trappeur jeta un coup d'œil autour de lui — rien. Puis il regarda la pipe pour s'assurer qu'il n'avait pas rêvé.

— Quelle mouche l'a piqué ? grommela-t-il.

Il haussa les épaules et reprit sa route. Sa squaw, Nesoowa, marchant silencieusement derrière lui.

Il peignit la moitié de son visage en blanc, l'autre en noir, de manière à ressembler à une victime brûlant sur le bûcher. Dans ses visions, il se voyait mourant par le feu et attendait sa mort le cœur en fête. Il s'immolerait pour que son peuple survive.

Les esprits ne cessaient de le visiter. Il n'avait plus besoin d'alcool yengi pour les faire apparaître. Le même rêve revenait sans cesse.

Les fleuves de Yengis qui recouvraient la Terre étaient conduits par Lusifee. Mais, dans le rêve, Lusifee était tuée par Malsum, le loup, et la marée yengi refluait dans l'océan. Dans le rêve, le loup tuait le chat sauvage et le Peuple de l'Aube reprenait possession de ses terrains de chasse.

Le Rêveur ferma les yeux. Il vit le visage de Lusifee — ses cheveux noirs en bataille, son menton pointu, ses yeux de chat.

Il prit l'ocre rouge et dessina sur son torse l'image du loup grondant, totem de sa tribu, puis, rejetant la tête en arrière, il émit le hurlement du loup.

— Je suis le Rêveur ! entonna-t-il. Je suis le Rêveur, chef du peuple des loups. C'est nous qui tuerons la puissante Lusifee. C'est nous qui repousserons la marée yengi !

Les esprits avaient parlé. Ce serait le Rêveur, et lui seul, qui ramènerait Lusifee aux Norridgewocks où elle serait brûlée, comme elle aurait dû l'être avant que Bedagi n'intervînt. Elle serait détruite et les Yengis quitteraient à jamais le pays.

Pourquoi Lusifee, l'esprit totem des Yengis, avait-il choisi d'habiter le corps d'une femme ? Le Rêveur ne le comprendrait jamais. Mais la race yengi était insensée ; son père lui avait parlé de tribus yengis dirigées par des sachems femmes. Il avait vu de ses propres yeux qu'elle n'était pas une femme ordinaire, car elle avait le courage et la férocité d'un guerrier.

Le Rêveur se préparait donc au combat et à la mort. Il s'enduisit le corps de graisse d'ours, se peignit la poitrine et le visage, et chanta son chant de rêve. Il se préparait à retourner à l'endroit où il avait capturé Lusifee.

Les visions avaient promis qu'elle serait là, et les visions ne se trompaient jamais.

L'air sentait la sève en ébullition. De temps en temps, Nat aidait Angie et les filles à tirer jusqu'à la marmite la luge chargée de seaux pleins. Il entretenait aussi le feu. Il faisait cela pour Angie, pour lui faciliter la tâche ; il avait tant à se faire pardonner...

Il la chercha des yeux et la vit au milieu des érables, qui enfonçait des dégorgeoirs. Les filles s'occupaient du feu. Nat en profita pour s'échapper ; il s'engagea sur le sentier qui gravissait la colline derrière les restes de la grange.

Bien que dégradée par les intempéries, la tombe était toujours là. L'année précédente, à cette époque, Marie était morte depuis trois semaines. Les lettres sur la pierre étaient noires maintenant, et le granit grêlé de minuscules fissures. Autour, le sol s'était légèrement affaissé et des mauvaises herbes perçaient la neige.

Retirant son chapeau, il s'agenouilla et suivit du doigt les lettres de son nom.

« Marie... songea-t-il. Tu sais ce que je pensais pendant que j'attendais le retour de Angie. Car je te sentais là, à mes côtés. Ce n'est pas que je t'aime moins... »

Il ferma un moment les yeux, puis s'assit sur ses talons et posa son chapeau entre ses genoux.

« Marie, la maison sera reconstruite la semaine prochaine, et Obadiah Kemble nous fait un nouveau lit. Et j'ai l'intention... j'ai l'intention de partager ce lit avec Angie. Si cela te peine, j'en suis navré, car tu sais qu'en dix ans je ne t'ai jamais volontairement blessée. Et je n'ai jamais songé à coucher avec une autre femme. Mais j'ai bien réfléchi, et j'ai décidé que, là où tu es maintenant, tu te moques des plaisirs de la chair. Cela ne changera pas mes sentiments envers toi. Et j'espère... j'espère que cela ne changera pas tes sentiments envers moi. »

La Marie qu'il connaissait et aimait éprouvait-elle encore le moindre sentiment ? Cette pensée était trop terrible, et il la chassa.

Un cri perçant déchira l'air. Nat leva la tête, terrifié.

— Angie !

C'était la voix de Meg. Il pivota et dégringola la colline en trébuchant.

Angie se débattait dans les bras d'un Abenaki, un géant peinturluré. Comme il essayait de la traîner dans la forêt, ses pieds laissaient des sillons dans la neige détrempée. C'étaient les filles qui criaient. Angie luttait contre son ravisseur dans un silence terrible, griffant le bras qui lui enserrait le cou.

Comme un imbécile, Nat avait laissé son fusil dans le traîneau. Impossible de tirer sur le sauvage avant qu'il ne disparaisse dans les bois. Il regarda si d'autres Indiens ne surgissaient pas de la forêt, puis se mit à courir après l'homme nu qui emportait Angie.

Lusifee se battait avec l'esprit du chat sauvage qui habitait son âme. Ses bras semblaient lestés de pierres. Ses jambes tremblaient, son souffle était court.

Le Rêveur vit l'homme aux cheveux jaunes qui courait gauchement à travers champs et mit la main sur son couteau. Lusifee faillit lui échapper, mais il la retint par les cheveux.

L'homme aux cheveux jaunes arrivait. Il ne faisait pas partie de la vision; c'était un moucheron qu'il fallait écraser. Lançant la main en arrière, le Rêveur visa la poitrine de l'homme.

Celui-ci reçut le poignard en plein ventre et s'effondra sur un tas de neige.

— Nat! cria Lusifee, s'arrachant à l'emprise du Rêveur et se précipitant vers l'homme blessé. Nat!

Ce ne fut pas un bruit qui fit lever la tête au Rêveur, mais une prémonition. Il vit un esprit surgir des arbres à sa droite. Il vit le long bras de l'esprit viser sa poitrine. Il vit un éclair...

Il n'entendit pas le coup qui le tua. Mais s'il l'avait entendu, il l'aurait confondu avec le bruit du tonnerre.

Avant d'arracher Angie à Nat, Jason réamorça son fusil et s'assura que le Rêveur était mort.

— Emmène les filles au fortin, dit-il en la poussant vers Meg et Tildy qui sanglotaient, blotties l'une contre l'autre. Dis au colonel Bishop qu'un raid abenaki se dirige vers Merrymeeting.

La jeune femme regarda ses mains couvertes de sang.

— Jason... Nat est...

— Angie! Il faut prévenir Merrymeeting et mettre ces filles à l'abri. Tu comprends? insista-t-il en la secouant.

Elle acquiesça.

— Bon! fit-il, l'embrassant furtivement sur la bouche. Maintenant cours, Angie.

Elle courut jusqu'aux filles, prit Tildy dans ses bras et Meg par la main. Après qu'elles eurent disparu, il s'agenouilla à côté de Nat.

— Docteur? J'ai mal.

— Vous avez un couteau dans le ventre, Nat. Je vais devoir l'arracher, répliqua Jason, regrettant de ne pas avoir de racine de mandragore pour calmer la douleur.

— Angie…?

— Elle va bien. Vos filles aussi… Courage, Nat. Ça va faire mal.

Le couteau profondément enfoncé fut difficile à extraire. Les hurlements de Nat ayant cessé, Jason craignit de l'avoir tué, mais il respirait toujours. Guettant d'une oreille la cloche du fort, dont le tintement signalerait l'arrivée de Angie et des filles, saines et sauves, il étancha le sang avec sa chemise.

Avisant l'attelage de bœufs dans le champ voisin, il l'amena près du blessé qu'il déposa le plus délicatement possible sur le traîneau. Ses cris redoublèrent, puis cessèrent.

— Marie, dit-il dans un soupir.

— Tenez bon, Nat. Vous allez vous en sortir.

— Dites à Angie… pardon. J'allais réparer… je n'ai pas eu le temps…

— Vous le lui direz vous-même, répondit Jason, lui étreignant l'épaule. Quand nous arriverons à Merrymeeting.

Nat ferma les yeux. La douleur était insupportable, et il espérait mourir bientôt.

« Marie… »

Il se sentait si proche d'elle, soudain. Pour la première fois depuis sa mort, il croyait entendre sa voix. Il la voyait clairement, comme si elle se penchait sur lui. Il sentait ses lèvres sur son front. « Je viens, lui dit-il. Je viens… »

Ils seraient de nouveau ensemble. Et cette fois pour toujours.

Des cloches. Il entendait des cloches dans le lointain. Etrange, songea-t-il. Le ciel bleu au-dessus de sa tête se mit à resplendir d'une lumière blanche et le tintement s'amplifia. La lumière blanche était froide, très froide. Mais il s'en moquait, car le froid endormait la douleur.

— Marie…

Jason entendit Nat murmurer et le regarda, s'apprêtant à lui dire des paroles de réconfort. Paroles qui moururent quand il vit ses yeux ouverts et sans vie.

La cloche du fort portait loin. Les fermiers voisins affluaient sur la route à pied, à cheval ou en voitures. Ils emportaient avec eux de quoi soutenir un siège.

Les bœufs n'étaient pas rapides, mais la route était boueuse et défoncée et le traîneau glissait facilement. Le pré communal de Merrymeeting fut bientôt en vue, puis l'entrepôt des mâts, le manoir des Bishop, le temple et le presbytère, enfin le retranchement.

Les portes étaient ouvertes pour accueillir le flot de réfugiés. Des hommes rôdaient sur le chemin de ronde, fusils pointés sur la forêt environnante. A l'intérieur, le retranchement ressemblait à une fourmilière : des gens couraient dans tous les sens sans but apparent.

Au moment où Jason entrait dans le retranchement, la porte du fortin s'ouvrit devant Angie. Elle s'arrêta sur le seuil, contempla le corps sans vie de Nat, puis leva les yeux vers Jason.

Il alla à sa rencontre. Il brûlait de la prendre dans ses bras, mais craignit sa réaction.

— Il est mort en route. J'ai fait ce que j'ai pu…

— Merci, Jason, dit-elle, lui caressant la joue.

S'approchant de Nat, elle s'assit sur le traîneau, lui prit la main, la porta à ses lèvres et pleura.

Jason tourna le dos, non par jalousie, mais par délicatesse.

Le soleil sombra à l'horizon, et le froid devint mordant. Les coins des vitres étaient givrés. La lune se leva, ronde et blanche comme une boule de neige, baignant la forêt d'une lumière argentée.

Un éclaireur était rentré juste avant le coucher du soleil. Il avait vu le détachement abenaki — plus de deux cents guerriers. Ils s'arrêtaient en chemin pour attaquer les fermes isolées et les cabanes de trappeurs, mais se dirigeaient vers Merrymeeting.

Jason Savitch, le colonel Bishop et Sam Randolf entouraient le canon, dont le long fût noir était braqué vers l'est.

— Vous êtes sûr qu'il fonctionnera, Sam ? soupira le colonel, le visage rougi par la torche.

— Non, grommela Sam en donnant un coup de pied dans une roue. Mais je l'espère.

Le colonel scruta la nuit, au-delà des murs du retranchement.

— Nous n'avons que deux coups à tirer. Nous ne pourrons peut-être pas en tuer assez.

— Inutile d'en tuer beaucoup, intervint Jason. La menace du canon devrait suffire. Pour eux, il n'est pas glorieux de mourir sur le champ de bataille. Leur seul but est de tuer le plus d'ennemis possible, sans mourir eux-mêmes, de façon à recommencer. Fuir, pour eux, n'est pas indigne, et s'ils trouvent trop élevé le prix à payer pour nous tuer, ils s'évanouiront dans la forêt.

— Dieu vous entende, docteur, murmura le colonel en lui donnant une tape sur l'épaule. Quand pensez-vous qu'ils frapperont?

— Cette nuit. Probablement juste avant l'aube.

Jason s'éloigna du canon. Il portait son fusil, amorcé et prêt à tirer. Il s'en servirait le moment venu, car il ne voulait pas mourir et ne voulait pas que Angie meure. Mais il savait aussi que, chaque fois qu'il ferait feu et verrait tomber un Abenaki, il serait paniqué à l'idée de tuer Assacumbuit, son père.

Il s'appuya contre le mur de bois et regarda le ciel étincelant d'étoiles.

— Jason...?

Il se redressa et se retourna lentement. Elle avait les traits tirés et la bouche tremblante. Lorsqu'il ouvrit les bras, elle s'y blottit.

— Comment les filles réagissent-elles? demanda-t-il.

— Je ne crois pas que Tildy comprenne vraiment. Mais Meg... Pourquoi a-t-il fallu qu'il meure?

— Nous ne souhaitions pas sa mort.

La mort de Nat leur rendait leur amour. Leur amour? Non. Rien n'avait pu et n'aurait pu l'atteindre. La mort de Nat leur rendait leur avenir et leur joie.

Il la serra contre lui. Au bout d'un long moment, elle leva la tête et lui caressa la lèvre du bout du doigt.

— Je t'aime, Jason Savitch.

Ils sortirent des bois dans la lumière incertaine de l'aube, déchirant l'air glacé de leurs terribles cris de guerre.

Sam Randolf approcha sa torche du canon. Le colonel Bishop se tenait à côté de lui, un bras levé.

— Attendez, attendez, dit-il. Laissez-les approcher. Qu'il y ait le nombre, Sam... Maintenant ! fit-il en abaissant la main.

Le canon rugit, projetant une gerbe de balles, clous et autres morceaux de fer dans la masse des Indiens. Le coup gronda comme le tonnerre et rebondit sur l'eau. Une fumée noire et puante emplit l'air. Des hurlements succédèrent aux cris de guerre.

Toussant et jurant, Sam Randolf entreprit de recharger la pièce.

Le colonel Bishop l'arrêta.

— Inutile. Le docteur avait raison. Ils s'enfuient !

— Nous les avons écrasés avec un seul coup ! triompha Sam. Youpi !

ÉPILOGUE

Jason Savitch planta une carotte au milieu du visage du bonhomme de neige, puis recula pour juger de l'effet. Malheureusement, la carotte était flétrie et recourbée, ce qui lui donnait un air sinistre.

— Il a l'air bête, avec ce nez, gloussa Tildy en tirant sur la frange de sa veste.

— Tu as raison, répondit Jason en regardant sa fille adoptive avec un sourire joyeux — sourire qu'il arborait depuis onze mois. Nous allons rentrer et chercher une solution autour d'un verre de chocolat chaud.

Tildy se rua vers la maison avec des cris d'excitation, effrayant un lapin qui s'était aventuré dans la clairière. Bien qu'une tempête de neige tardive ait couvert le pays de congères, la petite fille avançait sans difficulté sur le chemin.

Jason était fier de la maison à étage, construite le printemps précédent, tout de suite après leur mariage. Il avait dit à Angie qu'il la voulait assez grande pour tous leurs enfants — Meg, Tildy... et la douzaine de bébés qu'il comptait lui donner!

Il venait d'emboîter le pas à Tildy, lorsque la porte s'ouvrit. Meg sortit en trombe, s'agrippant à son tablier taché de farine.

— Jason! Ça y est! Le bébé arrive!

L'espace d'un instant, il se figea, incapable de bouger ni de respirer. Il ne savait plus combien de bébés il avait mis au monde, mais soudain il fut pris de panique tel un débutant.

— Jason ! cria de nouveau Meg.

Dans sa hâte, il faillit glisser sur la neige tassée. Il envoya Meg et Tildy jouer en haut, puis ouvrit la porte de la salle. Il trébucha sur un balai et manqua tomber dans une bassine où trempaient des marmites en cuivre, témoins de la fièvre ménagère qui avait gagné Angie depuis deux jours.

Pour le moment, elle était tranquillement assise sur un tabouret devant le feu. Levant les yeux, elle rit devant l'expression de son mari.

— Ne fais pas cette tête. J'ai déjà assez peur moi-même.

S'agenouillant à côté d'elle, il posa la main sur son énorme ventre.

— Quand as-tu ressenti les premières douleurs ? Juste maintenant ?

— Oh non, dit-elle en lui caressant la tête. Après le petit déjeuner, je crois.

— Mais ça fait des heures ! Pourquoi n'as-tu rien dit ?

— Je croyais que c'était seulement une indigestion, due à ce porridge grumeleux que tu nous as préparé.

Un spasme de douleur lui tordit soudain le visage.

— Laisse-toi aller, dit-il, lui dégageant le front.

Il l'accompagna dans la chambre qu'il avait préparée au rez-de-chaussée, la déshabilla et l'installa sur le siège d'accouchement.

Les contractions n'étaient plus séparées que de quelques minutes. Jason haïssait la souffrance que

374

devaient endurer les femmes pour mettre leurs enfants au monde.

— Pourquoi ne cries-tu pas ? dit-il en prenant son poing serré pour déposer un baiser sur ses jointures blanches.

Stoïque jusqu'au bout, Angie secoua la tête et se mordit la lèvre pour affronter une nouvelle contraction.

— Je t'aime, dit-il. Oh, Angie, je t'aime...

Deux longues heures plus tard, leur enfant voyait le jour. Brandissant son bébé hurlant, il le regarda avec émerveillement, les larmes aux yeux. Pour la première fois de sa vie, Jason comprenait le sens du mot « bonheur ».

Il croisa le regard de sa femme et lui présenta le bébé.

— Nous avons un fils, mon amour, dit-il. Un magnifique garçon.

Angie était trop épuisée pour faire autre chose que sourire, mais ce sourire disait tout.

Une fois le bébé propre et emmailloté, Jason allait le déposer dans les bras de sa mère, quand la porte s'ouvrit, laissant apparaître deux petites têtes.

— Nous avons entendu un bébé crier, chuchota Meg.

Jason sourit fièrement et montra son fils.

— Venez donc dire bonjour à votre petit frère.

Tildy regarda le bébé et fronça les sourcils.

— Il est tellement petit, dit-elle. On pourra pas jouer avec lui ? Et il est tout ridé et violet comme une prune.

— Tais-toi, Tildy, la gronda Meg en lui donnant un coup de coude. Ce n'est pas gentil.

Angie fit signe aux filles d'approcher et les embrassa.

— Il sera vite assez grand pour jouer avec vous, dit-elle d'une voix faible.

— Mais... il n'a même pas de cheveux, protesta Tildy.

Angie et Jason échangèrent un sourire.

— Ses cheveux pousseront comme le reste, expliqua-t-il en les conduisant vers la porte. Maintenant, vous allez être gentilles et nous préparer à souper. Il faut que votre maman se repose. Mettre un bébé au monde est épuisant.

Les filles quittèrent la pièce à contrecœur, et Jason s'allongea sur le lit à côté de la jeune femme, leur fils endormi entre eux.

— C'est vrai qu'il ressemble à une prune, dit-elle en riant.

— Il est superbe, décréta Jason.

— Je sais que tu voulais une fille. Tu es déçu ?

— Bien sûr que non. Et si nous en avons douze, il y aura bien une fille dans le lot.

— J'aimerais l'appeler Willy, comme le fils d'Anne. Et nous demanderons aux Bishop d'être le parrain et la marraine.

Jason acquiesça d'un sourire.

— Et l'année prochaine, dit-il, nous l'emmènerons à Norridgewock pour le présenter à son grand-père.

— Oh, oui, Jason ! Assacumbuit l'adorera.

Jason songea à son père. Il serait fier d'avoir un autre petit-fils. Les combats entre Abenakis et colons avaient duré tout l'été et l'automne. Mais grâce à Angie, Jason savait à présent qu'il appartenait aux deux mondes.

La jeune femme était si paisible qu'il la crut

endormie. Il étudia son cher visage. Elle était si belle, sa Angie, si forte.

— Merci, Jason, murmura-t-elle.

— De quoi ? demanda-t-il en l'étreignant.

— De m'avoir donné un bébé. Ton bébé. Et de m'aimer.

— Ah, Angie, Angie, chuchota-t-il, de l'émerveillement dans la voix.

Il l'embrassa avec passion, amour et tendresse.

— Je t'aime, Jason Savitch, dit-elle en s'endormant.

NOTE DE L'AUTEUR

Les expériences sur l'inoculation de la variole, l'attaque de la mission de Castine et la mort du jésuite français Sébastien Râle ont été avancées de plusieurs mois pour les besoins de l'histoire.

En 1724, le bastion abenaki de Norridgewock fut envahi par les Anglais, et une grande partie des guerriers et leurs familles se retirèrent au Québec. Il reste cependant des communautés d'Abenakis dans des réserves du Maine. En 1980, les tribus Penobscot et Passamaquoddie de la nation abenaki reçurent quatre-vingt-un millions de dollars de l'Etat et du gouvernement fédéral, en indemnité pour avoir été chassées de leurs terres.

Rendez-vous au mois de juillet
avec trois nouveaux romans de la collection
Aventures et Passions

Le 2 juillet

Baiser volé
de Rosemary Rogers (n° 5262)

Victoria s'est enflammée pour un jeune pasteur et ses bonnes causes. Alors qu'elle l'accompagne dans ses missions, elle est sauvée d'une bagarre par Nick, un Texas Ranger, qui la trouve si attirante qu'il ne peut s'empêcher de l'embrasser. Deux ans plus tard, Victoria rentre chez son père en Californie. Elle y retrouve son sauveur, chargé par le gouvernement d'espionner des Californiens soupçonnés de vendre des armes aux rebelles mexicains...

Le 15 juillet

Un jour tu me reviendras
de Lisa Kleypas (n° 5263)

David et Jessica ont été mariés par leurs parents alors qu'ils n'étaient que des enfants. Devenus adultes, ils ne se connaissent pas mais leur mariage les empêche de vivre normalement. David cherche alors à retrouver Jessica, mais celle-ci s'est enfuie de chez ses parents et il ignore qu'elle se cache sous une fausse identité...

Le 23 juillet

Pour une rose d'argent
de Jane Feather (n° 5264)

Depuis des générations, deux familles anglaises, les Ravenspeare et les Hawkesmoor, se détestent. La reine, souhaitant mettre un terme à ces rivalités, ordonne le mariage de Simon Hawkesmoor avec Arielle de Ravenspeare. Arielle est effondrée : bien qu'elle souffre de la cruauté de ses deux frères et de son amant, Olivier, elle ne veut surtout pas quitter sa famille pour devenir l'esclave d'un autre homme...

Aventures et Passions

Quand l'amour s'aventure très loin, il devient passion.

Ce mois-ci, découvrez également
deux nouveaux romans de la collection

Amour et Destin

Le 3 juin

D'or et de paillettes
de Christiane Heggan (nº 5234)

A la mort de l'homme d'affaires Victor Hayes, sa femme Alexandra hérite de son entreprise de cosmétiques. Karen, la fille de Victor, n'est pas d'accord avec les agissements de sa belle-mère qui entend vendre l'entreprise. Décidée à tout faire pour l'en empêcher, Karen enquête sur cette marâtre arriviste et superficielle. Aidée par Reed, un beau journaliste un peu trop curieux...

Le 25 juin

Lune rousse
de Carol Finch (nº 5235)

Suite au décès de ses parents, Andrea abandonne ses études de vétérinaire pour revenir au ranch familial. Elle doit s'occuper des bêtes mais aussi de son jeune frère Jason. Si elle n'arrive pas à rassembler le troupeau dispersé sur les terres, le ranch sera vendu. Elle fait alors appel à Hal Griffin, un cow-boy renommé, certes un peu brutal mais terriblement viril...

J'AI LU *Amour et Destin*

Quand l'amour donne aux femmes le choix de leur destin...

5231

Composition Interligne B-Liège
Achevé d'imprimer en Europe (France)
par Maury-Eurolivres - 45300 Manchecourt
le 11 mai 1999.
Dépôt légal mai 1999. ISBN 2-290-05231-0
Éditions J'ai lu
84, rue de Grenelle, 75007 Paris
Diffusion France et étranger : Flammarion